iPad
仕事術!
iPad Working Style Book!!!!
2023

#m2macbookpro
absolute champ when it comes to price-to-performance ratio.
control
option
cmd
英数
かな
cmd

CONTENTS

イントロダクション

特集!!
今、使うべきアプリ特集4

COVER
model/こにたく(nikostyle)
Photo/Fumihiko Suzuki(snap!)

iPad 仕事術!

model／konitaku(nikostyle)　Photo／Fumihiko Suzuki (snap!)

特集：今、使うべきアプリ！

本書の前半では、iPadで使える優れた4つのアプリを「今、使うべきアプリ」として特集している。どのアプリも高機能かつ、素晴らしい完成度を誇り、使って損のないものなので、関心のあるものからぜひとも使ってみていただきたい。

1 フリーボード

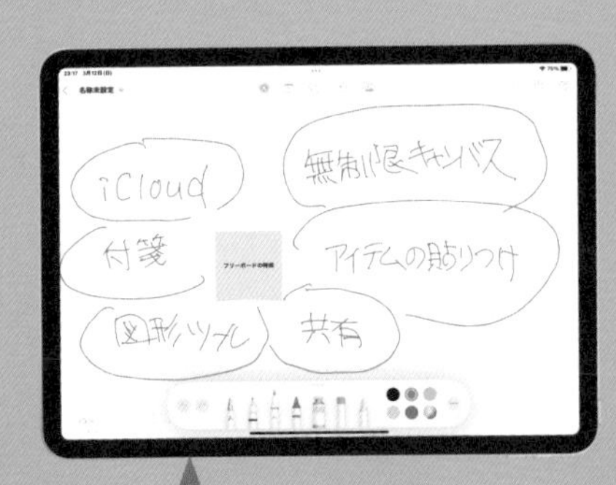

Apple純正の無制限キャンバス手書きノート

無制限にキャンバスを広げられる手書きノートといえば、「Map Note」や「コンセプト」など、かなり古くから存在しており、一定の人気を築いているジャンルだが、Appleが出すとやはりクオリティは違っていた。ペンの書き心地や全体的な操作性はもちろん優れているが、グループ化など、さまざまな便利機能を誇る付箋や、図形描画、写真やビデオの貼り込み、ほかの人との共有など、どれをとっても完成度が高く、じっくりと長く使っていけそうな秀逸なアプリとなっている。

テキスト入力も、手書きでの描画も、同じスタンスで使っていけるので、あらゆる人にそれぞれピッタリ合った使い方が存在するのではないだろうか。

26PAGE

延々と人気No.1!
究極の
手書きノート!

2 GoodNotes 5

iPadアプリの人気ジャンル「手書きノート」の中で延々と人気1位を維持し続けている超人気手書きノートアプリだ。必要十分な機能とシンプルなインターフェースで、初めての人にもわかりやすく、なおかつ手書きノートを使い慣れた人にも必須のアプリである地位を確立している。使用者が多いことで、オリジナルのテンプレートや使いこなし方法の情報がネットに満ちていることも便利さのひとつだ。

今回の記事では、GoodNotes 5の基本的な使い方も解説しつつ、具体的に「どのようなノートを作ればよいのか?」も紹介している。使い方に悩む人にもヒントになるのではないだろうか。

→ 36PAGE

3 Frexcil

PDFを扱うツールでは、ビューアーや注釈系ツールが多い中、最近勢いを増しているジャンルが「資料読み込み系」のツールだ。資料となるPDFに注釈をつけられるのはもちろんだが、独自のスタディノートを同時に表示させ、そちらにPDFの重要部分をどんどんクリッピングできてしまうのだ。

テキスト、画像などを資料から自由に自分のスタディノートに配置し、さらに手書きでマーカーを塗ったり、メモを加えたりと、自分がもっとも理解しやすい形に資料をカスタマイズできてしまう。重要なポイントを理解し、頭に叩き込むのにこれほど適したアプリはないだろう!

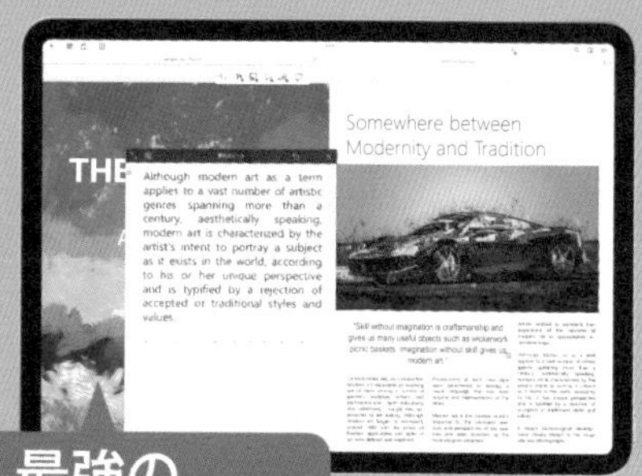

最強の
資料読み込み系
ツール!

→ 52PAGE

上がり続ける
完成度が凄い!
快適な動画編集ツール

4 Luma Fusion

動画編集はPCで行うもの!という雰囲気はしばらくあったが、LumaFusionの登場以来、風向きは変わってきており、iPadで動画編集をする人はどんどん増えている。ほとんどPCと比べても遜色のない多機能ぶりを誇り、iPadでの操作性も完璧に練られているアプリだ。

中でも素晴らしいのは、外付けストレージ内のファイルをiPadに移動させる必要がなく、外付けストレージの中で直接編集が可能なことだ。これによってiPadのストレージを消費せずに済み、大量の動画編集も快適に処理できるようになり、格段に操作性が向上している。また、サブスク全盛の中では珍しく、4,800円で買い切りで使える点も非常に魅力的だ。

60PAGE

iPadを「最高の仕事ツール」にするための

5つのキーワード

iPadは「どの作業に向いているか?」をイメージしよう!

iPadは使用するスタイルやアプリの組み合わせで無限の可能性を秘めているデバイスだ。だがそれだけに、手にした始めのうちはどんなことに活用すべきなのかが見えにくいというのも事実。そこで、仕事における日常的なプロセスを5つのキーワードに分け、それぞれの過程でiPadをどのように活用できるかを考えてみよう。

1 入力

iPadを「最高のデジタル文具」にする

iPadには、Apple Pencilはもちろん、優れたノートやメモ、スクリブル機能といった日常のあらゆる情報を記録するツールが豊富に揃っている。「デジタルの紙」としてどんどん活用していこう。

2 編集

iPadがあれば、そこはもうオフィス

ノートパソコン並の性能と大きなディスプレイを搭載したiPadは、情報を編集する作業にもとても役に立つ。編集した情報はプロジェクトメンバーと共有することで、さらに仕事を効率的に進めることができる。

3 情報収集

ネット上のあらゆる情報を集約させる

iPadをネットに接続すれば、最高の情報収集端末に早変わりする。高機能なブラウザでWebから有益な情報をクリッピングしたり、ニュースサイト、動画サイトなどから自分に有益な情報をピックアップして収集できる。

4 効率化

無駄な時間とストレスを削ぎ落とす

今までは「そういうもの」と思って行ってきた単純な作業も、優れたツールを使えば革命的に作業を効率化できることに気がつく。ひとつひとつは小さな時短でも、積み重ねることで大きな利益を生み出すかもしれない。

5 管理

iPadがあなたの時間をマネジメント

仕事の世界において、時間の管理は必須条件。スケジュールやタスクをiPadで集中管理することで、今取るべき行動、考えるべきことが見えてくる。iPadは優秀で従順なマネージャーとして活躍してくれるだろう。

今、仕事で使えるiPadはこれ!

iPadは多くの人々から支持されている便利なツールだが、数多くのモデルが販売されており、どれを選ぶべきか迷ってしまうこともある。そこで、現在販売されているiPadのモデルを細かく比較してみよう。

コスパで選ぶなら旧世代の無印iPad!

2万円以上も差がある! 最新モデルを買う必要はない

余計な出費は抑えつつ、ひとまずiPadの持ち味を最大限に活かしたい場合、2021年9月14日に発売されたやや古いモデル、iPad（第9世代）が最適だ。

現在、アップル公式サイトでは最新モデルであるiPad（第10世代）と1つ前のモデルである（第9世代）が販売されている。最新モデルは、プロセッサーやグラフィック、カメラの解像度、ネットワークなど、さまざまな点で高速でパワフルなパフォーマンスを発揮するだろう。ただし、マルチタスク機能や手書き作業を効率化する機能（Slide OverやSplit Viewなど）は、第9世代でも特に変わらない形で利用できる。また、第10世代に対応したApple Pencilはペンの後ろをポートに差し込んで充電する古い第一世代だ。

手書きによるノート作業が主体である場合、2万円以上も価格差が生じる最新モデルを購入する必要はない。第9世代の10.2インチiPadで十分だ。メモを取ったり、Split Viewで複数のアプリを使ったり、PDFに注釈をつけたりする作業ならば、第9世代でも快適に行うことができる。

ここがポイント

1. iPad（第9世代）はやや古いがiPadの持ち味を最大限に活かせるコスパモデル。
2. iPad（第10世代）はパワフルなパフォーマンスを発揮するが値段が跳ね上がる。
3. 手書きによるノート作業が主体の場合、第9世代でも十分に仕事に使用することができる。

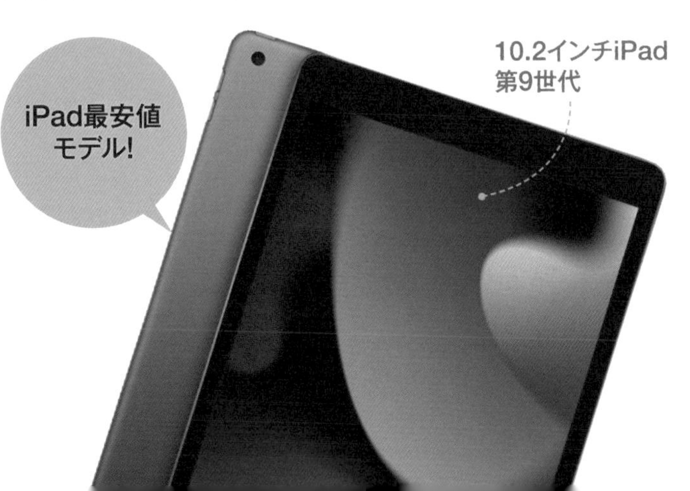

iPad最安値モデル!

10.2インチiPad 第9世代

毎日のように持ち運ぶなら軽くて小さいmini 6

移動中や外出先での利用に最適なiPad

携帯性に優れたiPadを探しているならiPad mini 6がおすすめだ。mini 6は、8.3インチの小型ディスプレイサイズと、6.3mmの薄さが特徴で、バッグやポケットにも収納しやすく、移動中にもストレスを感じにくいコンパクトなサイズ感が魅力的だ。また、わずか300g以下の重量で、片手でも持ち運びが簡単なため、電車内などでも広げやすく使いやすい。

さらに第2世代のApple Pencilに対応しているのも大きなメリット。側面にApple Pencilを取りつけることができるため、外出先でも簡単に手書きメモを取ることができる。充電ポートはiPad Proと同じUSB-Cポートで、急速充電が可能で、カメラやUSBメモリなどを取りつけてデータのやり取りが高速に行える。

さらに、A15 Bionicチップを搭載しているため、iPad（第9世代）やiPad（第10世代）よりも高速に動作することも特徴だ。ビジネスや日常利用でもストレスを感じることなく、効率的に作業を行うことができるだろう。

また、mini 6は、リモートワークやオンライン授業などの環境でも便利。小型で軽量なため、移動中や外出先でも手軽に利用でき、FaceTimeやその他のビデオ通話アプリを使ってリモートワークや授業などに活用することができる。

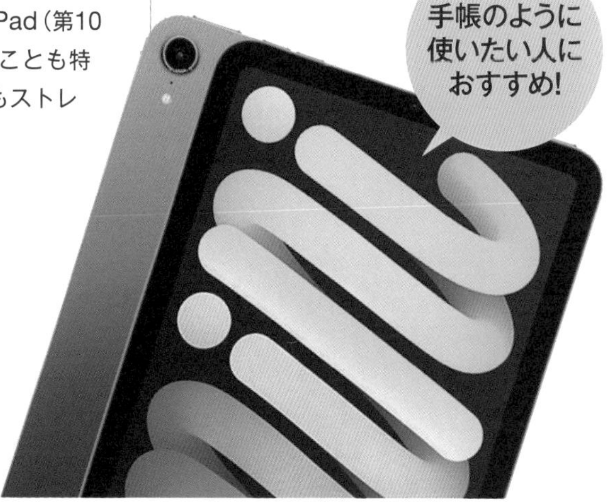

＼ここがポイント／

1. iPad mini 6は、携帯性に優れている。
2. 第2世代のApple Pencilに対応し、USB-Cポートを搭載しており、高速なデータのやり取りが可能。
3. A15 Bionicチップを搭載しているため、高速に動作する。

安心して何にでも使えるAir

無印iPadより少し性能がよくオシャレなデザインが欲しい人におすすめ

iPadの上位モデルiPad Air5は、iPadシリーズの中でも、高性能でありながら軽量でスリムなデザインが特徴のモデルだ。iPad Air 5は、iPad Proと同様のデザインを採用しており、スリムで角ばったデザインが特徴的だ。また、5種類のカラーバリエーションから選ぶことができ、好みに合わせたカラーを選ぶことができる。

iPad Proと同じAppleシリコンのチップ（M1）を搭載しているので、無印iPadやiPad mimi 6よりも高いパフォーマンスを発揮する。ノート作成やメモ作成だけでなく、動画編集や写真編集など負担のかかる作業でもフリーズすることなく快適にこなすことができる。また、Airシリーズでは今回初めてセルラーモデルが高速通信5Gに対応している。にもかかわらず最廉価モデルが92,800円（税込）で、iPad Proより3万も安い。

1つだけ残念なのは、Face IDに対応していないのでミー文字を作成したり、ミー文字を使ったFaceTime通話ができないことだろう。

＼ここがポイント／

1. iPad Air 5は、高性能でありながら軽量でスリムなデザインが特徴。
2. iPad Proと同じAppleシリコンチップ（M1）を搭載しており、高いパフォーマンスを発揮する。
3. Airシリーズでは初めてセルラーモデルが高速通信5Gに対応している。

とにかく最高のパフォーマンスを引き出したいならPro

Penicilをメインに使いたい人やディスプレイにこだわる人におすすめ

iPad Proシリーズは、iPadの最高性能を求める人にぴったりのモデルだ。12.9インチiPad Pro（第6世代）と11インチiPad Pro（第4世代）にはM2チップが搭載されている。M2チップは、M1と比較して最大15パーセント高速な8コアCPUと、最大35パーセント高速なグラフィックス処理能力があり、膨大な写真の編集や3Dオブジェクトを扱うデザイナー、医療従事者やゲーマーなど、最も負荷の高い仕事をする人に威力を発揮するだろう。

ディスプレイ面では、iPad Proは120HzのPro Motionテクノロジーに対応しており、ほかのiPadと比べて画面の動きがスムーズで処理速度が高速だ。特にApple Pencilを使用して細かい作業をする場合には、この高速処理が必要不可欠となる。そのため、Apple Pencilの書き心地にこだわる人に特におすすめだ。

M2チップは現在最新のiPad Proシリーズにしか搭載されていない。

Face IDを採用しているのはProシリーズだけ

iPad Proモデルのみ、顔認証技術のFace IDが搭載されている。Face IDはただロック解除が楽になるだけでなく現在は、ミー文字の作成や作成したミー文字の利用にも関与している。ミー文字をメッセージやFaceTimeでのビデオ通話で使用することができるiPadモデルはiPad Proシリーズだけとなる。本誌92ページで紹介しているミー文字の活用を楽しむにはiPad Proシリーズを所有している必要がある。

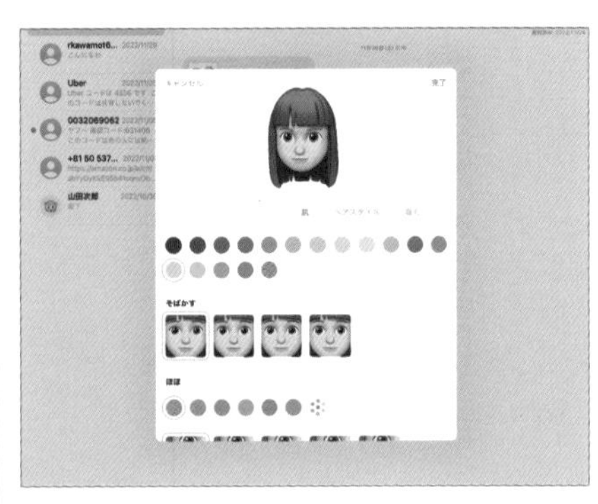

現在、ミー文字を作成できるiPadモデルはProのみとなる。

URB-4対応コネクタにWi-Fi6と5G

iPad Proは多くの点で優れている。WiFi6Eという超高速のワイヤレス接続に対応しているため、前のモデルよりも2倍速くなり、2.4Gbpsの速度でビデオやファイルを送受信できる。ビジネスで大容量のファイルを送信したり、家庭で高品質なストリーミング動画を楽しんだりする際に役立つ。さらに、5Gにも対応しているので、モバイル通信においても高速で安定した通信を可能にする。

USB-CコネクタもiPad Proの大きな特徴の一つだ。最新のUSB4にも対応しているため、よりデータ転送が高速に行われる。さらに、iPad ProのUSB-Cポートは充電が双方向でできるので、iPadのバッテリーを使って外付けのストレージ、カメラ、ディスプレイなどのアクセサリに電力供給ができる。

さらに、iPad Proには4つのスピーカーが搭載されており、iPadが縦でも横でも、臨場感のあるステレオの音響体験を得ることができる。一方、ほかのモデルのスピーカーは2つしかないため、音質、音の定位が違うことは明らかだ。

クリエイターやプロフェッショナル、ビジネスユーザーにおすすめ

ここがポイント

1. 1.iPad ProシリーズはM2チップ搭載による高速処理が可能
2. 120HzのProMotionテクノロジーによる滑らかなディスプレイ表示
3. Face IDによる顔認証やWiFi6E、USB-Cコネクタ対応など、多くの機能も搭載。4つのスピーカーで音響体験も高品質。

Apple Pencilの世代に注意してモデルを選ぼう

現在、Apple Pencilには2つの世代があり、iPadモデルによって利用できる世代は異なる。第1世代Apple Pencilは、iPadのLightningコネクタに接続して充電するタイプで、第1世代Apple Pencilは、iPad（第9・10世代）と互換性がある。第2世代Apple Pencilは、ペンをiPadの側面に装着して充電するタイプで、iPad Pro、iPad Air（第4、5世代）、iPad mini 6で利用できる。

どちらの世代がよいかは、ユーザーの予算と個人的な好み次第だが、第2世代Apple Pencilは、第1世代に比べて充電が簡単で、バッテリー持続時間が長いというメリットがある。

ステージマネージャと拡張ディスプレイを使うならM1チップ以降のiPad

マルチタスク作業を快適にしてくれる新機能が使える

M1以降のチップを搭載したiPadモデルであれば、iPadOS 16の新機能であるステージマネージャが使える。ステージマネージャは複数のアプリを同時に使いやすくするマルチタスク機能で、アプリをパソコンのウィンドウのように扱える。

この機能は、作業スペースが広くなるほど効果が高まる。特に12.9インチの大型ディスプレイを搭載のiPad Proはステージマネージャを使用するには最適なデバイスだ。処理速度の優れたM2チップを搭載したiPad Proを使えば、さらに高速で快適なマルチタスク処理ができるだろう。

さらに、M1以降のチップを搭載したiPadモデルでは、同じく新しく追加された「拡張ディスプレイ」を使うこともできる。これは、外部ディスプレイをデュアルディスプレイとして扱える機能で、iPadのホーム画面を2つ作成できる。ステージマネージャと併用することでよりiPadでのマルチタスク作業の効率が高まるだろう。

ステージマネージャが使える機種は、iPad Air（第5世代）、11インチiPad Pro（全世代）、12,9インチiPad Pro（第3世代以降）となる。

ステージマネージャと拡張ディスプレイ機能を併用すれば、ディスプレイごとに4つ、最大8つのアプリを表示できる。

動画編集をしたいなら、やはりM1以上が安心

動画編集に最適なiPadのモデルは、iPad Proであることは間違いない。最新のiPad Proには、高性能なM2チップが搭載されており、多くのプロセスをスムーズに処理できるため、高速な処理能力が必要な動画編集作業に不可欠だ。さらに、iPad Proには、12.9インチの大型ディスプレイと拡張ディスプレイ機能があり、これらが編集作業を楽にして生産性を上げてくれる。

Apple Pencilの存在も動画編集の手助けになる。スクリブル機能を使えば、手書きした文字をテキストに変換することができ、字幕やテロップの挿入が簡単になる。また、Apple Pencilを使って動画編集ソフト上で特定の場所をタップして、カットしたり、トリミングするといった作業が楽になる。

iPadOS 16が動作するiPadはこれ!

iPad Air シリーズ

iPad Proまでは望まないとしても、ホームボタンなしのデザインを好む人に人気のAirシリーズ、最新のAir 5ではM1チップが搭載され、ステージマネージャにも対応と、ほとんどProと変わらないスペックとなった。

対応機種

iPad Air 第5世代(10.9インチ)
iPad Air 第4世代(10.9インチ・販売終了)
iPad Air 第3世代(10.5インチ・販売終了)

iPad Air 第5世代

プロセッサ	Apple M1チップ
スピーカー	2スピーカーオーディオ
Apple Pencil	第2世代対応
Keyboard	Magic Keyboard、Smart Keyboard Folio対応
カラー	スペースグレイ、スターライト、ピンク、パープル、ブルー
価格	92,800円～

iPad シリーズ

新たに無印シリーズに加わった第10世代は、ホームボタンのないデザインに変更された。低価格ながらA13 Bionicチップが載り、PencilもSmart Keyboardも使える第9世代は引き続き販売中であり、おすすめだ。

対応機種

iPad 第10世代(10.9インチ)
iPad 第9世代(10.2インチ)
iPad 第7~8世代(10.2インチ・販売終了)
iPad 第5~6世代(9.7インチ・販売終了)

iPad 第10世代

プロセッサ	A14 Bionicチップ
スピーカー	2スピーカーオーディオ
Apple Pencil	第1世代対応
Keyboard	Magic Keyboard Folio対応
カラー	ブルー、ピンク、イエロー、シルバー
価格	68,800円～

iPad Pro シリーズ

最上位機種のiPad ProシリーズはチップがM2チップとなり、Pencilのホバー機能など、先進の機能が多数搭載されている。またProシリーズは、初代の9.7/12.9インチも、iPadOS 16にアップデートできる。

対応機種

iPad Pro 第3世代以降（11、12.9インチ）
iPad Pro 第2世代（10.5、12.9インチ・販売終了）
iPad Pro 第1世代（9.7、12.9インチ・販売終了）

iPad Pro 11インチ 第4世代

プロセッサ	Apple M2チップ
スピーカー	4スピーカーオーディオ
Apple Pencil	第2世代対応
Keyboard	Magic Keyboard、Smart Keyboard Folio対応
カラー	シルバー、スペースグレイ
価格	124,800円～

iPad mini シリーズ

どこにでも持ち運べるminiシリーズは、2021年発売の「iPad mini 6」や、2019年発売の「mini 第5世代」がiPadOS 16に対応している。mini 6はApple Pencilの第2世代に対応している点がポイントだ。

対応機種

iPad mini 6（8.3インチ）
iPad mini 第5世代（7.9インチ・販売終了）
iPad mini 4 （7.9インチ・販売終了）

iPad mini 第6世代

プロセッサ	A15 Bionicチップ
スピーカー	2スピーカーオーディオ
Apple Pencil	第2世代対応
Keyboard	非対応
カラー	スペースグレイ、ピンク、パープル、スターライト
価格	78,800円～

外部ディスプレイにも対応！画期的なステージマネージャを活用しよう！

iPadをビジネスで活用したいと考えているなら、見逃してはならないのが「ステージマネージャ」だ。これはiPadの画面に複数のアプリをウインドウ表示できる機能。つまり、MacやWindowsのようにウインドウを並べての並列作業ができるようになる。

さらに一部のiPadでは外部ディスプレイへの画面拡張にも対応。ディスプレイ画面いっぱいに別画面を展開するなど、まさにPCライクな操作も可能になった。

ここではステージマネージャの有効化・設定方法から、ステージマネージャを活用すると、どう便利になるのか？　といった活用例まで、ビジネスパーソン必見の新機能を掘り下げてみよう。

タッチ操作も引き続き利用可能

外部ディスプレイに接続していても、iPadはそのままタッチ操作可能。自分の使いやすいスタイルで運用できる。

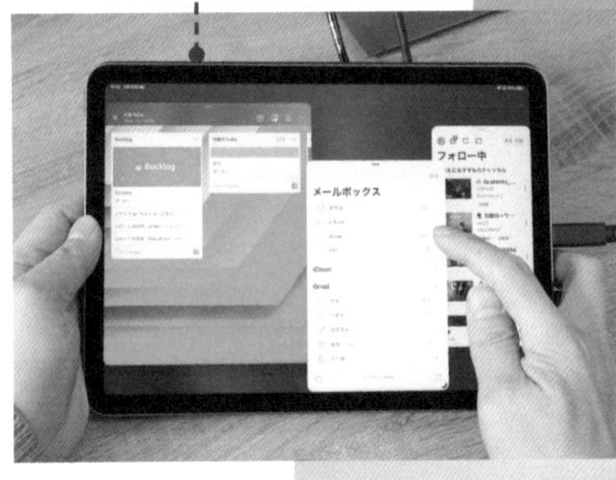

拡張ディスプレイで作業効率が段違い！

iPadの画面にもう1画面作業領域が増えるので、作業効率が段違いにアップ！

複数のウインドウを並べて表示

複数のアプリ（ウインドウ）を同時に表示して作業できる。Split Viewよりも並列作業がしやすくなる。

キーボードやマウスを使えばデスクトップ環境へ

キーボード・マウス・トラックパッドなど、周辺機器を用意すれば、まるでPC風に利用可能。デスクトップとタブレットを両立できる。

最新iPadで外部ディスプレイがさらに活きる！

iPadOS 16の目玉機能として登場した「ステージマネージャ」。複数のウインドウを画面内に配置することができ、まるでPCやMacのように操作できるようになる。最も注目すべきは、特定のモデルでは外部ディスプレイへの接続で、マルチディスプレイ環境で利用できるところ。

この機能が活躍するのは、やはりビジネスシーン。外出時ではiPad単体で書類のチェックや軽作業。オフィスや自宅に戻ったら外部ディスプレイに接続して広い画面で効率良く仕事を進めるなど、2WayでノートPCライクな使い方が実現可能。作業効率は格段にアップするはずだ。

ステージマネージャを利用できるiPadは限られているので、広い画面で操作したいのであれば、対応モデルであることを基準にしてiPadを選ぶといい（21ページ参照）。

ステージマネージャでマルチタスクのレベルが変わる!

画面を待機させて切り替え

複数の画面が展開され、画面単位で切り替えて利用できる。作業に応じて利用するアプリを並べた画面を用意しておくと効率的。

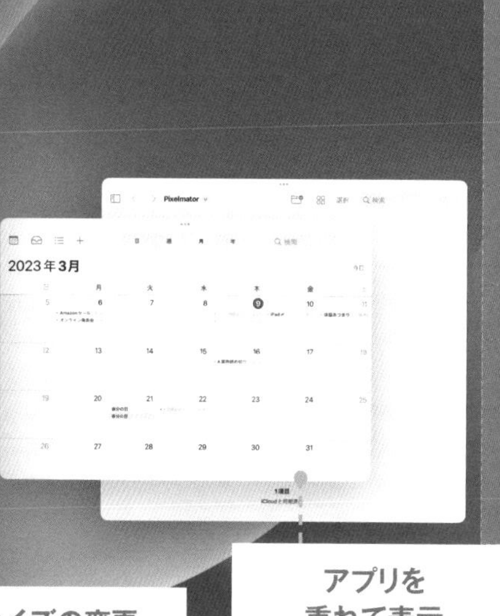

画面サイズの変更

アプリ画面の隅をドラッグすることで、画面サイズを変更できる。複数のアプリを並べたいときは小さく、操作性・視認性を重視するアプリは大きく調整するといい。

アプリを重ねて表示

macOSやWindowsのウインドウ操作のように、アプリ同士を重ねることも可能。

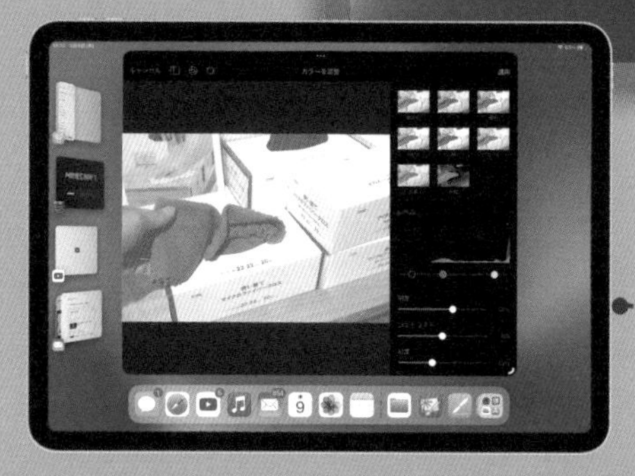

iPad側でもアプリの展開・待機

マルチディスプレイで利用する場合は、iPad側の画面でもアプリを展開、サイドに待機させておくことができる。

iPadだけでもステージマネージャは利用可能!

ステージマネージャは外部ディスプレイ接続がマストではなく、iPad単体でも利用できる。活用例は23ページで紹介している。情報を入手しながら、ほかのアプリで処理するような並列作業が圧倒的に楽になる。

iPadの画面だけでも、アプリをウインドウ化して並べて表示できるので、外部ディスプレイは必須条件ではない。

ここが課題

対応モデルはある程度限定される

待望の新機能なものの、この機能を享受できるiPadは多くなく、マルチディスプレイ環境で利用できるモデルも制限がある。両方を満たしていて、現在購入できる安価な選択肢はiPad Air 5だ。

ステージマネージャ対応	マルチディスプレイへの対応
iPad Pro 12.9 インチ (第3世代以降)	iPad Pro 12.9 インチ (第5世代以降)
iPad Pro 11 インチ (第1世代以降)	iPad Pro 11 インチ (第3世代以降)
iPad Air (第5世代)	iPad Air (第5世代)

iPad単体での利用とマルチディスプレイ対応とで条件が異なる点に注意。

高解像度出力対応! USB-Cモニターが本領を発揮した!

今までiPadは外部モニターに接続しても、iPad側の画面がそのまま出力されており、高解像度やモニタの画面比率を活かせないでいた。しかし、ステージマネージャの登場で、iPad用ではオーバースペックだった高解像度モニターも強い選択肢になった。

たとえば筆者がMac用に購入した4Kモニター(Dell U2727QM)は、USB-Cで接続でき、iPadへの充電とモニターへの映像出力を両立。HDR表示も可能で、iPad側で「スペースを拡大」表示にすることで6K相当の高解像度で出力されるなど、iPad作業でのメインモニターに昇格している。

iPad環境の改善で使いやすくなった4Kモニター「U2727QM」。これからiPad用モニタを購入するなら4K、USB-Cはマストだ。

ステージマネージャを設定する

iPadでステージマネージャを有効にする

まずはステージマネージャを有効にしていこう

ステージマネージャは標準では無効化されている。利用するには「設定」アプリから有効化していく必要がある。まずは、紹介する手順に従って有効化しよう。なお、コントロールセンターからも有効にできる。

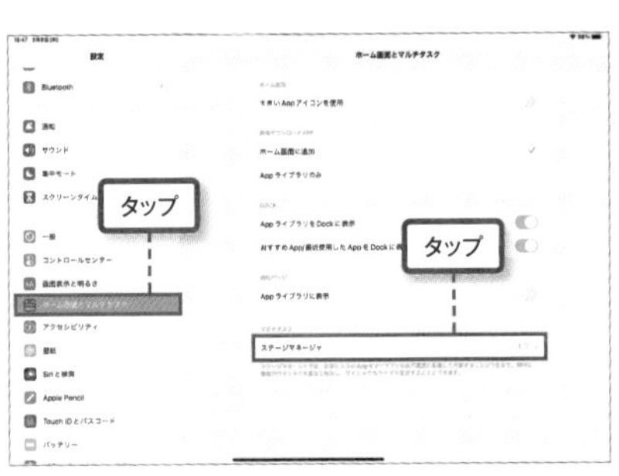

❶「ホーム画面とマルチタスク」を開く
「設定」アプリから「ホーム画面とマルチタスク」を開き、「ステージマネージャ」をタップする。

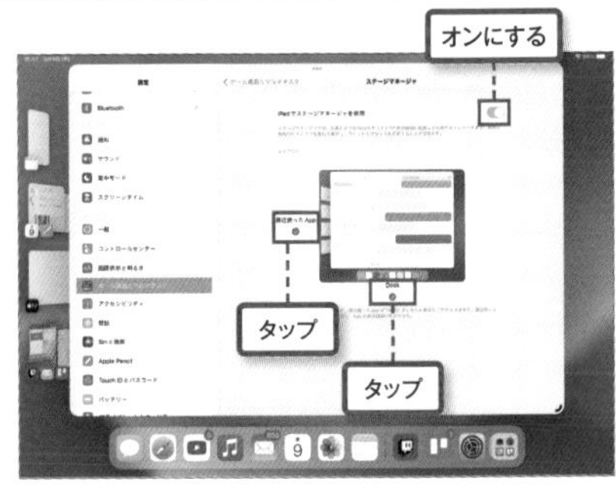

❷ ステージマネージャを有効化
「iPadでステージマネージャを使用」をオンにする。「最近使ったApp」や「Dock」もオンにしておこう。

外部モニターでマルチディスプレイ化

外部モニターでマルチディスプレイ環境を有効にする

ステージマネージャを有効にしても、iPadに外部モニターを接続しただけではマルチディスプレイ環境にならない。初期設定ではミラーリングに設定されているので、こちらを解除して拡張ディスプレイとして設定していこう。PCやMacと同じく、iPadと拡張ディスプレイとの画面の繋がる場所を変更することも可能だ。

モニターや接続方式によっては、検出されたモニターをタップして「ディスプレイ」項目より拡大表示の設定やHDRを有効化できる。

❶ USB-Cでモニターを接続
USB-Cモニター。もしくはUSB-HDMI変換のハブなどを利用して、モニターとiPadを接続する。

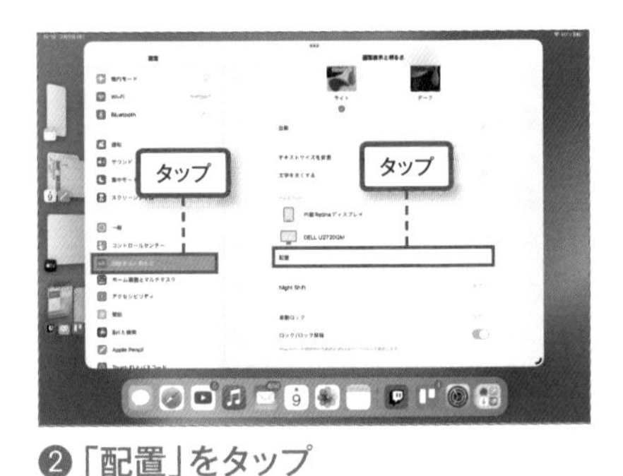

❷「配置」をタップ
「設定」→「画面表示と明るさ」を開き、「配置」をタップする。

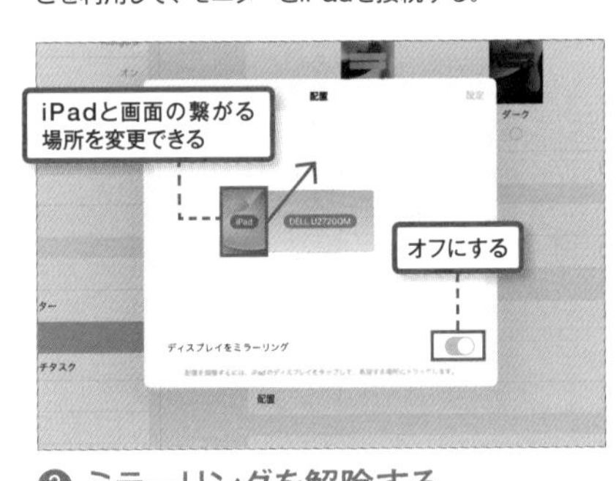

❸ ミラーリングを解除する
マルチディスプレイ環境で利用するには、「ディスプレイをミラーリング」のスイッチをオフにする。iPadの配置も変更しよう。

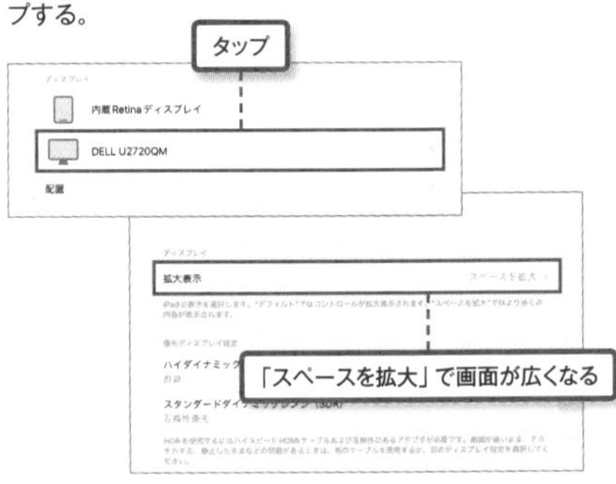

❹ ディスプレイ設定を変更する
モニターによっては、検出されたモニター名をタップすることで、表示スペースのサイズやHDRの設定などを行える。

ドラッグを使ったアプリ間連携がさらに使いやすく!

ステージマネージャをマルチディスプレイで利用していて、特に便利に感じるのがアプリ間のドラッグ。iPadの画面ではSplit Viewで2アプリ、Slide Overを含めれば3アプリまで表示できるが、それぞれが小さくなってしまいあまり使い勝手が良いとはいえなかった。しかし、広いディスプレイに展開することで、現実的に使いやすいウインドウサイズでアプリをそれぞれ展開でき、アプリ間の連携力が更に高まっている。

たとえば、レタッチアプリで写真を加工して、資料に貼りつけるといった場合。これまではアプリを切り替えつつ作業する必要があったが、ステージマネージャであれば、「レタッチアプリ」、「Pages」、「ファイル」と3つの画面をそれぞれ表示できる。これにより、レタッチした画像をファイルに保存、ファイルからド

iPadだけでも意外とメリットの多いステージマネージャ

バックグラウンドのアプリの状況を確認できる

メイン画面を表示しつつ、バックグラウンドで待機しているアプリのサムネイルを確認できるのがポイント。並行している作業の状況を把握しやすい。

後で使うアプリを画面に保持しておける

今行っている作業と関連するアプリを、ウインドウ（アプリ画面）の裏側に置いておけるのもステージマネージャのメリット。画面を保持したまま、ワンタップで前面に出して操作を切り替えられる。

横画面でスペースを効率良く使える

文書やWebサイトなどは、フルスクリーン表示すると左右に空白のスペースが空いてしまって画面の無駄に。ステージマネージャなら画面内を効率良く利用できる。

これも便利!!

縦位置の画面分割も可能になった!

ステージマネージャの優れているもう1つのポイントは、縦画面分割。SplitViewでは強制的に横分割になっていたが、ステージマネージャでは、上下2分割や、画像のようにスペースを効率的に利用した画面配置が可能だ。

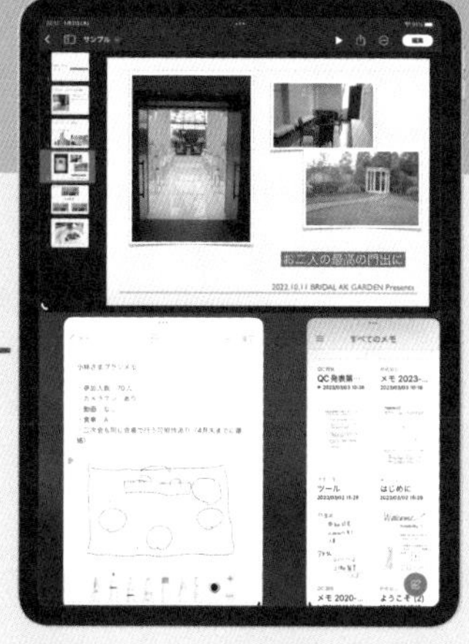

縦画面分割も画面を効率的に利用できる。ある意味、このスタイルの方が便利かもしれない。

ここが課題

便利な反面直感的ではないインターフェースはブラッシュアップが期待される

ステージマネージャは使いこなせるようになれば、iPadでの生産性をさらに引き上げてくれる。しかし、画面単位でアプリが管理されるので、アプリを切り替えようとすると、画面ごと切り替わってしまう点は直感的とは言い難い。せっかく良い機能なだけに、この独特すぎるインターフェースに関しては残念だ。今後は万人がスムーズに操れるレベルのブラッシュアップを期待したい。

ラッグでPagesへと追加するといった、PCでは定番のファイル操作が画面を切り替える手間なく行えるのは大きなメリットだ。

ただし、接続している外部ディスプレイはタッチには対応しないため、ステージマネージャでマルチディスプレイを活用するなら、キーボードやマウスは必須だ。デスクでの利用を想定するなら、PC用のBluetoothキーボード・マウスでもOK。携帯性も両立させるなら、iPad用の「Magic Keyboard」など、トラックパッド一体型のキーボードが便利だ。もちろん、サードパーティ性のものでもいいので、何かしらの外部入力機器を備えておこう。

Magic Keyboardでも、サードパーティ製のものでも。キーボード・トラックパッド一体型ケースがあると、さらに便利になる。

本書の使い方

アプリの入手方法について

本書で紹介しているアプリにはiPadに標準で入っているアプリと、App Storeで扱っているアプリの2種類があります。App StoreのアプリはApp Storeアプリでカテゴリから探すか、iPad標準のカメラアプリを利用して誌面のQRコードを読み取り、インストールしてください。

誌面のアプリ紹介部分のQRコードをカメラアプリで読み取ろう。

カメラアプリでQRコードを読むと、リンクが黄色で表示されるので、それをタップしよう。

該当のApp Storeが開くのでアプリを入手しよう。

もっと基本的なことを知りたい場合は

本書は、ある程度iPadを使った経験がある人に向けて編集していますので、スペースの都合上、iPadの基本的な情報は網羅できておりません。iPadの扱い方の基本は、Appleのサポートサイトで無料で閲覧できる「iPadユーザーガイド」を読むのがオススメです。サイトにアクセスすると、何種類かのユーザーガイドが表示されますが、「iPadユーザーガイド(iPadOS 16用)」を選びましょう。

Apple製品別マニュアルサイト
https://support.apple.com/ja_JP/manuals/ipad

iPadユーザーガイド(iPadOS 16用)をセレクトしよう

上記サイトにアクセスしよう。iPad以外の製品の解説書も読むことができる。

iPadの基本的な使い方がわかりやすくまとめられている。

WARNING!!

本書掲載の情報は、2023年3月12日現在のものであり、各種機能や操作方法、価格や仕様、WebサイトのURLなどは変更される可能性があります。本書の内容はそれぞれ検証した上で掲載していますが、すべての機種、環境での動作を保証するものではありません。以上の内容をあらかじめご了承の上、すべて自己責任でご利用ください。

特集!!
今、使うべきアプリ4

Great iPad Apps Four

今、使うべきアプリ 1

フリーボード

Apple純正手書きノートアプリを徹底解説!

満を持して登場したApple純正の手書きノートアプリ「フリーボード」!

自由度の高い手書きノートアプリでアイデアを思いのままに!

iPadOS 16で追加された新機能「フリーボード」は、思いついたアイデアを手軽にメモするための最高の手書きノートアプリだ。キャンバス(ボード)上ならどこでも指先、またはApple Pencilを使って自由自在に描くことができる。

このアプリの最大の特徴は、キャンバスのサイズに制限がないことだ。通常のノートアプリでは、書き足す余地がなく、新しいページを作る必要があったり、文字全体を縮小して余白を作らないといけないことがある。しかし、フリーボードではキャンバスのサイズに制限がなく、上下左右に自由自在に拡大できるため、マインドマップやブレインストーミングなどアイデア展開に最適だ。iCloudでデバイス間の同期も可能なので、MacやiPhoneでも手軽にアイデアを共有することができる。

手書きメモ以外にも、写真、ビデオ、オーディオ、書類、PDF、Webリンク、付箋なども追加できる。また、700以上の図形ツールを含む豊富なブラシツールが用意されており、思い通りの図が作れ、配置ガイドを使って外観を整えることができる。

さらに、このアプリには共有機能もあり、友達や同僚を招待して最大100人までリアルタイムで共同作業ができる。

ノートアプリ「フリーボード」とはどんなアプリなのか?

1:余白サイズに制限がない

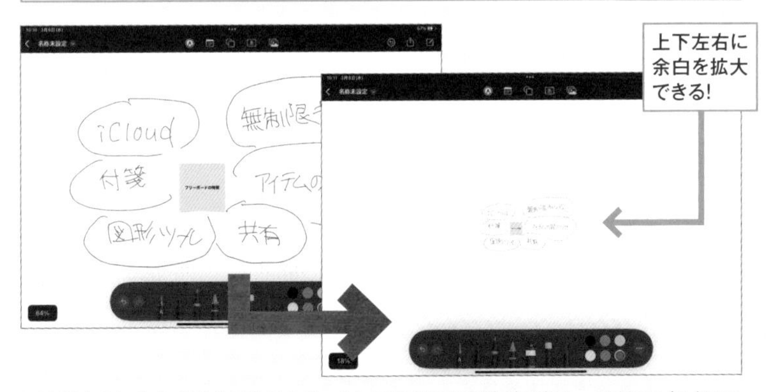

360度方向に余白を拡大できるため、あとで書き足す余裕ができる。メモやマインドマップ、ブレインストーミングに最適。

2:あらゆるファイルを追加できる

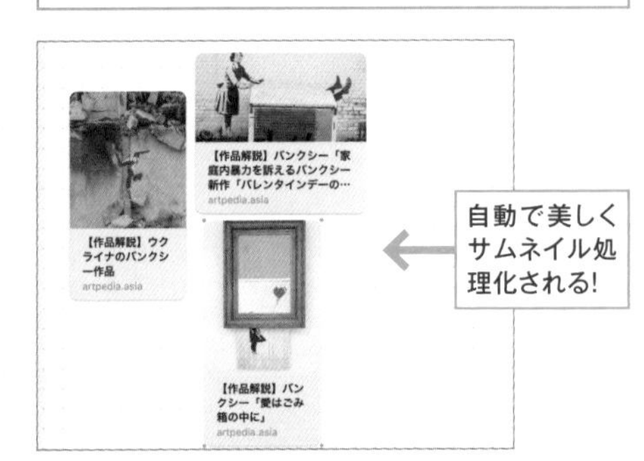

写真、ビデオ、オーディオ、書類、PDF、Webリンク、付箋などを追加することができ、豊富なブラシやツールも利用できるため、より多彩なメモの作成が可能。

3:共有機能を使って共同作業ができる

最大100人のユーザーとの共同作業が可能で、リアルタイムでのメッセージやFaceTimeもサポートしているため、チームでのコラボレーションにも適している。

フリーボードのキャンバス操作方法を理解しよう

上下左右に移動してピンチ操作で拡大縮小させて余白を作る

フリーボードは、従来のノートアプリとは異なり、ページを切り替えるのではなく現在開いているボードを拡大して利用する。書く場所がなくなったら、上下左右に2本の指でドラッグすると余白が現れる。また、ピンチイン・アウト操作で拡大縮小ができる。メモ全体を俯瞰したいときは縮小し、メモの一部をよく見たいときは拡大することができる。まずは、ボードの操作方法を覚えよう。

ボードは1つだけでなく、複数作成することができる。テーマごとにボードを作りたい場合はボード一覧画面を開き、新規作成ボタンをタップすると新しいボードを作成できる。ボードには好きな名前をつけることができるので、わかりやすい名称をつけておこう。よく使うボードは「よく使う項目」に登録しておくと素早く開くことができる。

キャンバスの余白を広げる

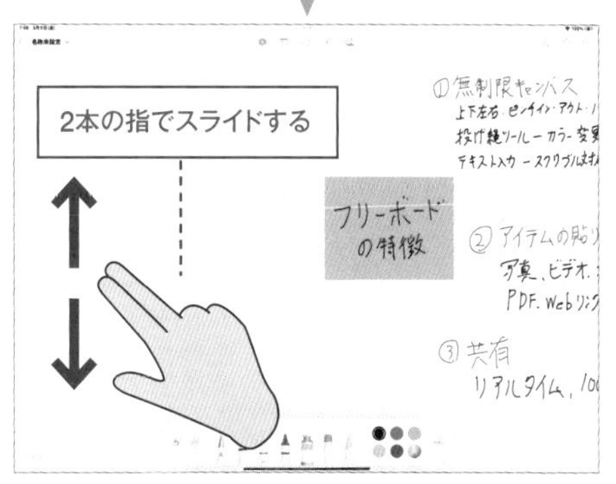

1 キャンバス上で2本の指で上下左右にスライドするとスクロールし、スクロールした分だけ余白が自動的に増える。

キャンバスを拡大縮小する

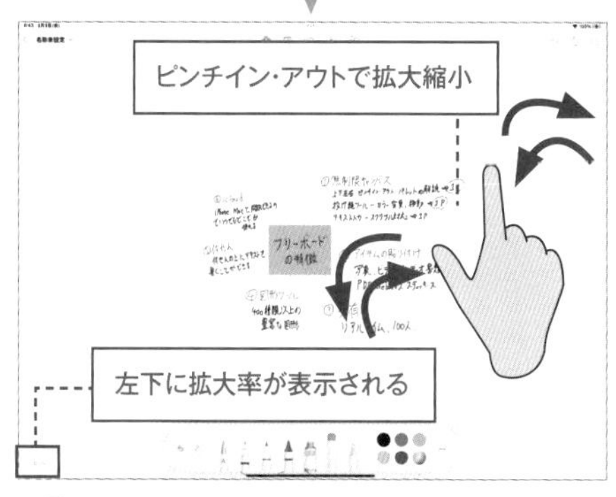

2 キャンバス上でピンチイン・アウトをするとキャンバスを拡大縮小できる。余白を増やすだけでなく全体を俯瞰したり、詳細を見たいときに利用しよう。

名称を変更する

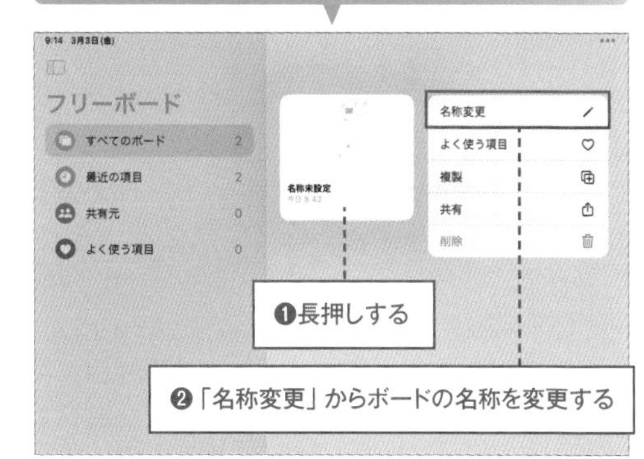

3 キャンバス左上の戻るボタンをタップするとボード一覧画面が表示される。ボードを長押しして「名称変更」からボードの名前を変更できる。

新しいボードを作成する

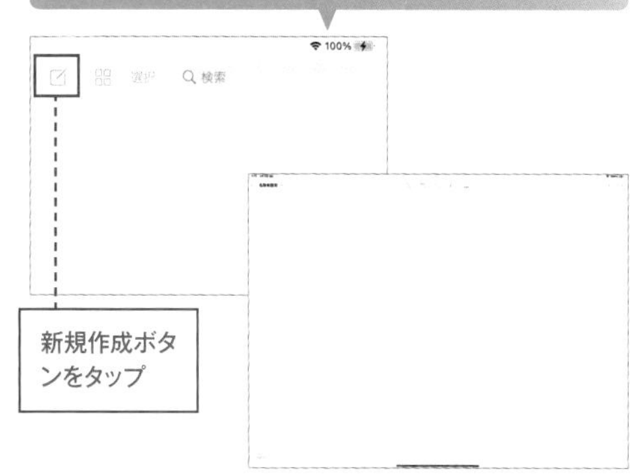

4 新しいボードを作成するには、右上にある新規作成ボタンをタップ。すると無地の新しいボード画面が起動する。

POINT

Apple Pencilでボードを操作する

「設定」アプリの「フリーボード」にある「選択とスクロール」を有効にするとApple Pencilでボードのスクロールができるようになる。

こんな用途が便利！

1 ノートに整理する前のバラバラの状態のアイデアを管理するのに最適

フリーボードの最も適した使い方は、まだ整理整頓ができていないアイデアの管理だろう。たとえば、放射状にアイデアをつなげていくマインドマップは、サイズ制限のある手書きノートアプリが苦手とするジャンルだ。一方、フリーボードなら、残りの余白を気にせずにどんどんメモを書き込むことができる。ピンチインで拡大してこれまで作成した思考の展開を俯瞰することができるのは大きな長所だ。

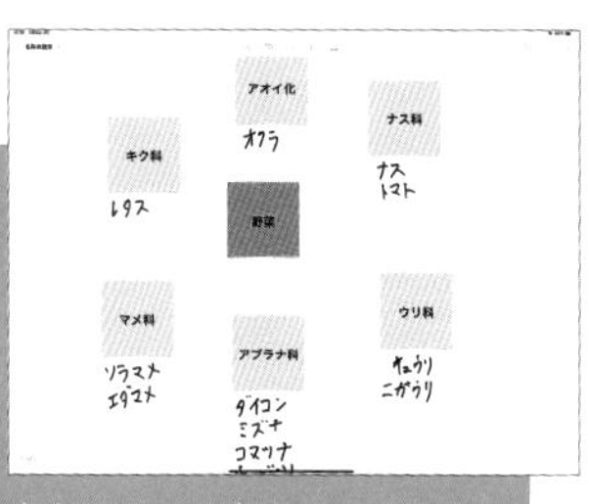

中心にテーマを書きそこから枝分かれするように情報を整理していこう。

フリーボードでの手書きメモの方法とペン機能の使い方

マークアップより豊富なペンツールを使いこなそう

フリーボードで手書きでメモをする際は、ペン機能を使用しよう。上部メニューにあるペンマークをタップすると、さまざまなペンが表示されるので、使いたいペンと色を選択しよう。選択後は、指先やApple Pencilでボードをなぞって手書きの線を描くことができる。ペンの種類は、マークアップツールとやや異なり、フリーハンドで描いた図形を塗りつぶしてくれる塗りつぶしや、クレヨンなどのオリジナルペンが用意されている。また、ペンツールはドラッグして好きな場所に移動させることができる。

ペンツールの構成

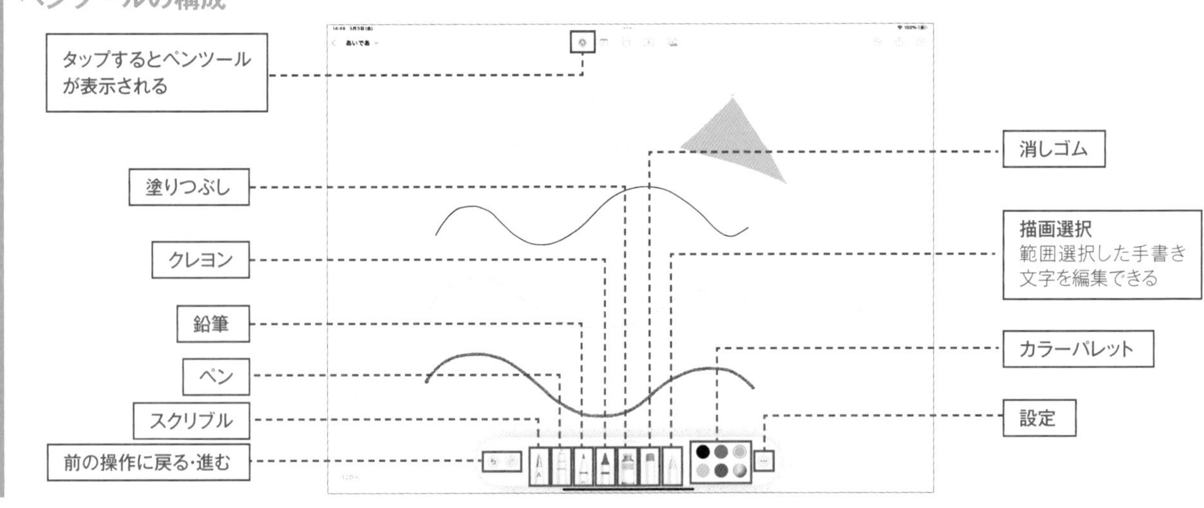

ペンの太さや透明度を変更する

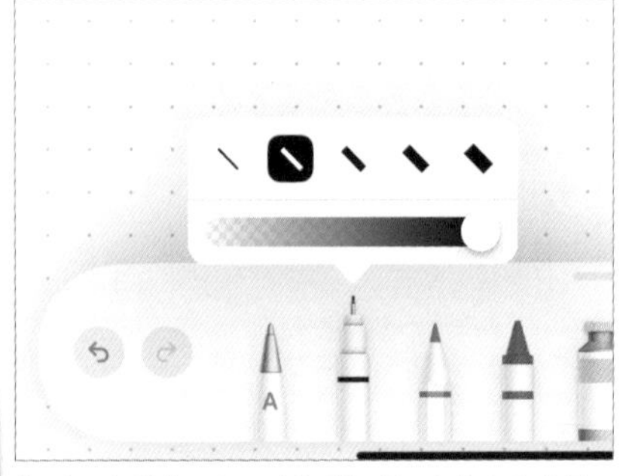

各ペンをダブルタップするとペンの太さやカラーの透明度をカスタマイズできる。

消しゴムの種類を変更する

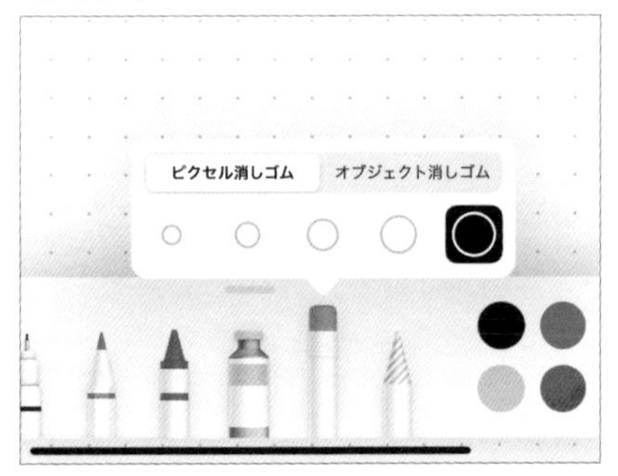

消しゴムは消去したい箇所だけをなぞって消す「ピクセル消しゴム」と消去したいオブジェクトをタッチして消す「オブジェクト消しゴム」が用意されている。

スクリブル入力の設定を変更する

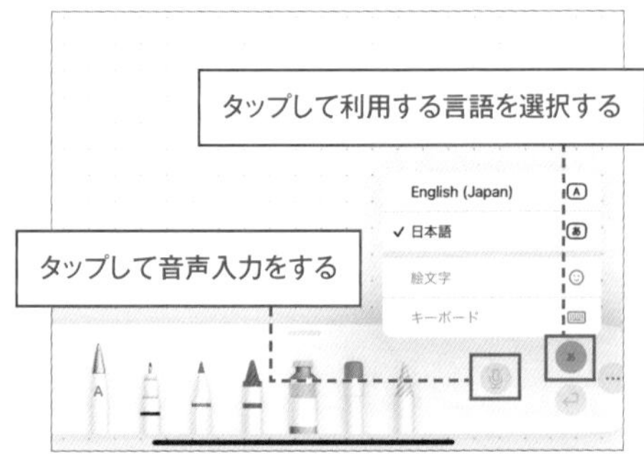

スクリブルで日本語入力する際は、言語ボタンをタップして「日本語」にチェックをつけよう。なお、マイクボタンから音声でのテキスト入力もできる。

ここがポイント!

2 設定メニューからペンツールをカスタマイズする

指を使って描画をするときは、ツールバー右端にある設定メニューをタップして「指で描画」を有効にしよう。指とApple Pencilの両方で描画ができる。ボードを広く使用したい場合は「自動でしまう」を有効にすると描画をする際に自動で画面端にツールバーが収納される。サイズの小さなiPadで利用するときに役立つ。

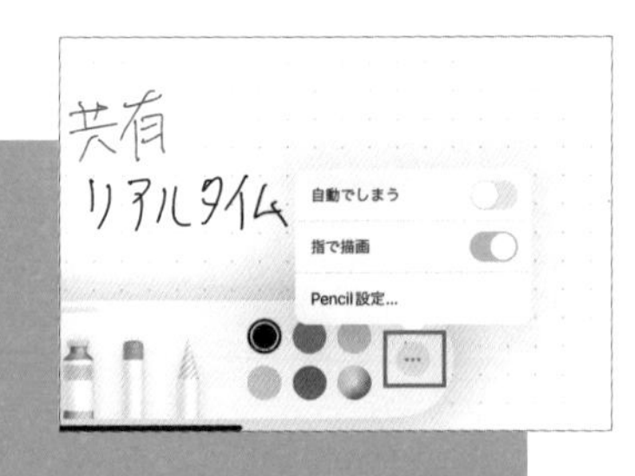

便利な付箋機能を使いこなそう①

基本

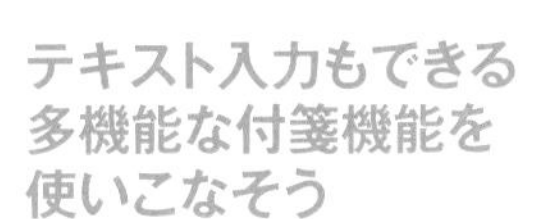

テキスト入力もできる多機能な付箋機能を使いこなそう

フリーボードではボードの好きな場所に付箋を貼りつけることができる。作成した付箋は好きな場所に移動させたり、サイズを変更することができる。また、ダブルタップをすると付箋上にテキストを入力することができる。付箋を移動する際はテキストも一緒に移動させることができるので、複数のアイデアやメモをパーツのように並び替えたいときに便利だ。付箋を一度タップすると背景色やテキストのスタイルを編集できるほか、コピー、カット、ペーストなどもできる。

また、付箋の上には、テキストだけでなく、手書き文字や写真などを重ねることができる。これにより、より詳細な情報を追加できる。例えば、手書きのイラストを付箋に追加することで、アイデアのイメージを表現したり、写真を添付することで、視覚的に情報がわかる。

付箋を追加する

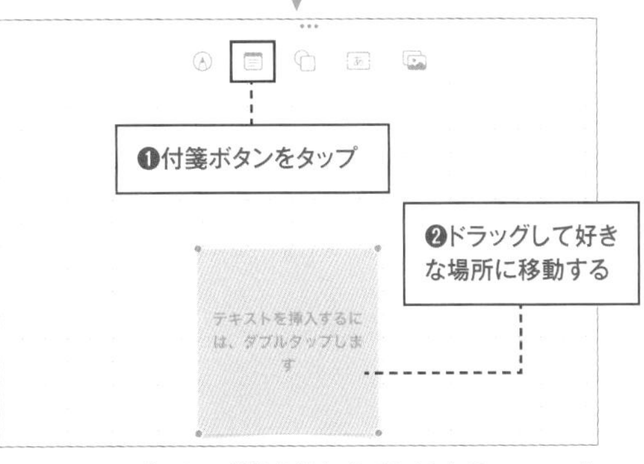

1 ボードに付箋を追加するには上部メニューから付箋ボタンをタップする。ボード上に付箋が表示される。ドラッグして好きな場所に付箋を移動できる。

付箋にテキストを入力する

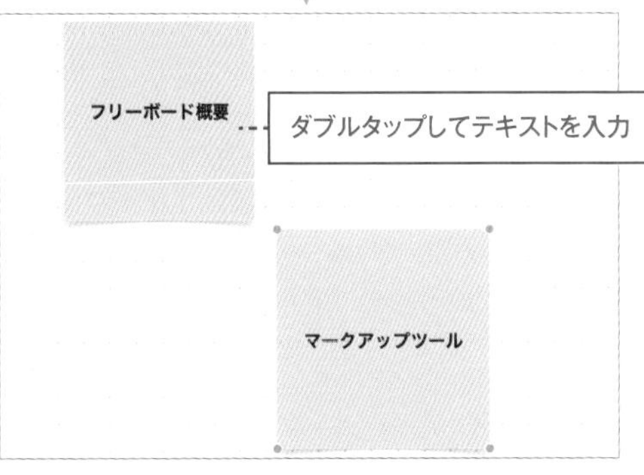

2 付箋をダブルタップすると付箋にテキストを入力できる。入力されたテキストは付箋を移動すると一緒に移動する。

付箋を編集する

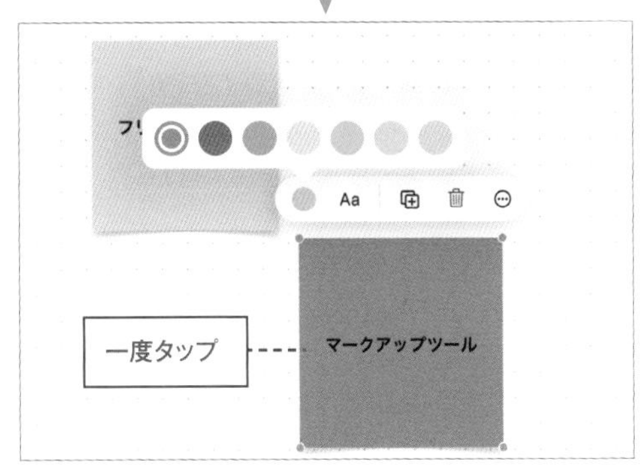

3 付箋を一度タップすると編集メニューが現れる。付箋のカラー、テキストスタイルの変更、付箋のコピー、削除などが行える。

付箋に手書き入力や写真を添付する

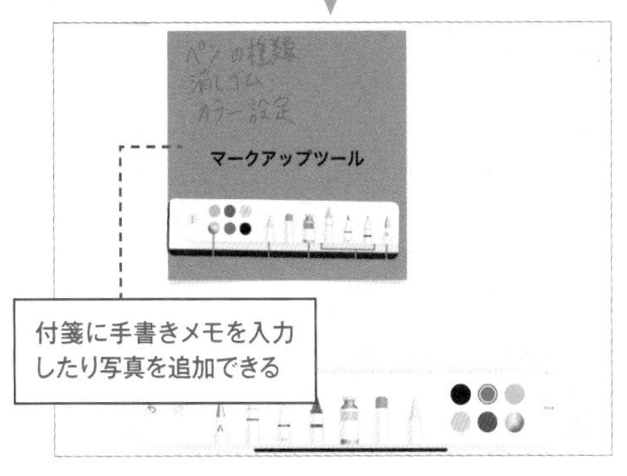

4 付箋の上に直接手書きでメモを入力したり、写真を挿入することもできる。テキストのように付箋移動時に一緒に移動させたい場合はグループ化しよう。

POINT 付箋の傾きを変更する

一度タップして付箋を移動できる状態にしたあと、付箋の上で2本の指で回転すると付箋の傾きを変えることができる。

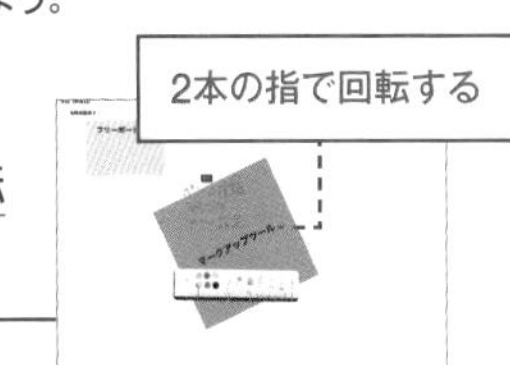

ここがポイント! 3

同じサイズ、スタイルの付箋を作るときはコピーを使おう

同じテキストスタイルやサイズの付箋をたくさん作る場合、毎回、付箋ボタンから新規作成すると効率が悪い。テンプレートとなる付箋を1つ作ったあと、メニューから複製ボタンをタップしよう。その後、複製された付箋内のテキストを編集するとよいだろう。

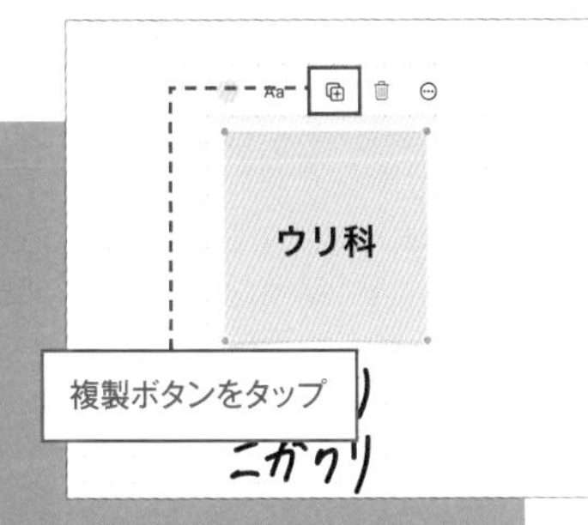

便利な付箋機能を使いこなそう②

グループ化することで手書き文字や写真も付箋と一緒に移動できる

フリーボードの付箋機能が便利な理由は、グループ化機能があるためだ。標準設定では付箋を移動すると手書き文字や写真がその場に残ってしまうが、グループ化することで付箋と一緒に移動させることができるようになる。

グループ化するには、付箋とグループ化したい対象を同時にタップし、配置メニューを開こう。配置メニュー内にあるグループ化ボタンをタップすることで、グループ化することができる。また、グループ化した後は解除することも可能だ。

また、配置メニューでは、付箋の上にある手書き文字や写真の位置をタップ1回で指定した位置に整えることができる。グループ化する前に、付箋上にあるコンテンツのレイアウトを整えておくのがおすすめの使い方だ。

グループ化する対象を同時にタップする

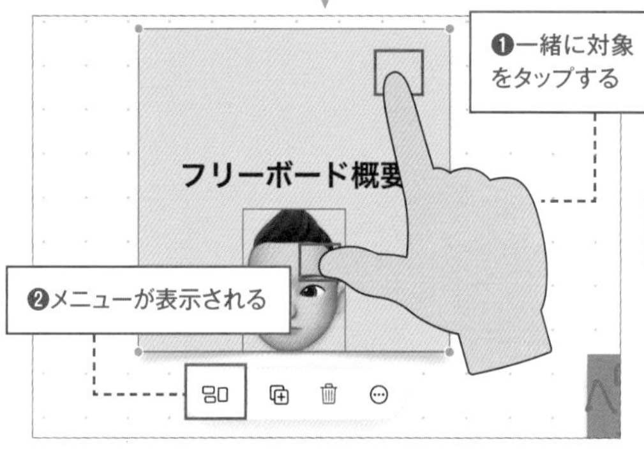

1 付箋とグループ化したい対象物を決めたら、2つのオブジェクトを一緒にタップ。いつもと少し異なるメニューが表示される。一番左の□のアイコンがグループ化メニューだ。

グループ化ボタンをタップする

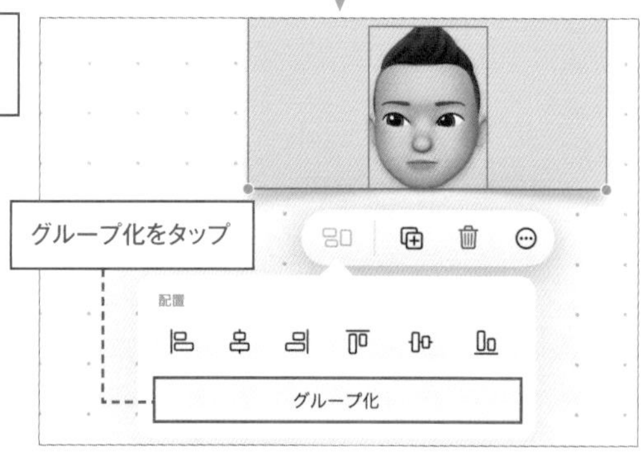

2 メニューが表示される。上は配置メニュー、現在の状態で問題ないなら「グループ化」をタップしよう。

グループ化した付箋を移動させよう

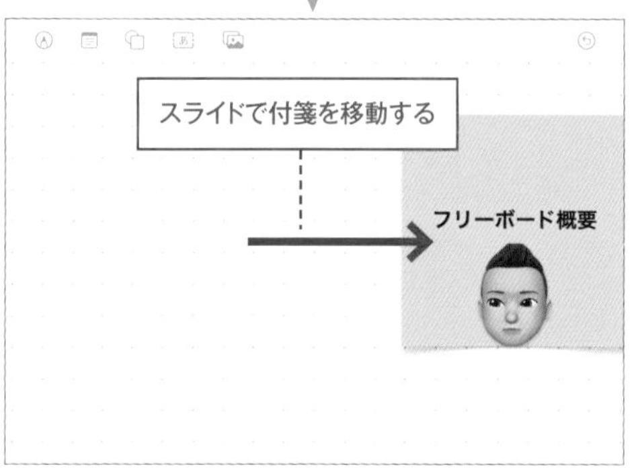

3 グループ化された付箋を移動すると付箋の上に描かれていた手書き文字や写真も一緒に移動する。

グループ化前にレイアウトを指定しよう

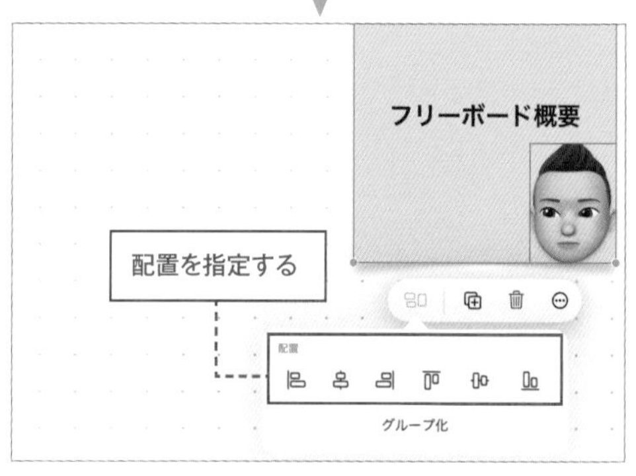

4 グループ化する前に付箋上のコンテンツをどこに配置するかを指定することもできる。きれいな付箋を作りたいときに利用しよう。

POINT
付箋のカラーを統一して変更!

付箋と別の付箋をグループ化することもできる。その場合、グループ化する際に付箋のカラーを統一して変更できる。

ここがポイント!

ロックして編集できないようにする

4

ボード上に設置したさまざまなコンテンツをロックすれば、誤って移動、変更、または削除しないようすることができる。たとえば共有でボード利用しているときに特定の付箋やコンテンツを操作させたくない場合は、ロック機能を有効にするといいだろう。

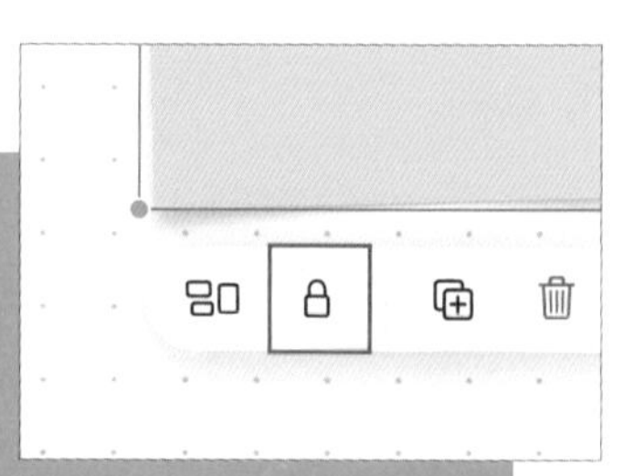

ロックしたいコンテンツをタップしてメニューから「ロック」を選択する。

図形ツールが豊富!

線ツールと図形ツールの違いを知ろう

フリーボードには、四角や矢印を簡単に描く図形ツールが搭載されているが、その多機能さはほかのノートアプリを圧倒している。図形ツールを利用するにはボード上部メニューにある図形ボタンをタップしよう。膨大な図形ツールが表示されるので、利用したい図形を選択するとボードに表示される。

直線、曲線、放物線などを美しく描写したい場合は、メニューから線ツールを選択しよう。直線ツールを使用する場合は、線端をドラッグすると実際の線の長さや角度を表示してくれるので、複数の線をつなぎ合わせて指定したサイズや角度の図形を作ることができる。また、線の端と真ん中に点がある放物線ツールを選択すれば、点をドラッグするだけで自由な曲線を作ることができる。アイデアの説明に役立つチャートなどを簡単に作成できるだろう。

図形ツールから図形を選ぶ

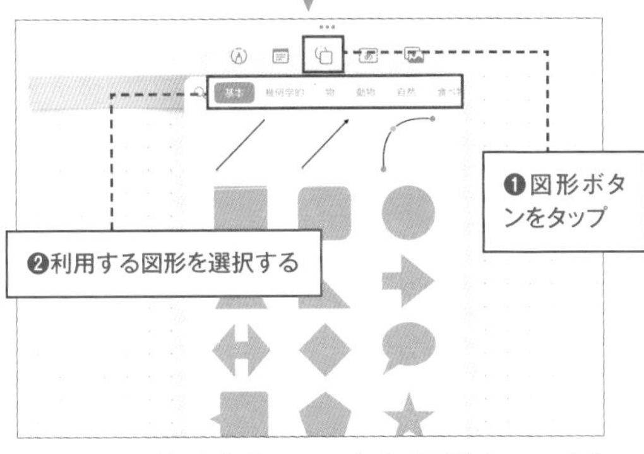

1 ボード上部メニューにある図形メニューをタップ。利用したいカテゴリと実際に利用する図形を選択しよう。ここでは「基本」から線ツールを選択する。

線をドラッグして長さや角度を調節する

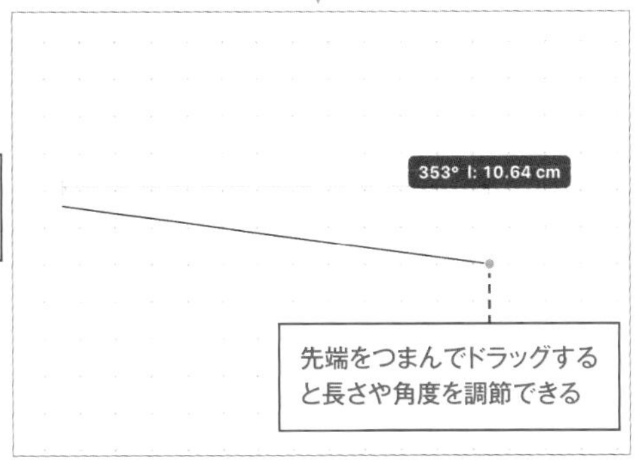

2 線の中心をドラッグすると移動。先端をつまむと長さや角度を調節できる。調節中に線の角度や長さをポップアップで表示してくれる。

線のスタイルや太さを変更する

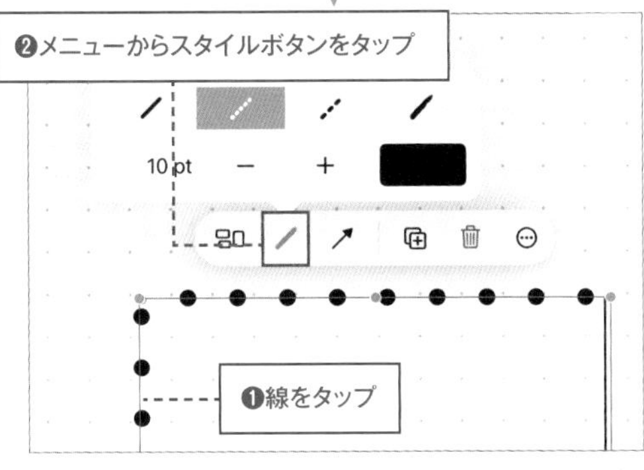

3 線のスタイルを変更するには、線をタップして表示されるメニューからスタイルボタンをタップ。線の種類、太さ、カラーなどを変更できる。

線の終点を変更する

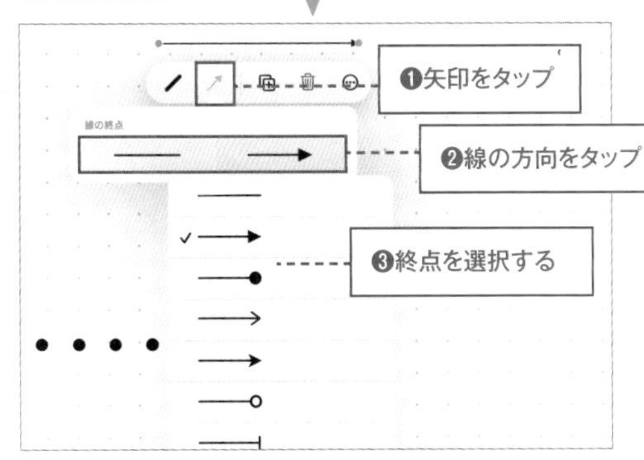

4 線の終点は標準では何もないが矢印やピンに変更することもできる。線をタップして表示されるメニューから矢印をタップして、変更したい方法の線をタップ。すると終点選択画面が表示される。

POINT

線で作った図形はグループ化する

複数の線をつないで作った図形はそのままだと一本の線をドラッグすると形が崩れてしまう。図形も付箋と同じくグループ化できるのでグループ化で固定しておこう。

ここがポイント!

5 図形の使い方の基本は付箋と同じ

図形の使い方の基本は付箋とそれほど変わらない。図形をダブルタップするとテキスト入力し、図形内に固定化できる。手書き文字や写真を挿入することもできるが、この場合は、付箋同様にグループ化しなければ図形を移動させると手書き文字や写真は残ったままになるので注意しよう。図形と図形を重ねる場合は、層の順番にも注意しよう。図形メニューの「…」からレイヤーの順番を変更できる。

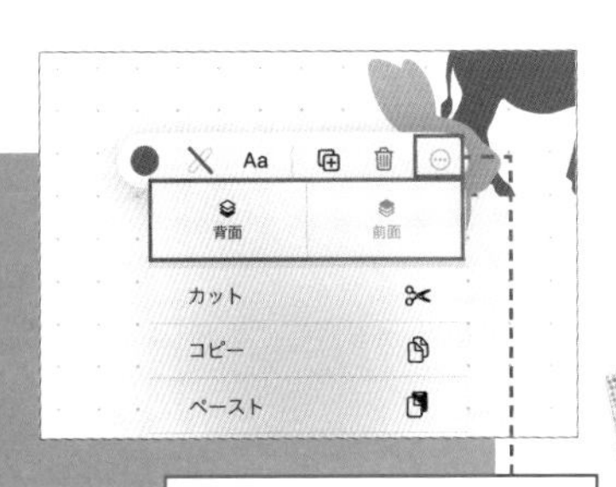

図形をタップして「…」からレイヤーの位置を指定する

写真やビデオをボードに直接貼りつけよう

トリミングができ ビデオをそのまま 再生できる

フリーボードは、ボードに写真やビデオを直接貼りつけたり、iPadのカメラで新しい写真やビデオを撮影してそのまま貼りつけることができる。ボード上部にある挿入メニューから操作を行おう。

挿入した写真やビデオに対する操作が豊富だ。写真であればトリミングしたり、フルスクリーン表示にすることができる。縦横比を固定にチェックを入れておけば、縦横比を維持したまま自由に画像の大きさを変更することができる。また、ビデオを挿入した場合は、サムネイルにある再生ボタンをタップするとボード上でそのまま再生することが可能だ。

書類をカメラで撮影してボードに貼りつける場合、スキャン機能が非常に便利。書類をカメラにかざすだけで四隅を検知し、周囲の背景を取り除いて紙の部分だけを取り込むことができる。

挿入ボタンをタップ

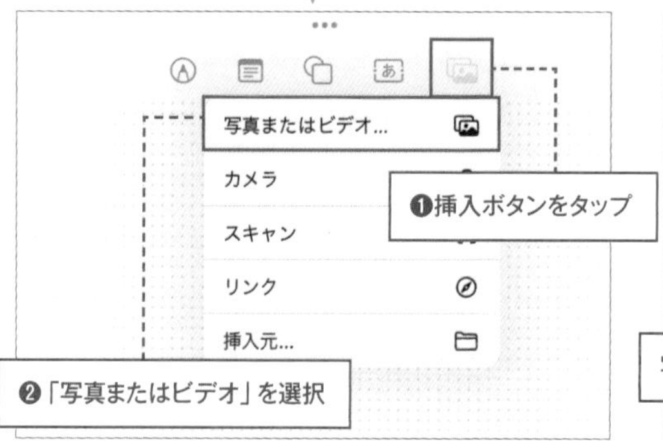

1 写真やビデオを挿入する場合は、ボード右上の挿入ボタンをタップして表示されるメニューから「写真またはビデオ」を選択しよう。

写真を編集する

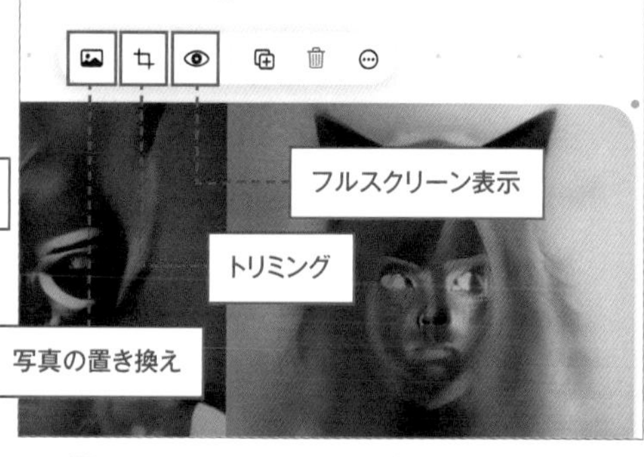

2 挿入した写真をタップするとメニューが表示される。左端は写真の置き換え、左から2番目はトリミング、左から3番目はフルスクリーン表示だ。

縦横比を固定する

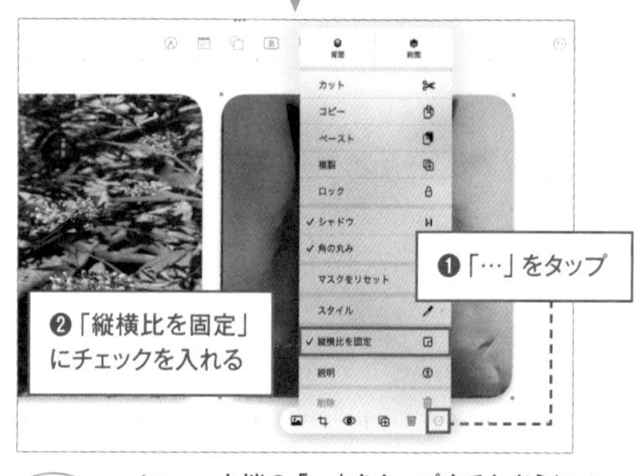

3 メニュー右端の「…」をタップするとさらにメニューが表示される。「縦横比を固定」にチェックを入れておけば、拡大縮小時に写真が崩れてしまうことはない。

ビデオを再生する

4 ビデオを挿入することもできる。サムネイル右下にある再生ボタンをタップするとボード上でそのまま再生できる。

POINT
ドラッグ&ドロップでボードに登録する

Split ViewまたはSlide Overを使用している場合、写真またはビデオをフリーボードに直接ドラッグ&ドロップで登録できる。

ここがポイント!

ポートレイト写真なら背景を自動で削除できる

6

ポートレイト写真や被写体の背景がシンプルな写真を編集する場合はメニューに「背景を削除」という項目が現れる。これをタップすると、背景だけをきれいに削除することができる。オリジナルの図形やロゴマークなどを利用する際に、白い背景が残っていると見た目が悪くなってしまうときに利用するのがおすすめだ。自分の写真を撮影した後、背景を削除することで、自身を素材にすることもできる。

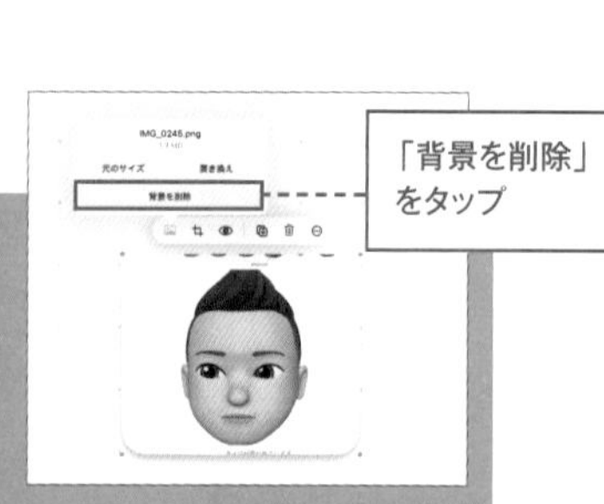

メニュー左端のボタンをタップして「背景を削除」をタップしよう。

情報収集に超便利！　ウェブページをメモしよう

URL先のページ情報をサムネイル形式で表示してくれる

フリーボードはウェブ上の情報収集に大きな威力を発揮する。挿入メニューの「リンク」からURLを入力するだけで、ボード上にリンク先のページの概要とイメージをサムネイルで表示できる。特に、ニュースサイトやブログなど同じドメインから複数のページをメモする際に役立つ。

複数のページから効率的に情報をメモしたい場合は、Split ViewやSlide Over機能を併用するといいだろう。Safariのアドレスバーから直接ドラッグ&ドロップでボードに貼りつけることができるので、毎回挿入メニューを開く手間が省ける。

また、SNSから情報を入手する際にも便利だ。Twitter上で気になるツイートをそのままドラッグ&ドロップでボードに貼り付けることができる。

挿入メニューから「リンク」を選択する

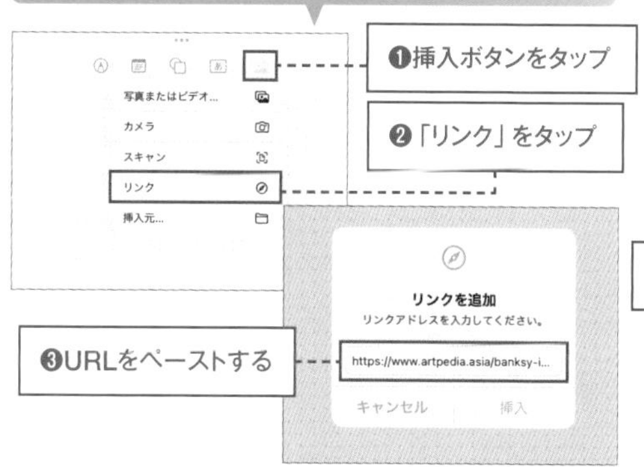

1 ウェブページを挿入するには、挿入メニューから「リンク」を選択して、表示される入力フォームにURLを入力しよう。

貼りつけたURLがサムネイル化される

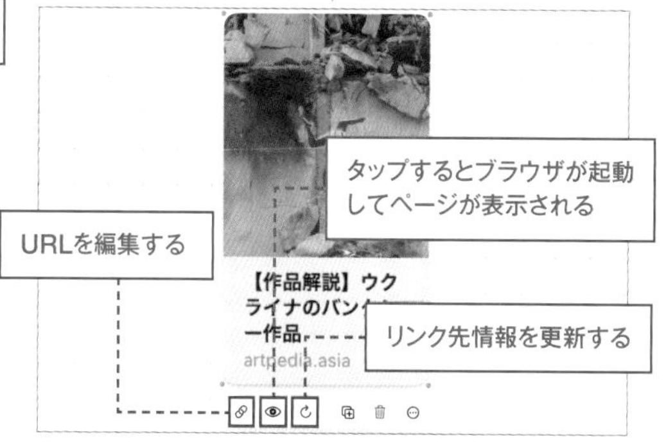

2 ウェブページのタイトルと内容をサムネイル化して表示してくれる。タップすると表示されるメニューからURLを編集したり、ページ内容を閲覧できる。

複数のURLを効率的に貼りつける

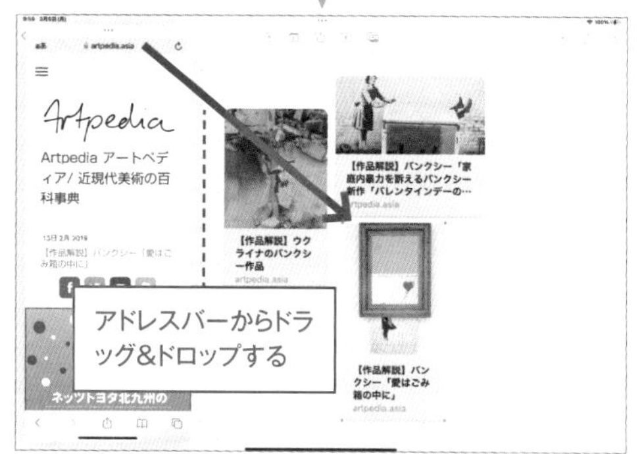

3 複数のURLを貼りつける場合は、Split ViewやSlide Overを使おう。Safariのアドレスバーをボード上にドラッグ&ドロップして貼りつけることができる。

Twitterアプリからツイートを貼りつける

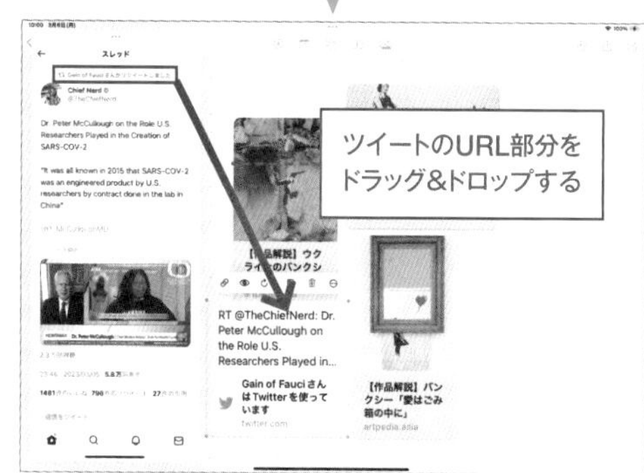

4 Twitterアプリからツイートをボードに貼りつけることもできる。貼りつけたいツイートのURL部分をドラッグ&ドロップしよう。

POINT

ページ上のリンクをドラッグ&ドロップする

Safariで開いているページ上にあるリンクを長押ししてそのままドラッグ＆ドロップで貼りつけることもできる。

ここがポイント！

7 YouTube動画からの情報をメモするにも便利

YouTube上の情報をメモするときにもフリーボードは便利。動画のURLを貼りつけると動画のタイトルと内容がサムネイル化して表示される。残念ながら、ビデオ挿入のときのようにボード上で直接再生することはできないが、視聴ボタンをタップするとYouTubeアプリが起動して再生することができる。Slide Over上でYouTubeを再生すれば、動画の内容を手書きでメモすることができる。

YouTube動画のURLを貼りつけるとこのようにサムネイル画面が表示される。その下に手書きでメモを取ろう。

フリーボードをほかのユーザーと共有しよう

Apple IDを所有しているユーザーのみボードを共同で編集できる

フリーボードは、作成したボードをほかの人と共有することができる便利な機能がある。共有方法は、ボード右上にある「共有」ボタンをクリックして、ボードの共有方法(メール、メッセージ、共有リンク)を選択するか、最近通信した相手のアイコンをタップしよう。共有したボードは、リアルタイムで同期される。互いに編集できるので、共有した相手がボードを編集した場合、自身のボードにもその変更が反映される。ただし、ボード共有する相手は全員、ボードを編集または表示するためにApple IDでサインインしている必要がある。

共有状態になるとボード右上に共有アイコンが表示され、共有アイコンから相手にメッセージを送信したり、FaceTimeを使ってオーディオ通話やビデオ通話をすることも可能だ。

共有メニューを開く

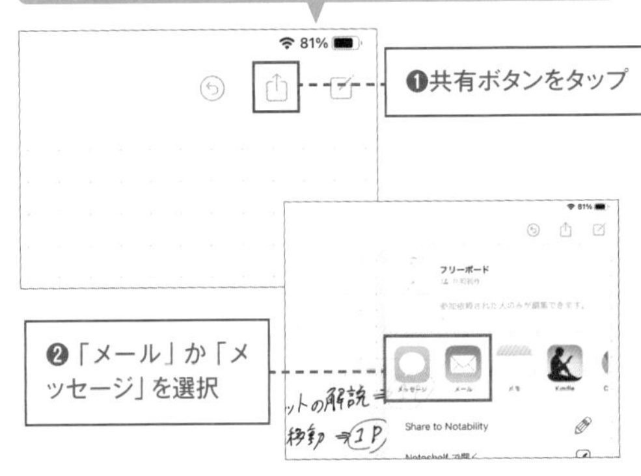

1 ボード右上にある共有ボタンをタップする。今回は共有方法で「メール」を選択するが「メッセージ」でも相手のApple IDがわかれば共有できる。

宛先を指定して送信する

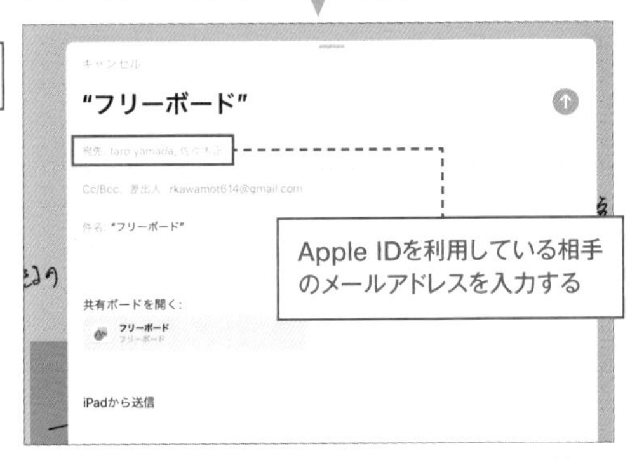

2 ボードを共有する相手のApple IDに利用しているメールアドレスを入力して送信しよう。相手がApple IDを利用していないと共有できないので注意。

共有状態のボード

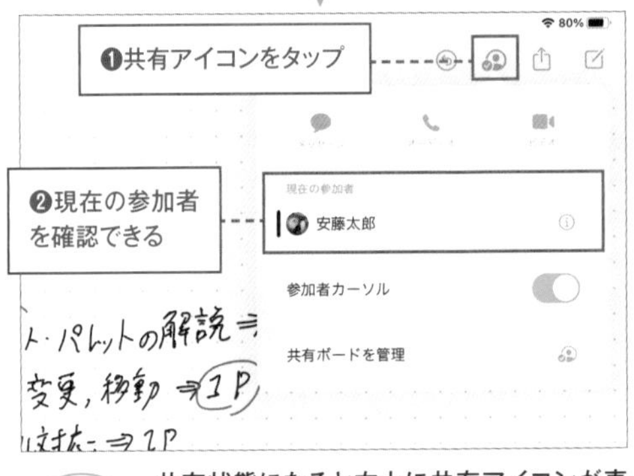

3 共有状態になると右上に共有アイコンが表示される。タップするとメニューが表示され、「現在の参加者」で現在参加している相手がわかる。

相手とコミュニケーションを行う

4 共有メニューから相手の名称をタップすると連絡先画面が表示される。ここから直接メッセージを送信したり、FaceTimeをかけることができる。

POINT

相手が作業している場所をわかるようにする

共有メニューにある「参加者カーソル」を有効にすると、現在相手がボードのどこを編集しているかアイコンとカーソルで教えてくれる。

ここがポイント!

共有者を追加したり、アクセス権を管理する

8

ボードを共有した後に新たに共有メンバーを追加する場合や、逆にアクセス権を制限したい場合には、「共有ボード管理」画面を開こう。ここでは、すでに共有中のメンバーを強制的に退去させたり、閲覧のみ可能に変更したりできる。基本的に共有メンバーのアクセス権を管理するのは「オーナー」だが、設定よっては、ほかのメンバーでも人を管理できるようにできる。

右上の共有アイコンをタップして「共有ボードを管理」からさまざまな共有設定の変更ができる。

作成したボードをPDFに書き出そう

メニューボタンから PDFを書き出そう

作成したボードはPDFで書き出すことができる。ボード左上にあるメニューボタンをタップして「PDFとして書き出す」を選択して、保存場所を指定しよう。また、直接プリンタに接続してプリントアウトすることもできる。標準では方眼紙が設定されているがPDFに書き出す際やプリントアウトする際は、方眼模様を消去するのがおすすめだ。

PDFとして書き出す

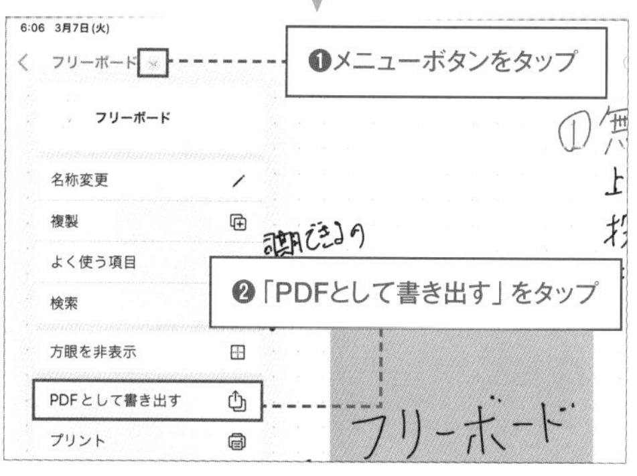

1 ボード左上にあるメニューボタンをタップして「PDFとして書き出す」を選択するとPDF形式で出力できる。

方眼を非表示にする

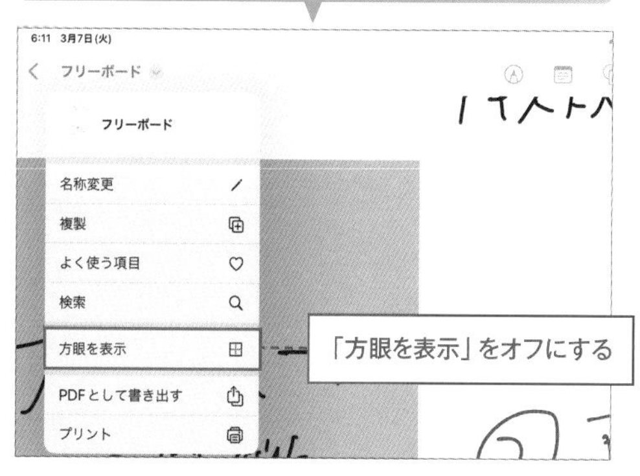

2 「方眼を表示」をオフにすると無地の用紙になる。作成中は便利だがPDF保存するなど外部に出力する前はオフにしておくのもよいだろう。

類似アプリ、Miroとの違いは?

類似 アプリ

フリーボードのような放射状に手書きしていくメモアプリは、ホワイトボードツールと呼ばれており、その代表格の1つが「Miro」である。ただ、両者は大きな違いがある。フリーボードは、オフラインでも利用できるのに対して、Miroはインターネットに接続していない場所では利用できず、メモを残すためには不便だ。

しかし、Miroにはビジネスやアイデア出しに最適なテンプレートが豊富に用意されており、それらのテンプレートに沿ってアイデアを整理することで、簡単に見栄えのよい高度なノートや図表を作成することができる。一方、テンプレートがないフリーボードは、ブレインストーミングなどアイデアを自由に出して管理するのに便利だ。

どちらかというと、Miroはリモートワークなどのオンライン環境でのプロジェクト管理やデザイン作業に適しており、フリーボードは個人的な利用に適しているといえるだろう。

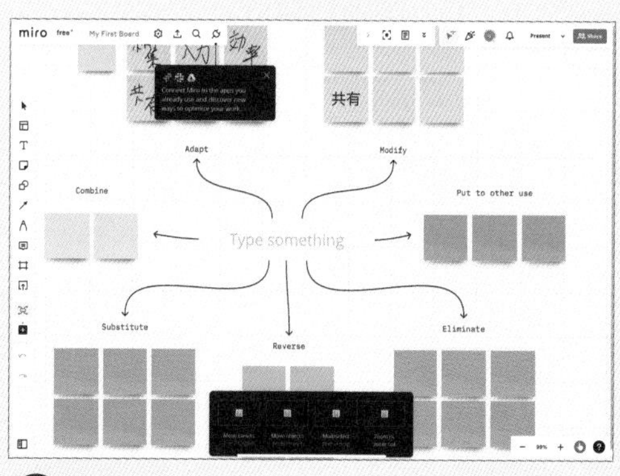

テンプレートに沿ってアイデアを埋めていけるのがMiroの大きな特徴だ。

Miro

作者/RealtimeBoard Inc.
価格/無料

まとめ ホワイトボードにアイデアを出して手書きノートにアイデアを整理しよう

フリーボードや、GoodNotes 5などの手書きノートは、手書きでメモやアイデアを記録するために便利なツールである。しかし、それぞれのアプリには、使い分けることが望ましい異なる特徴がある。

フリーボードは、瞬時にアイデアを書き込んだり、ブレインストーミングをする場合に適している。大きなキャンバスに書き込むことができ、アイデアをすべて俯瞰できるのが特徴だ。しかし、アイデアを細かく整理するには不向きだ。

GoodNotes 5は、アイデアを構造化して整理するのに適している。アイデアを時間をかけて整理することで、わかりやすく、復習しやすくなるため、長期的なプロジェクトにも適してる。両者を併用して、いい部分を上手く使っていくのがベストだ。

今、使うべきアプリ 2 GoodNotes 5

最も人気の手書きノートアプリを徹底解説!

究極の手書きノート「GoodNotes 5」で便利で役立つノートを作る!

使いやすいインターフェースと優れたノート管理能力であらゆるユーザーから好評価

ノートアプリとは、その名の通り、何かを書き留めるためのアプリ。メモアプリやTodoアプリと異なる点は、あるテーマ（ノート名）と、そのテーマに沿った複数のページで構成されているノート形式になっていること。思いついたことを一時的に書き留めるよりも、あるテーマに沿って連続したメモを書き留め、何度も復習するときなどに役立つ。具体的には、学習ノートや日記、仕事のアイデア帳などに使うことが多いだろう。

また、手書きでメモを取る能機が中心なのもノートアプリの大きな特徴だ。手書きであれば、自由なレイアウトと装飾性の高いメモが作成できる。写真や絵文字などのイメージファイルを取りこみ、好きな位置に配置することもできる。

数ある手書きノートの中でも圧倒的な人気を誇るのが「GoodNotes 5」だ。まるで紙とペンを使って作成したかのような手書きメモを作成できる。特に評価されているのは、シンプルなインターフェースと、作成したノートの管理能力の高さだ。

無料版も存在しており、作成できるノート数が3冊までだが、基本的な機能は有料版と同じように利用できる。初めて使う人は、気に入ったら有料版に切り替えよう。

なお、最新バージョンでは録音機能が追加され、周囲の音声を録音し、ノート上で再生できるようになった。

ノートアプリ「GoodNotes 5」とはどんなアプリなのか?

ノートのように表紙と複数のページで構成されている

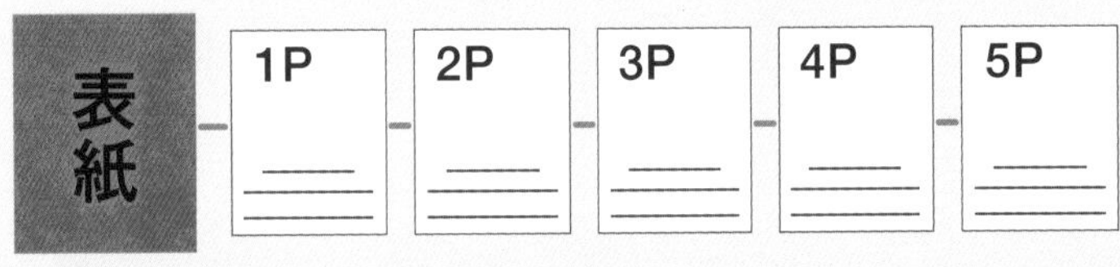

本やノートのような形式!

冊子やパンフレット、電子書籍と同じように表紙（テーマ）と複数のページで構成されている。あるテーマに関して長期的なメモを記録するときに便利。

手書きでのメモが中心

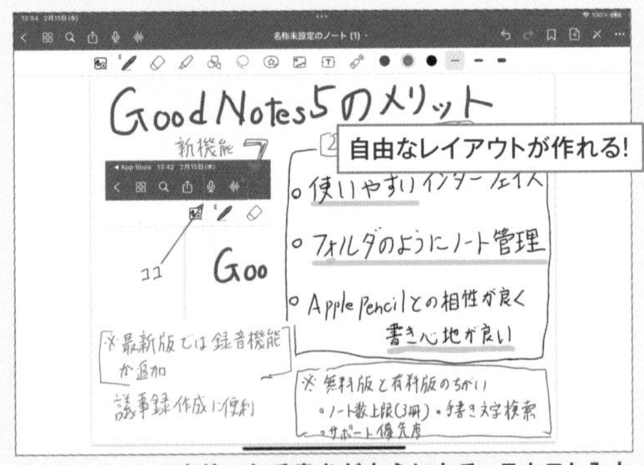

Apple Pencilを使った手書きが中心になる。テキスト入力するタイプと異なり自由なレイアウトが作成できる。

優れたノート管理能力

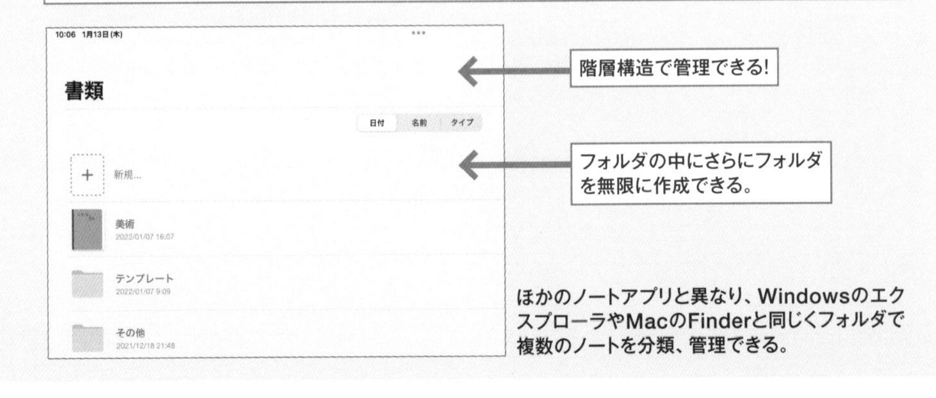

階層構造で管理できる!

フォルダの中にさらにフォルダを無限に作成できる。

ほかのノートアプリと異なり、WindowsのエクスプローラやMacのFinderと同じくフォルダで複数のノートを分類、管理できる。

同期設定を考え、フォルダを作成する

基本

iCloudを有効にして自動でバックアップする設定にしよう

ノートを作成する前に同期の設定を行おう。GoodNotes 5で作成したノートは同期機能を通じて自動でiCloudにバックアップされる。再インストールしたときも以前の状態に復元でき、ノートだけでなくフォルダや「書類」画面の階層構造まで復元できる。また、同じApple IDで紐付けられたiPhone版やMac版GoodNotes 5と即時に同期することができる。

iCloudの同期設定を有効にする

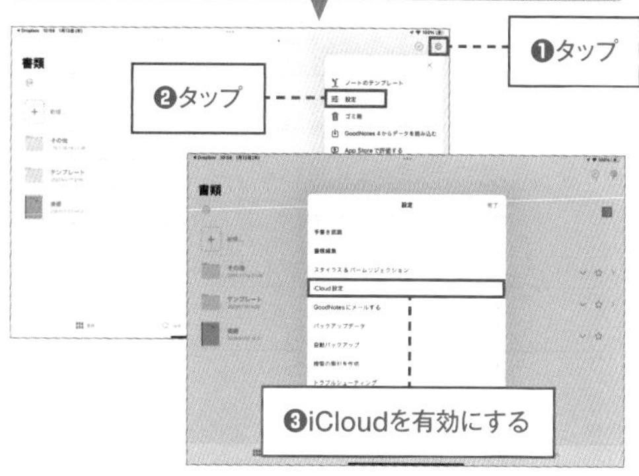

1 「書類」画面右上にある設定ボタンをタップして「設定」をタップ。「iCloud設定」をタップしてiCloudを有効にしよう。

ノートやフォルダを作成する

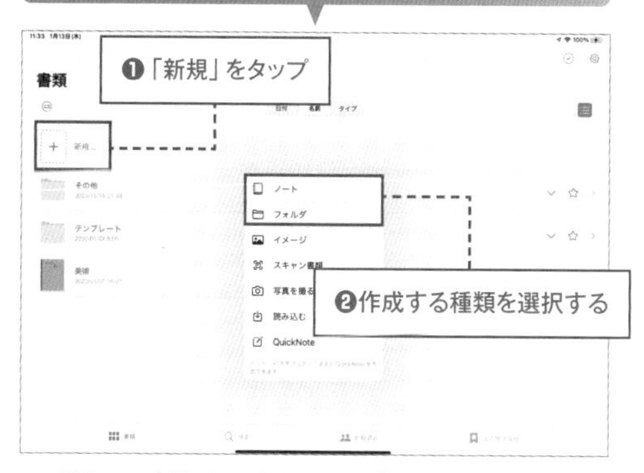

2 新しくノートやフォルダを作成するには、「新規」をタップしてメニューから「ノート」や「フォルダ」を選択しよう。

表紙とテンプレートを選んで、環境を整える

基本

テンプレートを使って目的に応じたノートを作成できる

ノートを作成する際は表紙やページのデザインを選択する必要がある。GoodNotes 5では、無地、罫線、方眼紙などあらかじめ多彩なテンプレートが用意されている。目的に応じたノートを作成することが可能だ。また、表紙や用紙のサイズや横縦、カラー（白、黒、黄）を指定できる。なお、ノート作成後でもテンプレートの変更はできる。

用意されているテンプレートを選ぶ

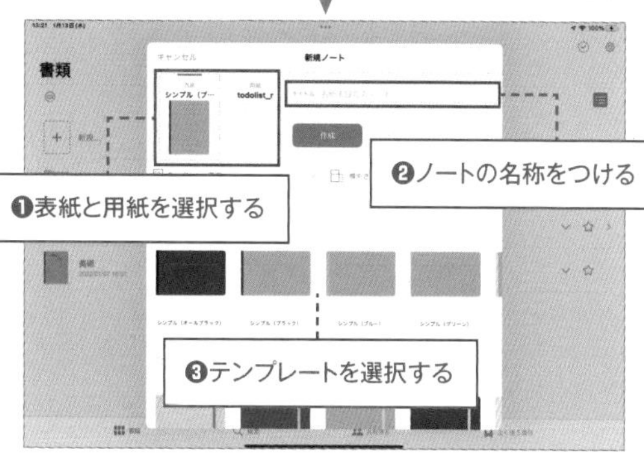

1 ノート作成画面左上で表紙と用紙（ページ）を選択すると、下部に対応するテンプレートが表示される。上下にスクロールして利用するテンプレートを選択しよう。

サイズやカラー、向きを変更する

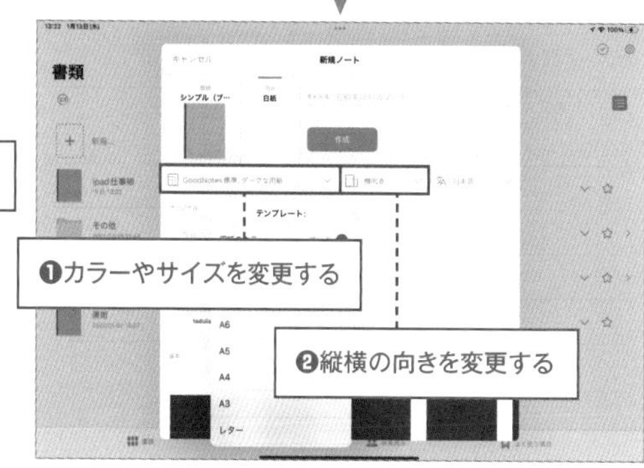

2 ノート作成画面中央でテンプレートのカスタマイズができる。カラー、サイズ、縦横の向きの変更ができる。

こんな用途が便利！

1 学校や塾で受けた講義の学習ノート

GoodNotes 5の最も基本的な使い方は、学校や会社での講義、講習をもとにした「学習ノート」形式だろう。黒板に書かれたことをそのまま模写するのもよいが、紙のノートと異なり画像を簡単に貼ることができるので、関連画像をどんどんiPadにインポートして貼り付けて、ビジュアル的で分かりやすいノートにしていこう。

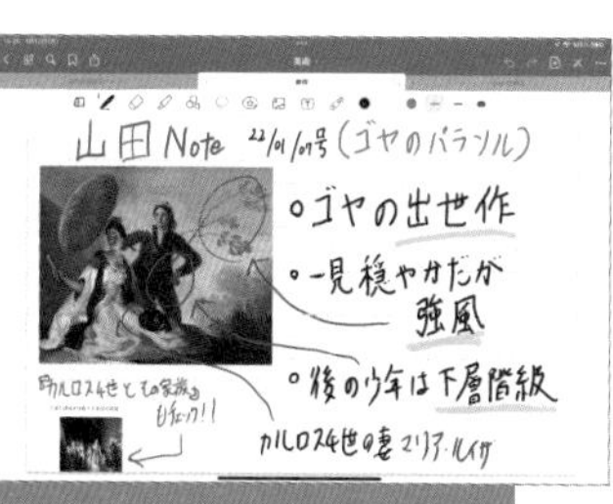

例えば美術学習のノート作りをする場合、対象の美術の画像を貼り付け、手書きで注釈をつけていこう。

ペンの種類や特徴を知ろう

基本

3種類のペンと蛍光ペンを使う

GoodNotes 5では「万年筆」「ボールペン」「筆ペン」の3種類のペンと1種類の蛍光ペンが用意されている。利用するペンによって筆跡が異なり、ペンの太さやカラーはカスタマイズできる。標準でいくつかカラープリセットが用意されているが、独自のカラープリセットを作成することもできる。よく利用するプリセットはツールバー右側に登録しておこう。

利用するペンを選択する

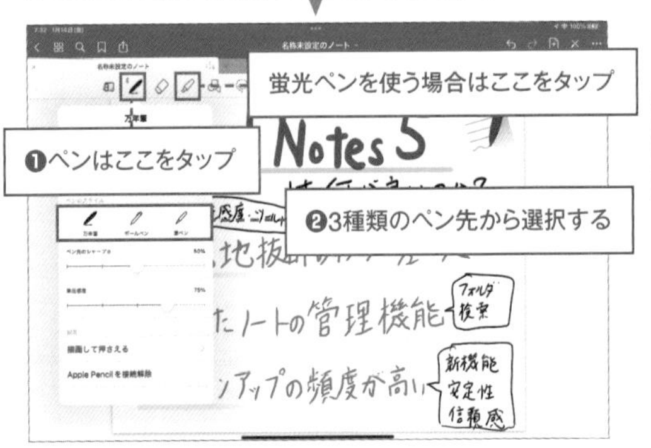

1 ツールバー左にあるペンアイコンから利用するペンを選択しよう。

カラーを選択する

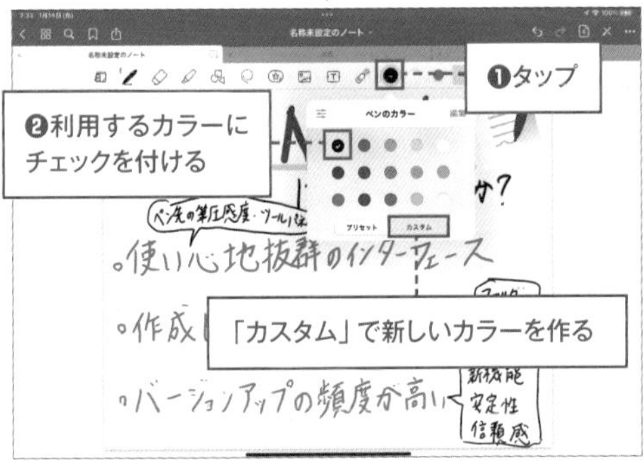

2 カラーをカスタマイズするにはツールバーのパレットボタンをタップ。利用するカラーにチェックを入れよう。「カスタム」から色を新しく作ることもできる。

ペンをさらに使いやすくカスタマイズする

基本

筆圧感度を調節してより紙に近い感覚にする

GoodNotes 5は、ペン先の筆圧感度やペン先のシャープさなども細かく調節できる。標準でも十分に心地よいが、それでも筆感に不満がある場合は、納得が行くまで筆先をカスタマイズしよう。また、手や服が画面に当たっても認識せずペン先のみ認識できるようにするパームリジェクションの設定も行える。

筆圧感度やシャープさを調節する

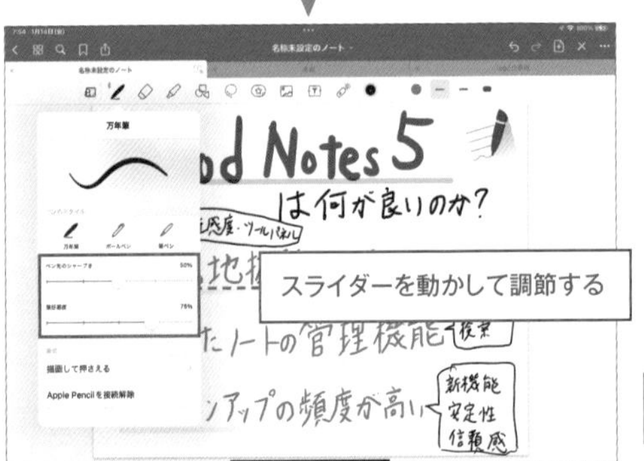

1 筆圧感度の設定ができるのは万年筆と筆ペン、ペン先のシャープさを設定できるのは万年筆のみとなる。各感度は25%ずつ変更できる。

パームリジェクションの設定を行う

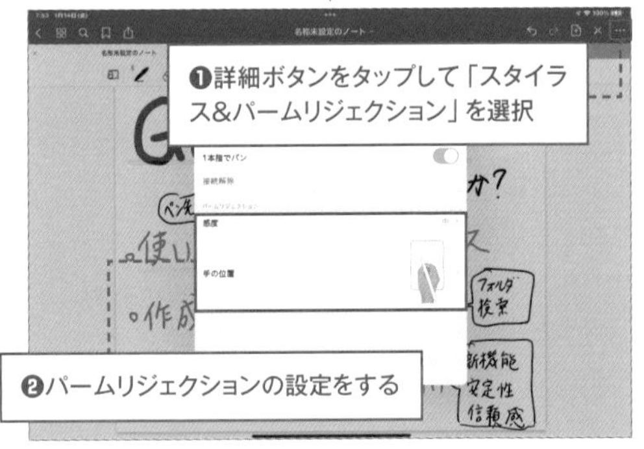

2 ノート画面右上の詳細ボタンをタップして「スタイラス&パームリジェクション」を選択。「パームリジェクション」で感度や手の位置を指定しよう。

こんな用途が便利!

2 手書きでラフを書き知人と共有する

文筆関係や建設関係に携わっている人が頻繁に行う手書き作業といえばざっくりした「ラフ」の作成だろう。GoodNotes 5なら素早くページのラフや、工事現場や部屋の間取りを描くことができる。また、共有機能が優れているので作成したラフの必要ページのみをメールやAirDropで送信したり、共有機能で誰でも閲覧できるようにすることが可能だ。

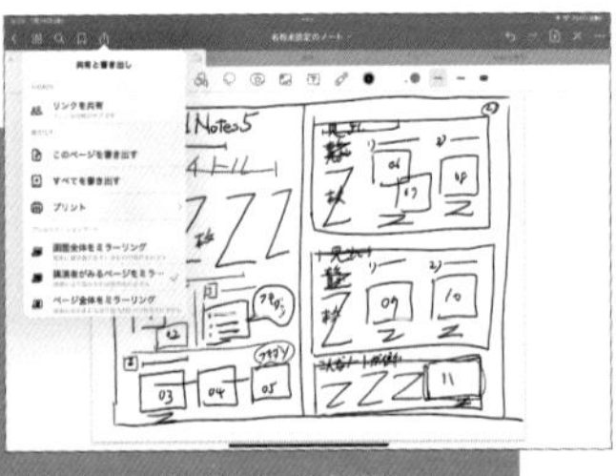

左上の共有ボタンから開いているラフのページのみをすぐに外部に送信できる点が便利。

GoodNotes 5のインターフェース

作成したノートやフォルダを管理しよう

GoodNotes 5を初めて起動したときに表示される画面は「書類」と呼ばれる。ここは作成したノートを管理する画面で、新規ノートの作成、削除、ノート名の変更などが行える。また、フォルダの作成と管理もでき、ドラッグ&ドロップでノートやフォルダを自由に移動させて整理を行おう。

作業を行うノート画面のインターフェースは洗練されている。ツールバーに並んでいるアイコンから利用するツールを選択すると有効状態になる。ノートの向きやテンプレートなどの各種設定を変更する場合は、オプションバーを利用しよう。

「書類」画面の構成

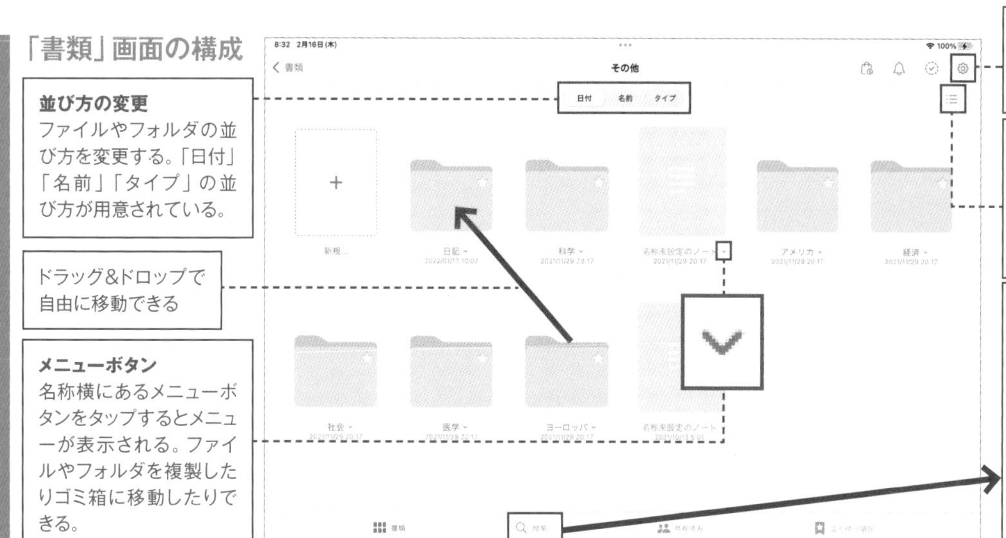

並び方の変更
ファイルやフォルダの並び方を変更する。「日付」「名前」「タイプ」の並び方が用意されている。

ドラッグ&ドロップで自由に移動できる

メニューボタン
名称横にあるメニューボタンをタップするとメニューが表示される。ファイルやフォルダを複製したりゴミ箱に移動したりできる。

設定
GoodNotes 5の全般設定を変更する場合はここをタップ。

表示形式の変更
ファイルやフォルダの表示形式を変更する。リスト表示か、大きなアイコンのサムネイル表示か選択できる。

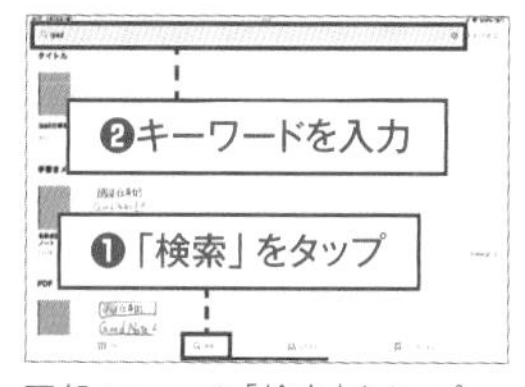

下部メニューの「検索」をタップし、上部に表示される検索ボックスにキーワードを入力しよう。ノートタイトル、手書きメモ、ファイル形式などに分類して検索結果を表示してくれる。

ツールバーとオプションバー

共有
開いているページ、またはノート全体を外部に書き出したり、ほかの人と共有できる。

ページ一覧
タップするとそのノート内で作成されたページをサムネイル形式で一覧表示できる。

録音機能が追加された
最新版GoodNotes 5では共有アイコンの横にマイクボタンが追加されている。録音機能で、タップすると周囲の音を録音することが可能だ。録音後、横に録音ファイルボタンも追加される。

ページの追加

ツールバーのオン・オフ
タップするとツールバーが隠れ、手書き操作はできなくなる。ページのスクロールはできる。

詳細メニュー

ツールバー
ペン、消しゴム、シェイプ、投げ縄など手書きする際に利用するツールアイコンが一覧表示される。各アイコンをタップするとそのツールが有効になる。

左右上下にスワイプしてページを切り替える

こんな用途が便利!

3 日々のヘルスケアの記録帳

iPhoneにはヘルスケアアプリの情報を1つにまとめる「ヘルスケア」アプリがあるが、数字情報だけだったり、対応していないアプリも多くいまいち使いづらい。そこで、ヘルスケアアプリの情報をGoodNotes 5でまとめよう。各アプリのその日のデータをスクリーンショット撮影して貼り付ければ、ビジュアル的に健康管理も行える。

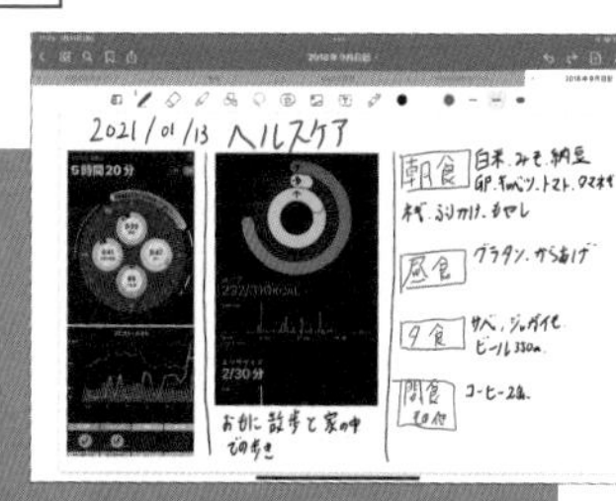

何がヘルスケア項目に当たるかは個人によって変わる。運動や睡眠だけでなく、一日の食事内容も一緒に記録するのがおすすめ。

手書きノートを使ってみよう

ペン以外の基本ツール、消しゴムやシェイプツールを使おう

GoodNotes 5で手書きを行う際、ペンツール以外で最も併用する機会が多いのは消しゴムとシェイプだろう。消しゴムでは、指定した線だけをきれいに消去できる「ストローク消しゴム」機能や、蛍光ペンだけを消去する「蛍光ペンのみ消去」機能などオプション機能が豊富。また、シェイプでは丸や三角などの図形をきれいに描けるほか、図形の内側を自動で塗りつぶす機能などがある。

消しゴムツールを使おう

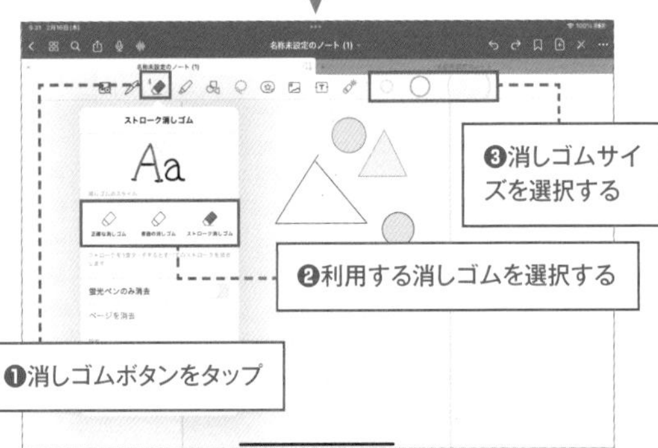

1 消しゴムボタンをタップし、ツールバー右側からサイズを選択して、消去したい部分をなぞろう。

シェイプできれいな図形を描く

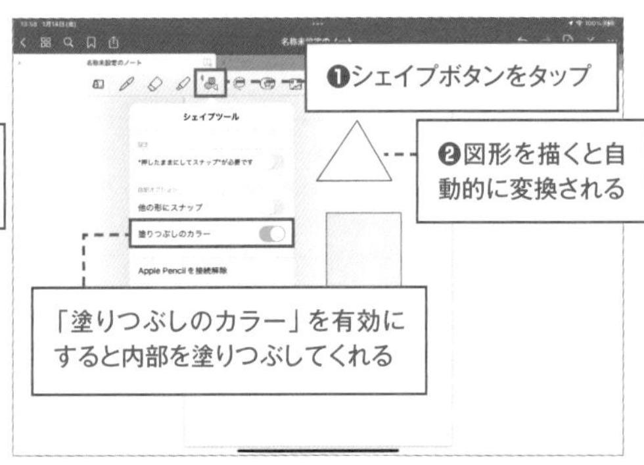

2 シェイプボタンをタップしたあと、手書きで図形を描くと自動的にきれいな図形に変換してくれる。

投げ縄ツールを使ってみよう

投げ縄ツールでできることをすべて把握しておこう

手書きした内容を消去するのではなく、編集したい場合は、投げ縄ツールを使おう。Apple Pencilで範囲選択した箇所のカラー、サイズを変更したり、ほかの位置やページにカット&ペーストすることができる。書いた内容をよく編集する人にとって欠かせないツールだ。また、範囲指定した場所を削除できるので消しゴム代わりにもなる。

編集する部分を範囲選択する

1 投げ縄ボタンをタップして、編集したい部分を範囲選択し、囲んだ内側を一度タップ。するとメニューが表示されるので利用したい操作を選択しよう。

ほかのページに貼りつける

2 「カット」または「コピー」を選択するとクリップボードにコピーされる。ほかのページで画面を長押しするとメニューが表示されるので「ペースト」を選択すると貼り付けることができる。

こんな用途が便利!

マルチタスク機能を使って読書ノートとして活用する

読書ノートとしてノートアプリを利用する場合、iPadのマルチタスク機能を併用するのがおすすめ。片側でKindleなど電子書籍を開き、もう片側で重要なところをGood Notes 5に手書きでメモする。このときはレイアウトやカラーなどを気にせず、黒一色でガンガン記録しよう。すべてメモし終えあとで投げ縄ツールを使って調整するのが効率的だ。

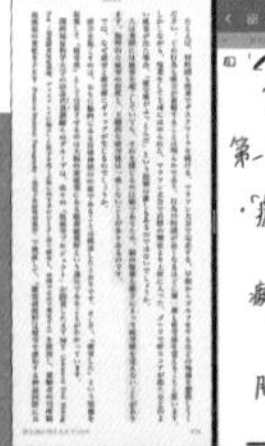

Split Viewで片側に読書アプリを開き、片側で手書きでメモを取る。

4

指のタップでできる操作を覚えよう

「拡大・縮小」「取り消し」「やり直し」などの操作が指でできる

GoodNotes 5では、さまざまなタップ操作が用意されている。1本指でダブルタップで「拡大・縮小」、2本指のダブルタップで「取り消し」が行える。このほかにも、3本指で1度タップすると上部にメニューが表示され「取り消し」「やり直し」などの操作が選択できる。また、Apple Pencil標準で設定されているダブルタップ操作はGoodNotes 5でも適用できる。

GoodNotes 5のタップ操作を知っておこう

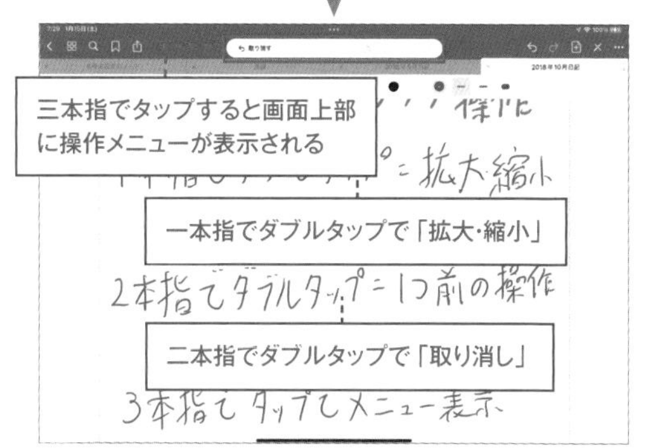

1 指によるタップ操作はApple Pencilを持つ手と反対側の手で行うと効率良く作業できるだろう。

Apple Pencilのダブルタップ操作を確認

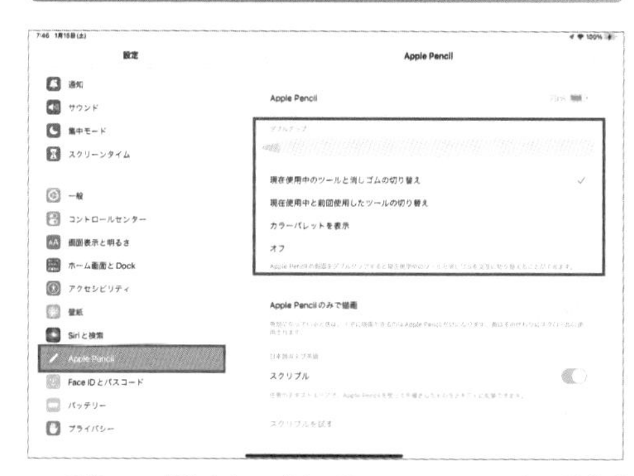

2 「設定」アプリの「Apple Pencil」の「ダブルタップ」でApple Pencilのダブルタップ操作が確認できる。この操作はGoodNotes 5でもそのまま適用できる。

ノート内のページを操作する

ページを俯瞰したり並び順を変更しよう

ノート内で作成したページを俯瞰したい場合はオプションバー左上にあるサムネイルボタンをタップしよう。ノート内のページがサムネイル表示される。その状態でノートをタップするとそのページに素早く移動できるほか、ノートを長押ししてドラッグするとページの順番を並び替えることができる。

サムネイルボタンをタップ

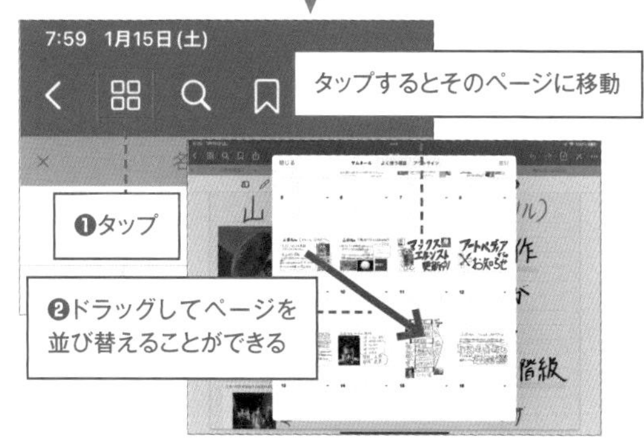

1 サムネイルボタンをタップするとそのノート内のページが一覧表示される。ドラッグ操作でページを並び替えることができる。

メニューボタンから操作をする

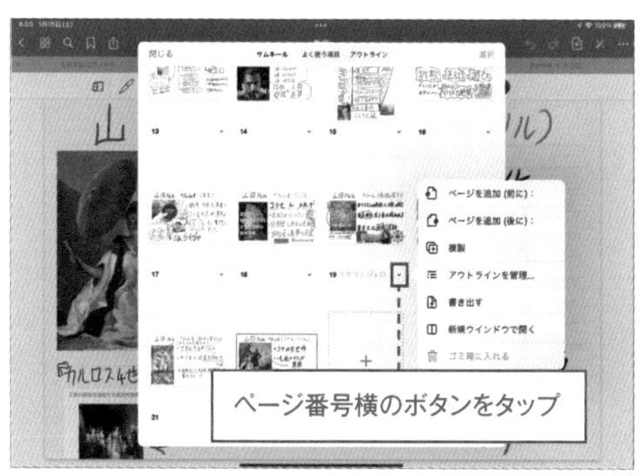

2 ページ番号右にあるボタンをタップするとメニューが表示され、ここからページの複製や書き出し、削除などの操作ができる。

こんな用途が便利!

5 語学学習用ノートとして活用する

語学学習の基本は、ただ手書きで何度も書いて覚えることが重要になるが、紙を使うと無地のきれいな紙を無駄に消費をしてしまいもったいない。そんなときにノートアプリは便利。まず、読書ノートと同じようにSplit ViewでiPadの画面に分割し、左側に語学教材を開き、右側にノートアプリを開く。あとは、ただひたすら、写経するように覚えたい単語や文法を繰り返し手書きしよう。

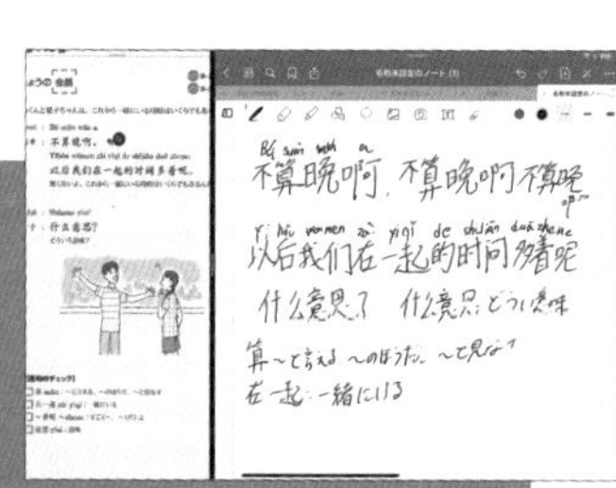

ページが文字でいっぱいになったら、内容をすべて消去し、また書き込もう。

長文のノートを書きたいときに使えるテクニック

ズームツールで小さな文字をきれいに書く

1ページに400字以上ある日記や文章を書くノートを作る場合、標準だと字が大きくなりすぎ使いづらい。小さな文字をきれいにノートに書きたい場合は、ズームツールを使おう。有効にすると現れる拡大鏡を入力予定の場所へ移動しよう。その部分が拡大されるので入力欄に直接手書きを行おう。きれいに小さな文字が書けるはずだ。

なお、文字を書きながら拡大鏡を移動させる際は、拡大鏡画面右上にある移動ボタンを使おう。自動で枠が右へ水平移動したり、改行してくれるのでスムーズに書き続けることができる。行頭をそろえたい場合はインデント機能を使おう。タップすると青い縦線が表示され、改行時にその青い縦線にそろえて書けるようにしてくれる。

ズームツールを有効にする

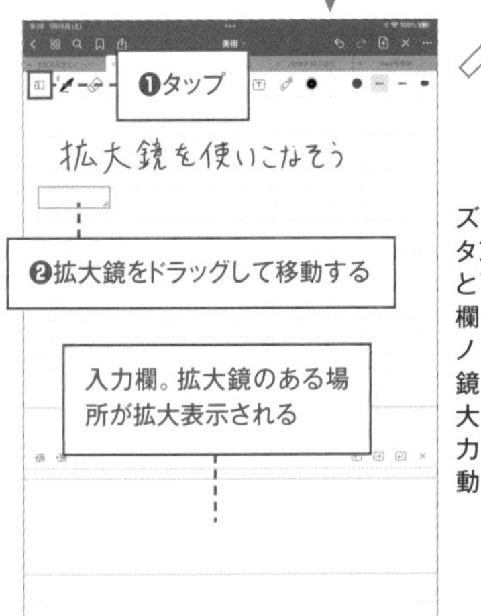

1

ズームツールボタンをタップすると画面下に入力欄が表示され、ノート上に拡大鏡が現れる。拡大鏡を手書き入力する場所へ移動する。

拡大鏡を水平移動させる

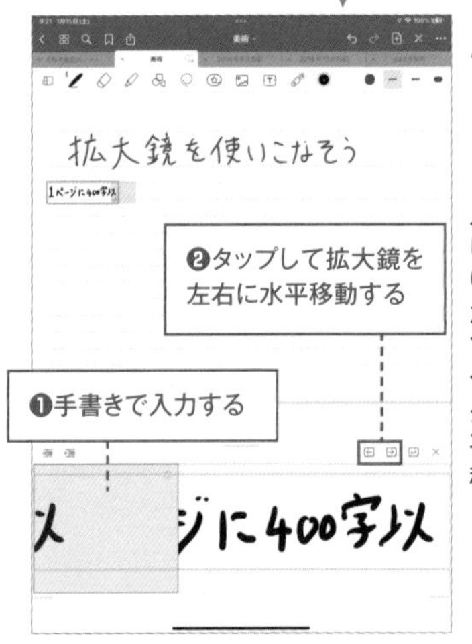

2

入力欄に手書きしよう。入力欄がいっぱいになったら拡大鏡を指で直接移動しよう。なお、移動ボタンを使えば水平にスムーズに移動できる。

改行ボタンで改行する

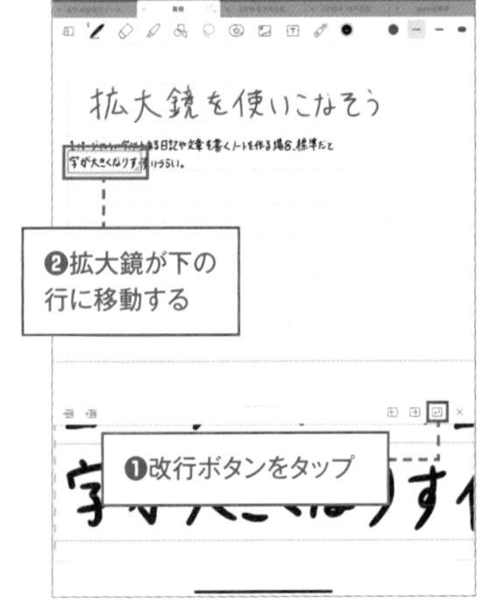

3

改行するときは、入力欄にある改行ボタンをタップしよう。行間を常に等間隔で改行できるのできれいな文章が作成できる。

インデントで行頭をそろえる

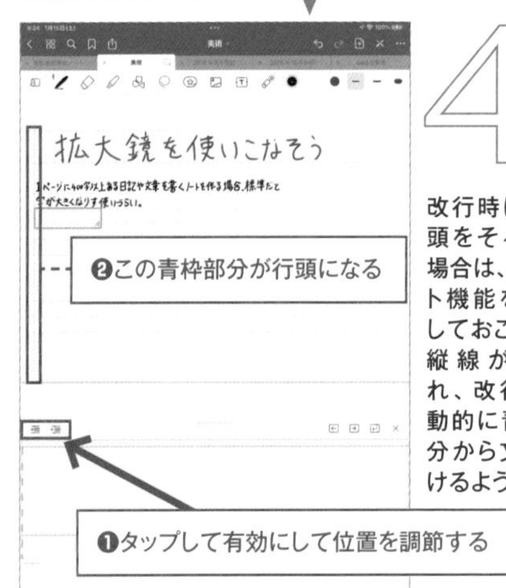

4

改行時に常に行頭をそろえたい場合は、インデント機能を有効にしておこう。青い縦線が表示され、改行時に自動的に青枠の部分から文字が書けるようになる。

POINT

罫線や方眼紙のテンプレートを使おう

長い文章を書く場合はテンプレートを罫線紙や方眼紙にしておこう。行間や字間、字数などを固定できるので、よりきれいなノートが作成できるだろう。

こんな用途が便利!

6 日々の写真も含めた日記帳を作ろう

1ページ内に小さな文字が楽に書けるズームツールを活かして、日記専用のノートを作ろう。写真を挿入できるので、その日に撮影した写真を1枚挿入しておけば、あとで見返しやすくなる。

月ごとでノート作成し、日記用のフォルダを作っておけば、閲覧にほどよい30ページ単位のノートができ、管理しやすくなるだろう。

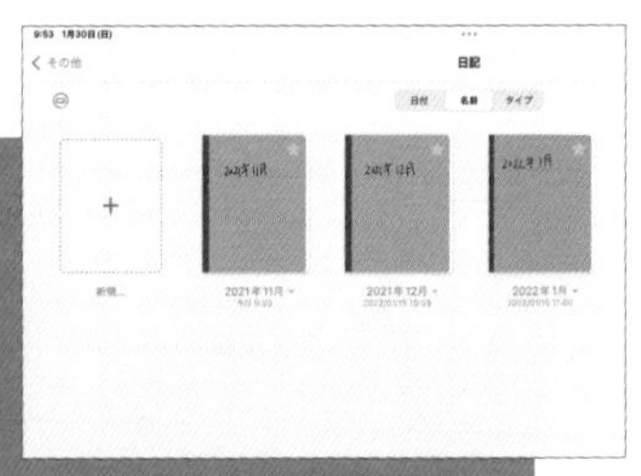

さらに、年ごとにフォルダを作れば、1フォルダ12冊のノートに統一され管理しやすい。

テキストツールでロゴを作成する

テキストボックスのスタイルでテキスト周りを装飾する

GoodNotes 5は、手書き入力だけでなくテキスト入力もでき、調整機能も豊富だ。「テキストボックスのスタイル」から、背景のカラー、枠線のカラー、シャドウ、枠線の幅などテキスト周りの装飾設定が細かく行える。画像やほかの要素と組み合わせればロゴ作成ツールとしても利用できるだろう。一度作成したスタイルはプリセットとして保存して、以降再利用することもできる。

テキストを入力する

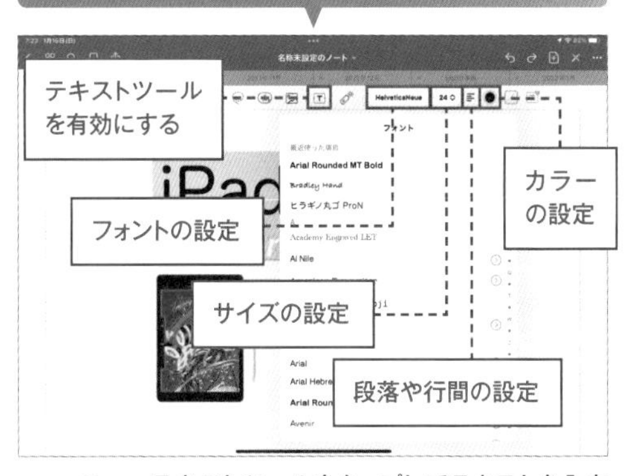

1 テキストツールをタップしてテキストを入力する。まずは、フォント、サイズ、段落、カラーなど基本的なテキスト装飾を設定しよう。

テキストボックスをカスタマイズする

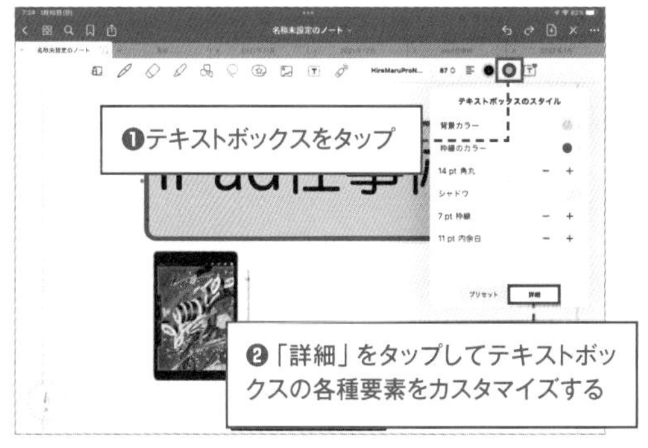

2 テキスト周りを装飾する場合は、テキストボックスの設定を変更しよう。メニューの「詳細」から背景のカラー、枠線のカラー、シャドウ、枠線の幅などを細かく調節できる。

仕事やプレゼンに便利なチャートや資料を作成する

図形作成機能やプレゼンモードを活用しよう

GoodNotes 5では、四角や直線などをきれいに描くことができる機能があり、チャート作成に便利。これにテキスト入力機能や写真挿入機能を組み合わせることで、パワーポイントのような資料を作成することが可能だ。複数のページで構成し、PDF形式で出力すれば立派なプレゼン資料が作成できるだろう。

ほかにプレゼンに役立つ機能も搭載している。

図形を作成する

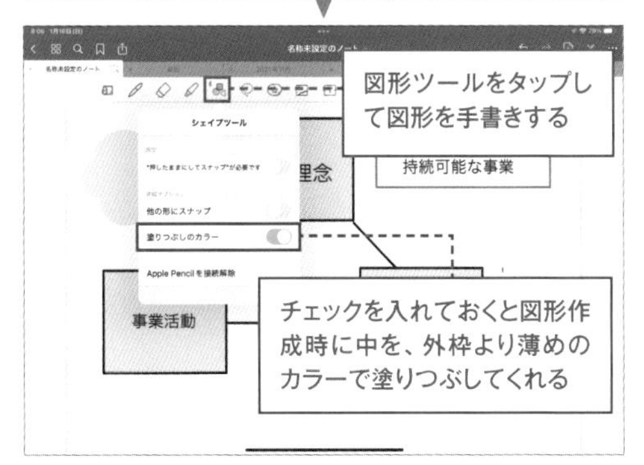

1 チャートや図形を作成するためきれいな線を書きたい場合は、シェイプツールボタンをタップして図形を描こう。「塗りつぶしのカラー」にチェックを入れておくと図形内を自動で塗りつぶしてくれる。

プレゼンモードを利用する

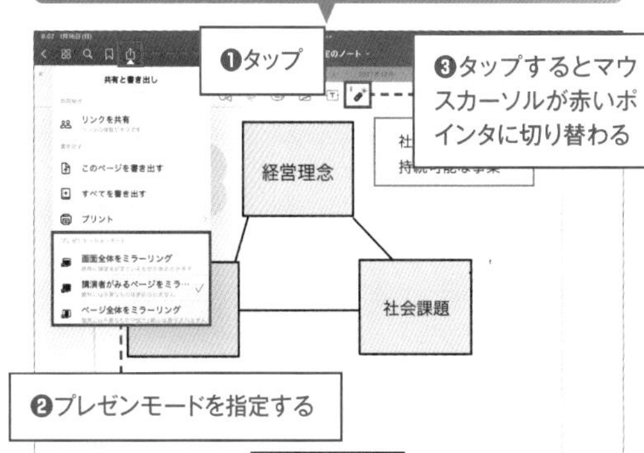

2 オプションメニューの「共有と書き出し」からプレゼンテーションモードを利用できる。なお、iPadをHDMIあるいはAirPlay経由で外部スクリーンに接続する環境を事前に用意しておこう。

こんな用途が便利!

7 ビジネスで使うチャート図のテンプレを作成しておく

ロジックツリーやマトリックスなどビジネスシーンで頻繁に使うチャート図のテンプレートをGoodNotes 5に作成して登録しておけば、ビジネス用のメモノートとして活用できる。こうしたチャート図の作成は、外部からテンプレートを探してダウンロードするのもよいが図形作成機能を使って自作しておくのもよいだろう。上記で紹介した図形作成機能を参考にしてほしい。

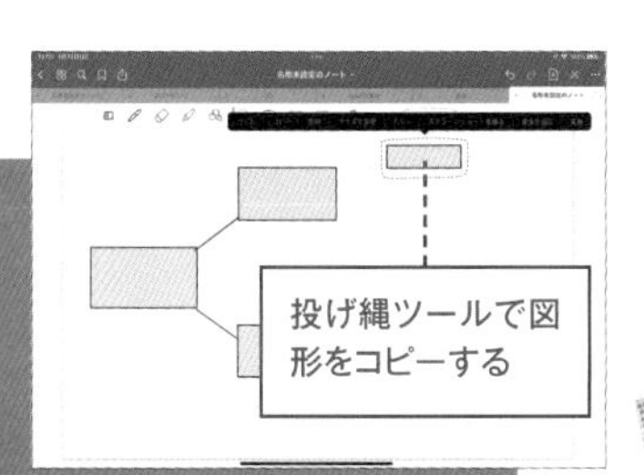

同じ大きさの図形を複数作成するなら、投げ縄ツールのコピー機能をうまく使おう。

PDFを読み込んで注釈をつける

インポート機能から さまざまなファイルを 読み込んで手書きできる

GoodNotes 5は、既存のPDFや画像、Word、PowerPointなどさまざまなファイルを読み込んで表示し、また手書きの注釈をつけることができる。仕事で送られてきた書類に手書きで注釈や指示をつけて返送したいときに役立つだろう。

サムネイル画面から、読み込んだPDFのページを並び替えたり、新しくページを追加することもできる。読み込んだファイルはほかのノートと同じく「書類」画面で管理することができるので、ファイル管理アプリとしても代用できる。

注意点としては、Adobe Acrobat ReaderやPDF Expertといった「PDF注釈アプリ」のように注釈一覧リストが作成できないこと。ドローイング専用と考えよう。

ファイルを読み込む

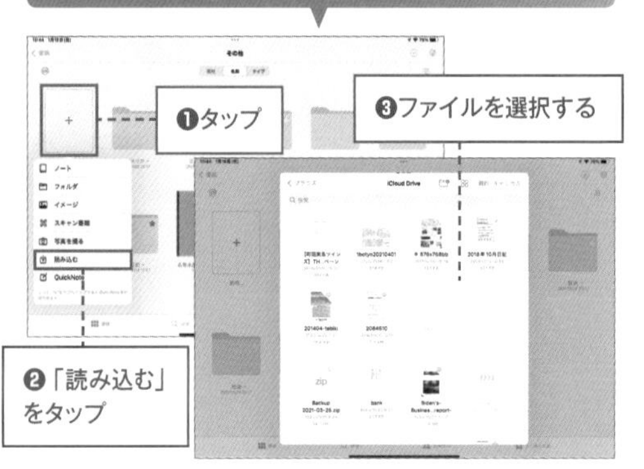

1 書類画面で新規作成ボタンをタップして「読み込む」を選択。ウインドウが開いたらPDFを選択して読み込もう。

ペンツールでドローイングで線を引く

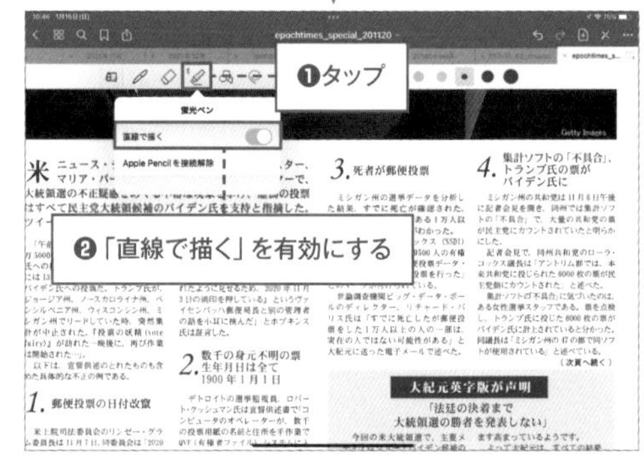

2 PDFを開いたらペンやマーカーで線を引こう。通常のノートと同じようにPDFに手書きできる。マーカーを使う場合は直線がひけるようメニューで「直線で描く」を有効にしておくと便利。

写真を読み込んで注釈をつける

3 PDF内の写真変更の指示を出す場合は変更予定の写真を読み込んで、具体的な指示が出せるのは便利な点だ。

ページの並び順を変更する

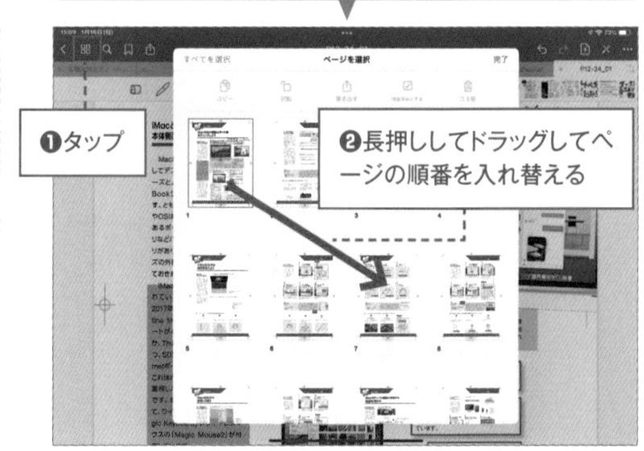

4 左上のサムネイルボタンをタップすると読み込んだPDF内のページが一覧表示され、ノートと同様にページをドラッグで並び替えたり、削除したり、抽出することができる。

POINT

ノート間の移動もカンタン!

サムネイル画面でメニューから「移動先」を選択すると、直接ほかのノートやフォルダに移動できる。

こんな用途が便利!

8 ウェブページのスクラップ

日々、ブラウザでニュース情報を収集している人は、気になるページを保存するツールとしてGoodNotes 5を使うのも1つの手だ。Safari自体にもリーディングリストやPDFを作成する機能が標準で搭載されているが、保存した記事はバラバラになりがち。GoodNotes 5であらかじめ準備しておいたノートに保存すれば、ページの管理や閲覧が楽になるだろう。

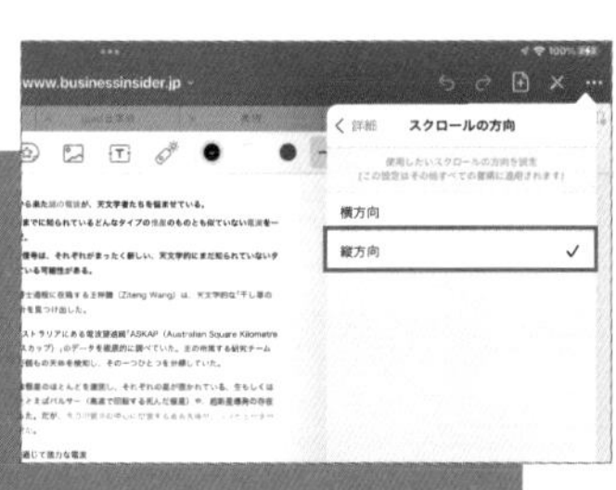

ページのスクロール方向を縦にしておくと閲覧しやすくなる。

手書き文字をテキスト化する

投げ縄ツールを使ってテキスト化しよう

GoodNote 5では、ノートに手書きした文字をテキストに変換することができる。テキスト化することでほかのメールやメッセージなどテキスト入力を行うアプリに内容をコピーすることが可能になる。手書きした内容をメモアプリやテキストエディタに保存したいときに便利だ。投げ縄ツールで対象を範囲選択して「変換」を選択すればよい。なお、手書き文字をテキストに直接置換することはできない。

投げ縄ツールで囲い込む

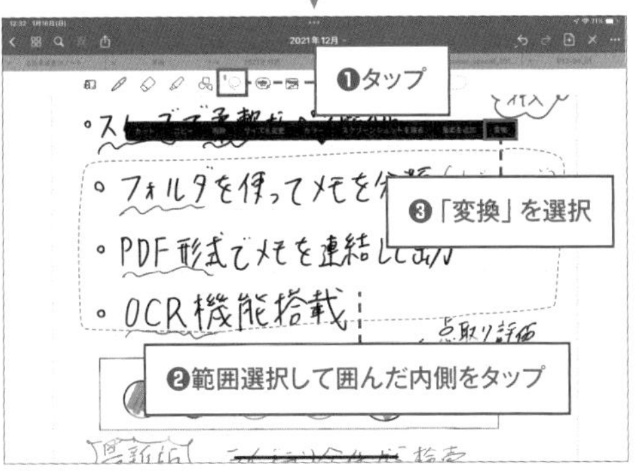

1 投げ縄ツールを有効にして対象となる部分を範囲選択し、画面を一度タップすると表示されるメニューで「変換」を選択する。

テキスト化して共有する

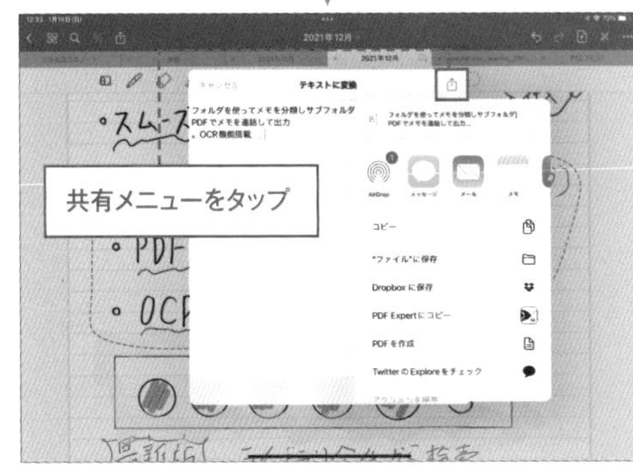

2 テキスト変換ボックスが表示され手書き文字が変換される。右上の共有メニューをタップして、コピーやほかのアプリと共有しよう。

ウェブページをPDF化してメモを取る

ブラウザの共有メニューから簡単にPDF化できる

GoodNotes 5はブラウザと連携しており、SafariやChromeで開いているページをGoodNotes 5に取り込むことができる。あとで資料になりそうなウェブページを見つけたら保存しておくといいだろう。PDF形式で保存され、複数のページに自動的に分割される。現在開いているノート内に追加できるほか、新規ノートとして保存することもできる。

共有メニューから保存する

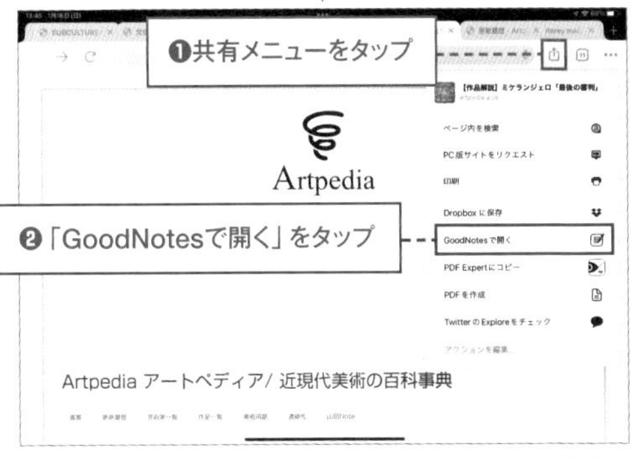

1 保存したいページをブラウザで開き、共有メニューから「GoodNotesで開く」をタップ。現在のノートに取り込むか、新規ノートとして取り込むか選択しよう。

分割されて保存される

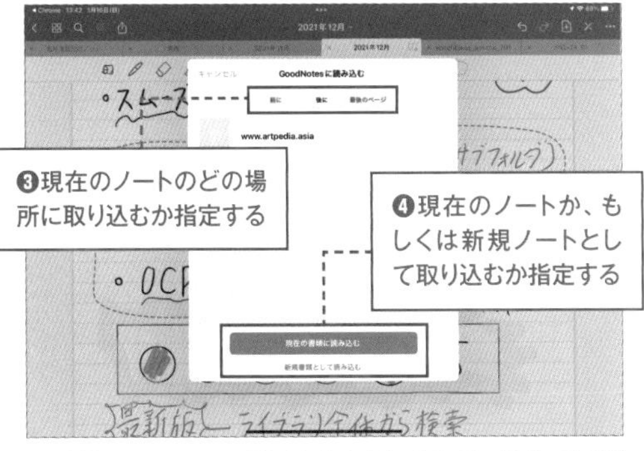

2 iPadの画面の大きさに合わせて自動で分割され保存される。もちろん保存したあとに手書きで注釈をつけることが可能だ。

こんな用途が便利!

9 説明書や契約書など紙の書類のスクラップ

GoodNotes 5は書類スキャン機能も搭載しており(詳細は97ページ参照)、紙の書類をスキャンしてノート内に保存できる。トリミング機能やカラー調整などレタッチ機能も豊富で家電の説明書や契約書、地域のゴミの分別書や収集日などをスキャンしておけば、ペーパーレスにもなり、どこの棚にどの書類をしまったか忘れてしまうこともない。いつでも素早くiPadから目的の書類を取り出すことができるだろう。

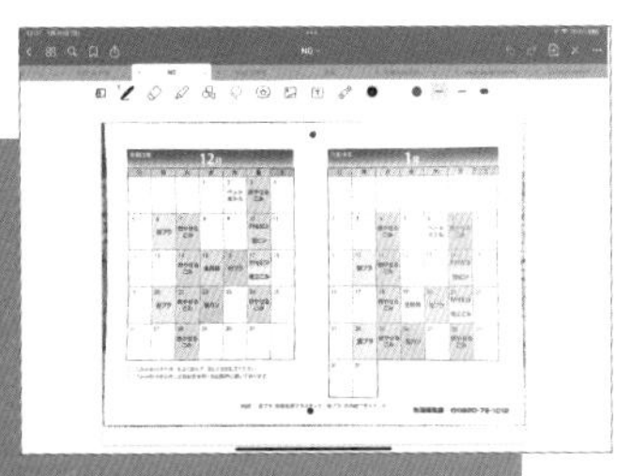

ゴミカレンダーからごみの収集日をカレンダーアプリに書き込むより、ゴミカレンダーをそのまま取り込もう。

テンプレートの種類を追加しよう

外部テンプレートをダウンロードしよう

GoodNotes 5は標準で多数のテンプレートが用意されているが、オリジナルのテンプレートを追加することもできる。ノートの表紙や用紙を自分好みにカスタマイズしよう。

テンプレートの追加は、「書類」画面の設定メニューにある「ノートのテンプレート」から行う。まずグループ名を作成し、作成したグループ名の下にオリジナルのテンプレートを追加していくという流れになる。

追加するテンプレートは事前に画像形式、もしくはPDF形式で用意しておこう。自分で一から作成するのもよいが、ウェブ上にはデザイン性や利便性に優れたテンプレートを無料で配布しているサイトがいくつもあるので、ダウンロードしたほうが効率がよいだろう。ここではおすすめのテンプレートも紹介していこう。

書類画面の設定メニューを開く

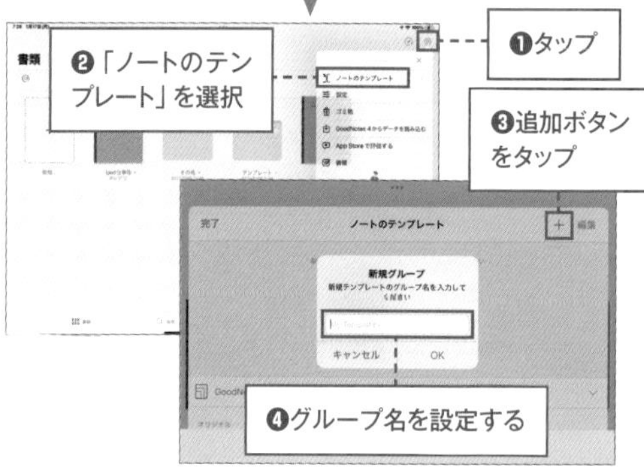

1 書類画面右上にある設定ボタンをタップして「ノートのテンプレート」をタップする。追加ボタンをタップすると新規グループ名画面が表示されるので、グループ名を設定しよう。

テンプレートを登録する

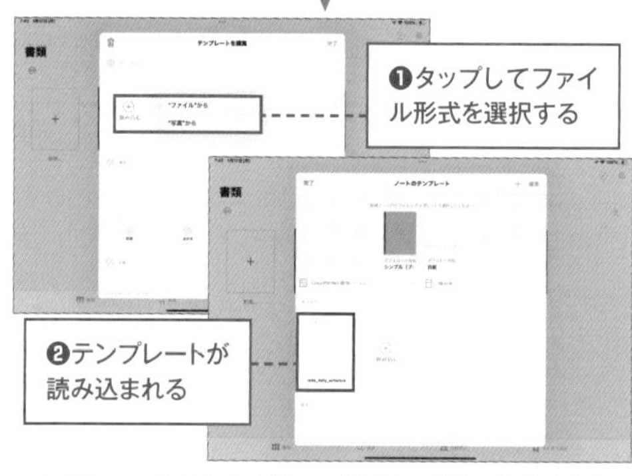

2 作成したグループ名下の「読み込む」をタップして、用意しているテンプレートを読みこもう。PDF形式の場合は「ファイルから」を選択する。

絶対便利なテンプレート3選!

●デジタルプランナー(月間予定表)

作者:イツキのアンテナ
https://youtu.be/G6CNDS6_zkl

手書きのカレンダーをGoodNotes 5で管理したい人におすすめ。抜群に使いやすい年、月、週などさまざまな表示形式の2023年用の月間予定表のテンプレートが1,280円でダウンロードできる。

●リング付きデジタルノート

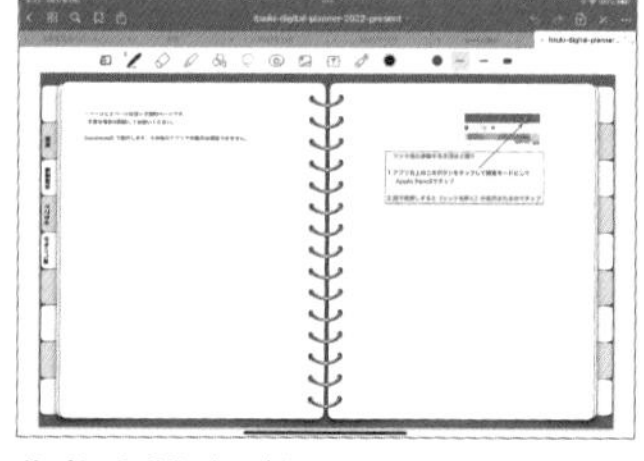

作者:さくらんぼねこ
https://sakuranboneko.booth.pm/items/1254265

リンクがついたデジタルノート。目的のページへジャンプするインデックスタブとインデックスページへジャンプするリンク機能が搭載。

●メモの魔力

作者:Yashu
https://harupyade.com/memo-ma-template/

ある議題に関するアイデアをまとめるのに便利なテンプレート。事実、抽象化、転用の3つのカラムで構成されている。

POINT 共有メニューからテンプレートを読み込む

ノート内の1ページだけ外部テンプレートを利用したいなら、iPad上でテンプレートファイルを開いたあと、共有メニューの「GoodNotes 5で開く」を選択すればよい。

こんな用途が便利!

10 手書きのPOP広告を作成してプリントアウトする

GoodNotes 5には「要素」という機能が存在している。これは、いわゆる装飾や強調に便利なスタンプツールで、オリジナルの画像を登録することもできる。要素ツールと手書きを組み合わせることで、店舗運営には欠かせないインパクトある手書きのPOP広告やチラシが簡単に作成できる。

作成した手書き広告は、共有と書き出しの「プリント」から素早く印刷できる。

既存のテンプレートを少し改良して使いやすくする

シェイプツールの直線機能を使って線を増やす

外部から好みのテンプレートを探すほか、GoodNotes 5にもともと用意されているテンプレートを少し改良して使いやすくする方法もある。たとえば、シェイプツール機能を使って罫線紙に縦線や横線を追加しよう。作成後、共有メニューからそのページをPDFとして出力したあと、オリジナルでテンプレートとして登録しよう。

シェイプツールで直線を引く

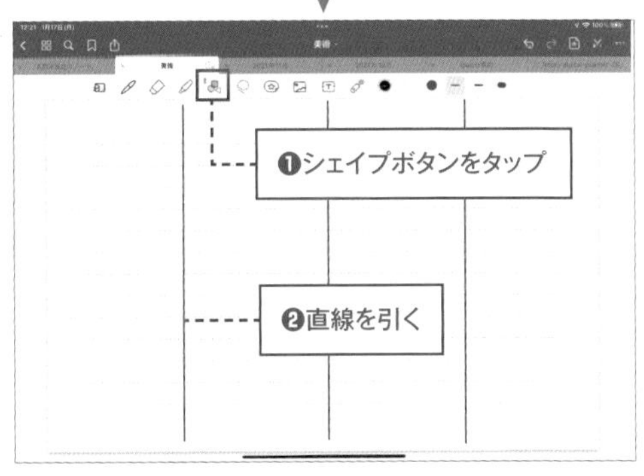

1 改良したいテンプレートを表示させ、シェイプボタンをタップ。直線を引いて自分の使いやすいようにカスタマイズしよう。

PDF形式で書き出す

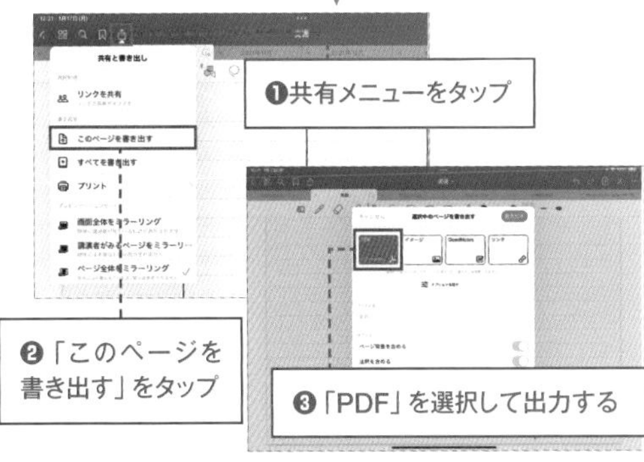

2 テンプレートを作成したら、共有メニューをタップして「このページを書き出す」でPDF形式で出力しよう。

GoodNotes 5に録音機能が追加された

ミーティングの議事録や講義などを録音するのに便利

最新版GoodNotes 5では新たに録音機能が追加された。アプリ上部メニューに追加されたマイクのアイコンをタップするだけで録音できる。録音後に表示される再生アイコンをタップすると録音した音声を再生したり、削除できる。また、再生時に時間にあわせて描画を再現してくれる。

マイクアイコンをタップして録音する

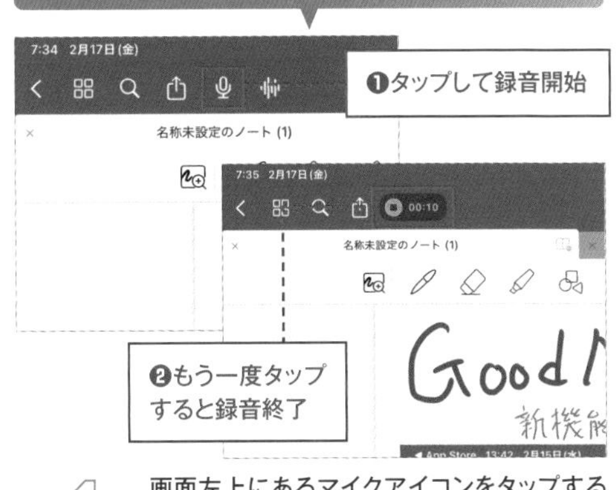

1 画面左上にあるマイクアイコンをタップすると録音ボタンが変化して録音が始まる。もう一度アイコンをタップすると録音が終了する。

録音したファイルを再生する

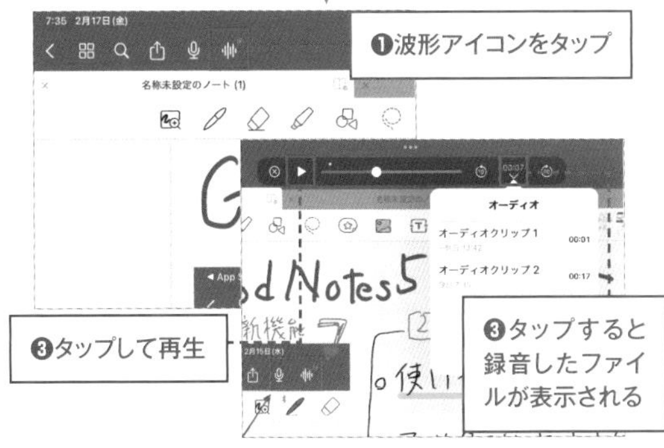

2 録音したファイルを再生するには、波形のアイコンをタップする。プレイヤーが表示されるので再生しよう。

POINT

再生プレーヤーの上の白い点は何?

再生プレーヤーの上につく白い点は録音の分割点だ。シークバーを白い点に移動すれば、素早く次の録音場所の頭出しができる。

Notabiltyの録音機能との違いは?

Notabilityにも録音機能があるが、両者には手書きメモの再現時に大きな違いがある。Notabilityでは線の入力時のスピードや軌跡まで細かく再現してくれるが、GoodNotes 5はそこまでは対応していない。文字を書く場合は問題ないが、軌跡の再現が知りたいイラストを描く場合は、注意が必要だ。

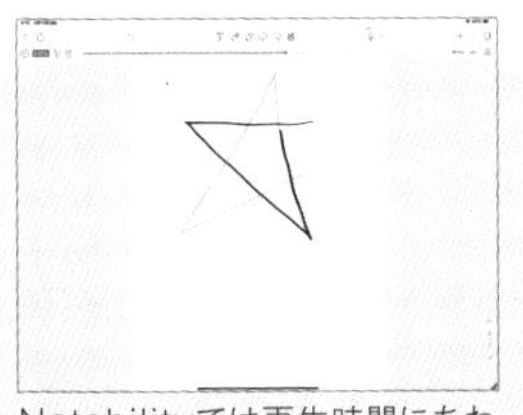

Notabilityでは再生時間にあわせて線の軌跡が表示されていく。

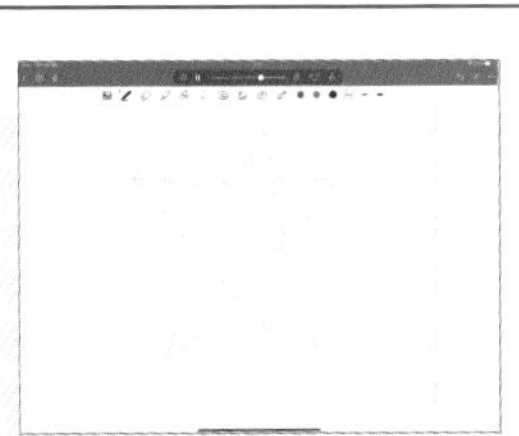

GoodNotes 5は、線の軌跡は再現されず線を一筆で書き終えた部分ごとに再現されていく。

使いたいノートをすぐに発見できるようにするには?

アウトラインやよく使う項目を利用する

手書きノートを取る際に、あとで目的のページを素早く探して開きたい場合は、ページごとにアウトラインを設定するのがおすすめだ。アウトラインは目次のようなもので、ページごとに好きな名前をつけることができる。アウトライン設定すると、サムネイル画面でページ数横にアウトライン名が表示され、ページ内容がわかりやすくなる。また「アウトライン」タブを開くと、作成したアウトラインが一覧表示され、タップすると瞬時にそのページを開くことができる。

GoodNotes 5上で繰り返し閲覧するページは、「よく使う項目」に登録しておくと便利。書類画面の「よく使う項目」から、登録したページを簡単に開くことができる。

詳細からアウトラインを追加する

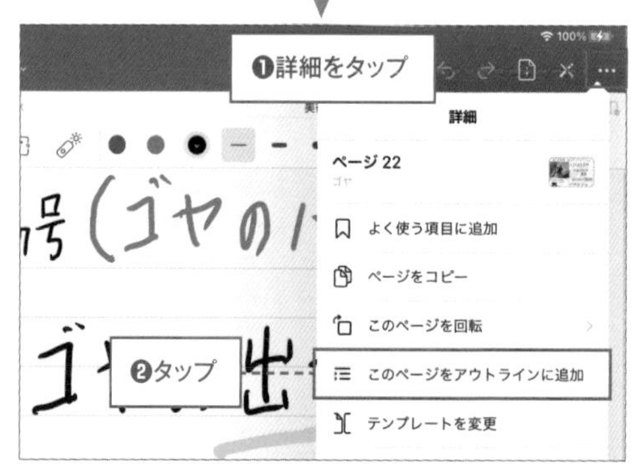

1 アウトラインをつけたいページを開き、右上の詳細アイコンをタップして「このページをアウトラインに追加」をタップして、名前をつけよう。

サムネイル画面を開く

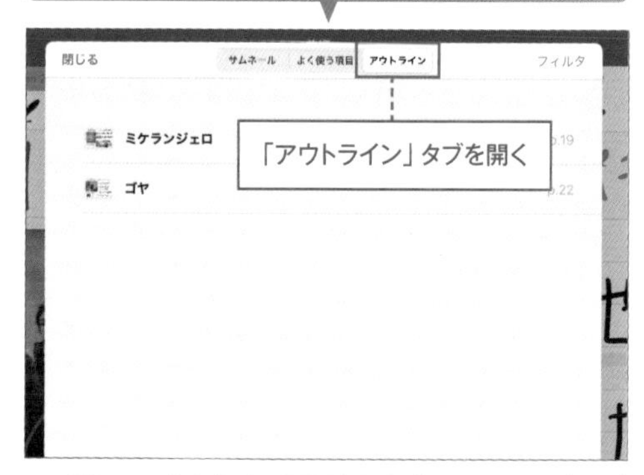

2 サムネイル画面を開き「アウトライン」タブを開くと作成したアウトラインが一覧表示される。タップするとそのページを開くことができる。

「よく使う項目」に追加する

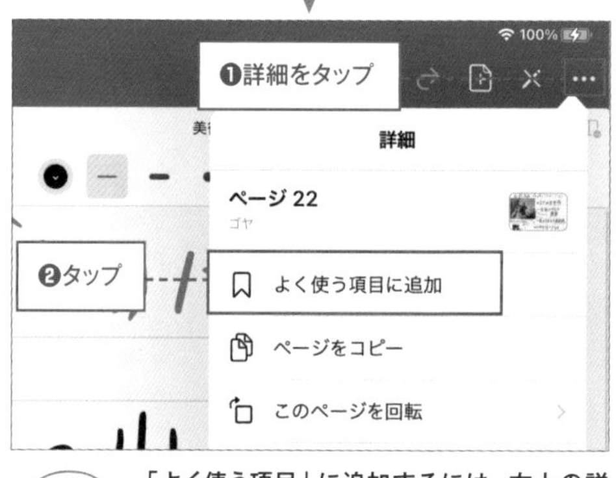

3 「よく使う項目」に追加するには、右上の詳細アイコンをタップして「よく使う項目に追加」をタップ。

「よく使う項目」に追加する

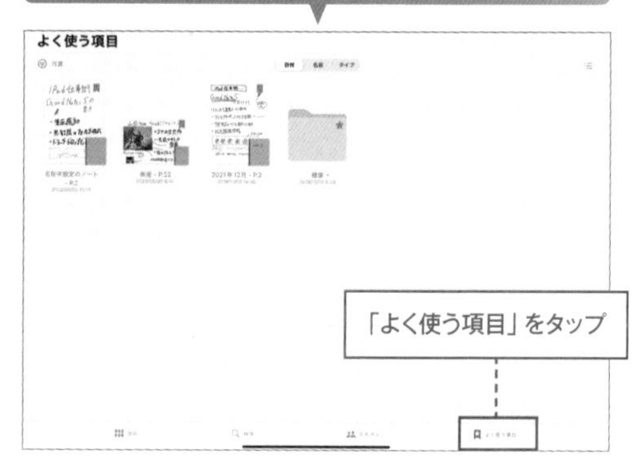

4 書類画面に戻り、下部メニューから「よく使う項目」を開こう。登録したページが一覧表示され、タップするとそのページを開くことができる。

POINT

既存のPDFを読み込むとアウトラインが反映される

サムネイル画面右端にある「フィルタ」から既存のPDFのアウトラインと自分で作成したアウトラインの表示をフィルタリングして表示させることができる。

ここがポイント!

11 GoodNotes 5の検索では画像にある文字も検索できる

GoodNotes 5は検索機能を搭載しており、キーワード入力でノートやPDFから横断検索することができ、またPDFやアウトラインなど種類別に分類して検索結果を表示してくれる。有料版であれば、手書きの文字も検索対象に含めることもできる。検索は「書類」画面の下部メニューから行える。また、特定のノート内から検索したい場合は、ノート画面左上にある検索からキーワードを入力しよう。

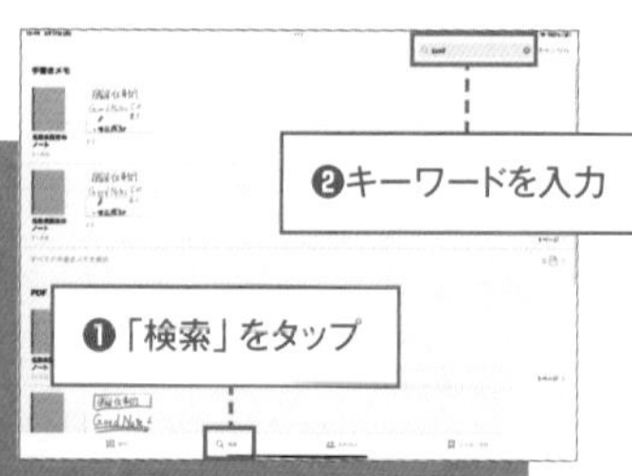

手書きの文字は「手書きメモ」、テキストは「タイプしたメモ」として分類して結果を表示してくれる。

ショートカットからクイックノートを開けば快適!

作成したクイックノートをショートカットで開けるようにする

メモを取る際、特に利用するノートが決まっていない場合はクイックノートに書き留めよう。クイックノートは一時的なメモを取るのに便利なノートで、書類画面から追加ボタンをダブルタップするだけで立ち上がる。カバーやノート名の設定など、ノート作成時に必要な設定をスキップしてメモを作成し、後で指定したノートに分類することができる。

また、iPad標準の「ショートカット」アプリと組み合わせることで、ホーム画面に作成したGoodNotes 5用のウィジェットからタップ1回でクイックノートを開けるようにできる。これらを併用することで、より効率的にノートを取ることができる。

クイックノートを起動する

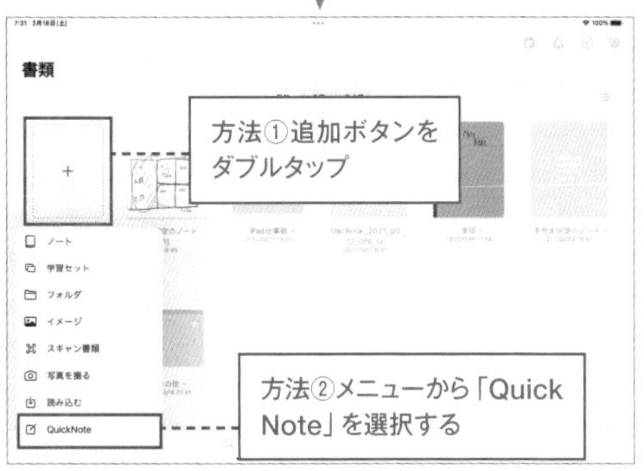

1 クイックノートを起動するには、書類画面の追加ボタンをダブルタップするか、タップしてメニューから「QuickNote」を選択しよう。

クイックノートが起動する

2 ノート設定や名称設定をスキップしてノートが開き、素早くメモを書き留めることができる。タブの削除ボタンをタップすると、メモを保存するか、ほかのノートに結合するか選択できる。

ショートカットアプリでQuickNoteを作成する

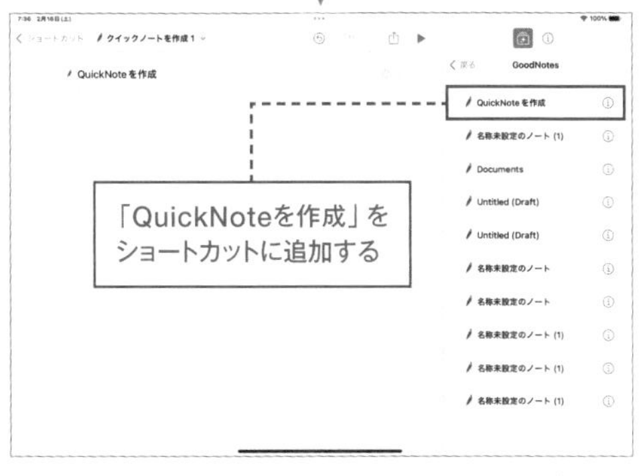

3 GoodNotes 5はショートカットアプリに対応しており、「QuickNoteを作成」というメニューがある。これをまずショートカットに追加しておこう。

ウィジェット追加画面からホーム画面に追加する

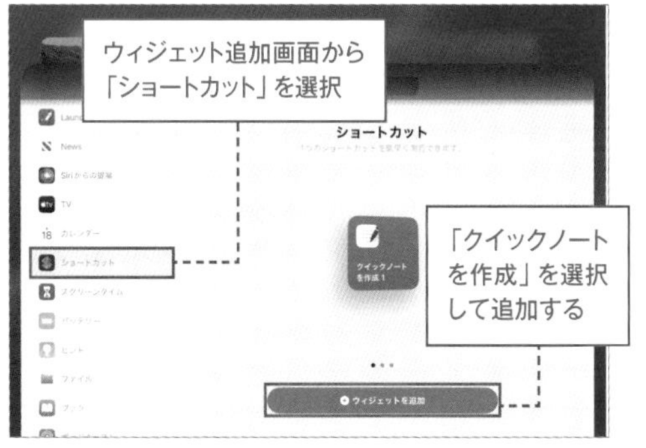

4 次にウィジェット追加画面を開き、「ショートカット」を選択する。作成しておいたクイックノートを作成するメニューを選択すればホーム画面から素早くクイックノートが作成できるようになる。

POINT
クイックノートに名前を付けよう

クイックノート起動時は「Untitled (Draft)」というタイトルがつけられるが、閉じるときに名称を指定することができる。

ここがポイント!
12 特定のフォルダや特定のノートもショートカットに登録できる

GoodNotes 5とショートカットの連携性は高く、クイックノートだけでなく、標準で多数のショートカットが用意されている。普段よく使う特定のノートがある場合は、そのノートをショートカットに登録しよう。さらに、ノートだけでなくフォルダもショートカットに登録可能だ。

もし、ショートカットアプリのGoodNotes 5の項目に対象のノート名が見つからない場合は、GoodNotes 5で登録したいノートを開いた状態にして、再度ショートカットアプリを起動すれば表示される。

ノートをページの端までキッチリと書くには？

縦スクロールにすることでノートの隅に書きやすくなる

GoodNotes 5を使用してノートの隅にメモをとる場合、標準の横スクロール設定では手首がiPadの外にはみ出て安定感が悪く、書きづらいことがある。ノートの隅に手書きメモをとる場合は、縦スクロールに設定を変更するのがおすすめだ。

縦スクロール設定にすると、ノート隅を画面中央に寄せることができるため、手首を固定してメモをとりやすくなる。また、1画面に2ページをまたいで開くことができるので、前後のページの情報が見やすくなる。

ほかの方法としてSplit Viewで画面を分割し、左側にGoodNotes 5を表示させれば右側に手を乗せるスペースができるだろう。

縦スクロールに変更する

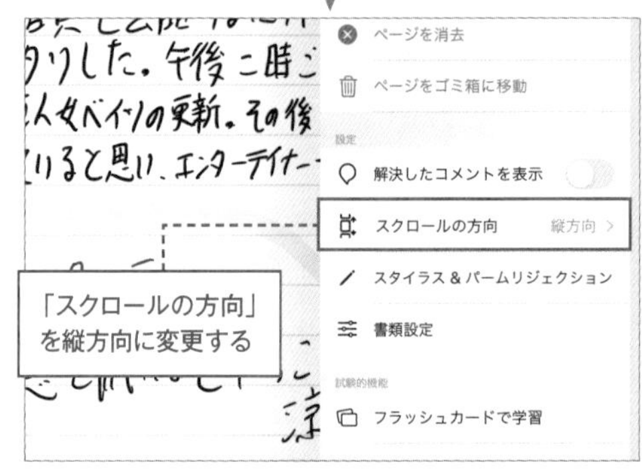

1 スクロール方向を変更するには、右上の詳細アイコンをタップして「スクロールの方向」をタップして、縦方向に設定しよう。

ノートを拡大して左へスワイプする

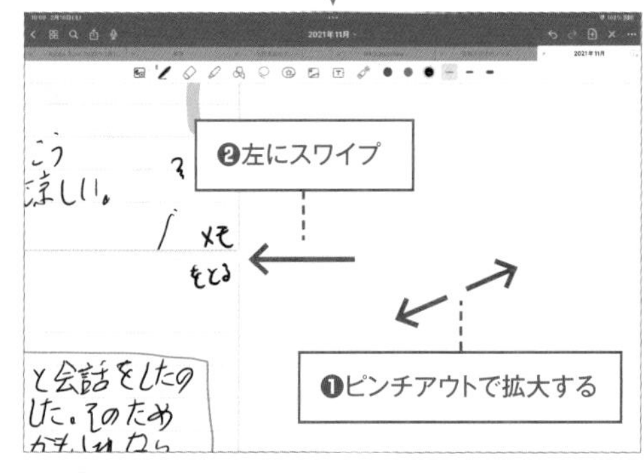

2 設定変更後、ノートをピンチアウトで拡大し、左にスワイプするとノート端を画面中央に固定して表示でき、ページ隅でもきちんとメモが取れる。

隣り合うページの端を同時に表示できる

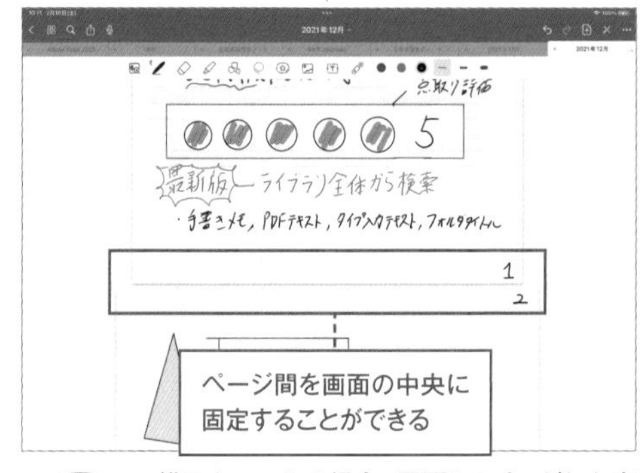

3 横スクロールの場合、画面に1ページしか表示できないが、縦スクロールだとページ間で固定して、2ページを同時に表示できる。

Split Viewを使って手首を固定する手も

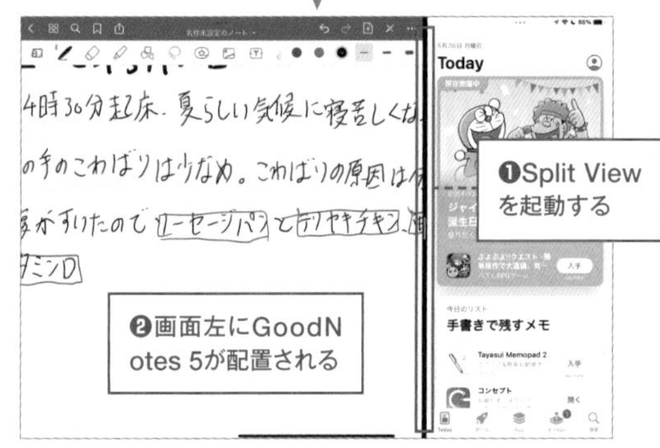

4 Split ViewでiPadの画面を分割し、左側にGoodNotes 5を表示させる。すると画面中央にノートの端がくるので、iPad上に手が置ける。

POINT

Split Viewを使う際のポイント

iPadを横持ちでSplit Viewで分割して使う場合は、分割比はGoodNotes 5（比率7）：ほかのアプリ（比率3）にするぐらいだとちょうどよい。

ここがポイント!

13 ステータスバー、タブバーを非表示にして、画面を広く使う

GoodNotes 5は、ステータスバーやタブバーを非表示にすることはできる。ツールバーも非表示にすることは可能だが、この場合、閲覧専用モードとなる点に注意しよう。タブバーを消すには、今使っているタブ以外をすべて消してしまえば非表示にできる。どうしても全画面で操作したい場合は、プレゼンモードと外部ディスプレイをうまく併用しよう。

右上の詳細アイコンをタップして「書類編集」を開く。「ステータスバー」をオフにするとiPadのステータスバーが非表示になる。

フォルダ名の最初の文字は半角数字にしよう!

重要なフォルダを常に一番上に固定表示させる

書類画面でよく使うフォルダを常に先頭に表示させたい場合は、フォルダ名の最初の文字に「01.○○」「02.○○」のように半角数字を付けて、並び方から「名前」を選択しよう。すると、小さな数字の順から上に並ぶようになる。重要なフォルダやよく使うフォルダに小さな数字をつけておくことで、常に需要なノートに目が届くようになる。ピン留め代わりに利用するといいだろう。

フォルダの名称を変更する

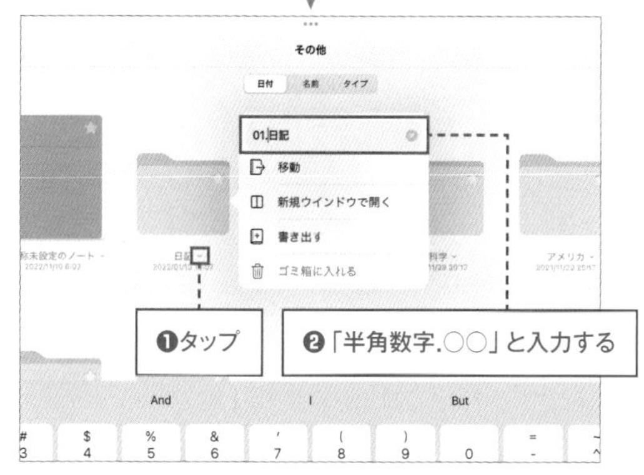

1 フォルダの名称を変更するには、名称横のプルダウンメニューをタップし、一番上の入力欄に「01.○○」という風に変更しよう。

リスト表示に変更する

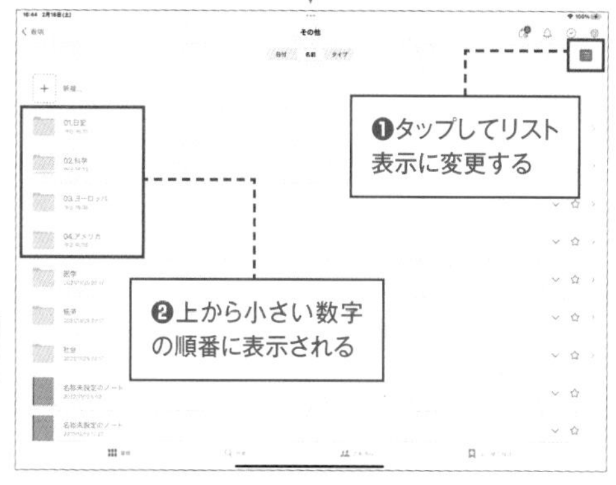

2 名称変更後、リスト表示に変更すると上から順番に数字の小さい名称のフォルダが表示され、重要なフォルダにアクセスしやすくなる。

ほかの手書きノートアプリとどう違う? 類似アプリ

初心者なら絶対におすすめ ベテランなら使い分けよう

ほぼ完璧な手書きノートといってよいGoodNotes 5だが、82ページで紹介するNoteshelfほどにはキメ細かいノートを作れないこと、また84ページで紹介するNotabilityほどには録音機能や縦書きスクロール設定が優れていないことなど、類似アプリに劣る部分もある。それなりに手書きノートを使いこなしているユーザーなら、重視する機能が優れた他のノートアプリと使い分けるのもよいが、初めて使うユーザーであれば、総合的に優れたGood Notes 5がおすすめだ。

また、GoodNotes5が人気なのは、多機能でありながらもリーズナブルな価格設定であることだ。有料版(1,500円)は、一度購入すれば、その後課金することなくほぼすべての主要機能が使える。無料版も、作成できるノート数に制限がある程度なので試すには最適だ。

優れたノート管理能力となんでもそろった多機能性

数ある手書きノートアプリの中でも、GoodNotes 5が人気なのは、多機能でありながらも、わかりやすく、使い心地のいいインターフェースを備えていることだろう。初めてノートアプリを使う人でも迷うことなく使えるほか、さまざまなノートアプリを使いこなしてきた上級者からも評価の高い機能を多数備えている。

作成したノートの管理能力は、GoodNotes 5がほかのノートアプリと一線を画する機能の1つだ。パソコンライクなフォルダを作成できるほか、フォルダ内にはサブフォルダを無制限に作成することができ、ノートの数が増えたら内容別に細かくフォルダ分類することができる。検索機能も優秀で、汚い走り書きの手書き文字でもきちんと検索結果に反映される。また、タイプ入力したテキストやPDF上のテキスト、アウトラインなども検索対象にすることが可能だ。

また、バージョンアップの頻度が高く、常に操作性が改善され、ユーザーの希望に沿った新しい機能が追加される点も魅力。最新版では、要望の多かった録音機能や暗記カードのようなフラッシュカード用紙が追加されている。運営のサポート能力の高さも安心しておすすめできる理由の1つだ。

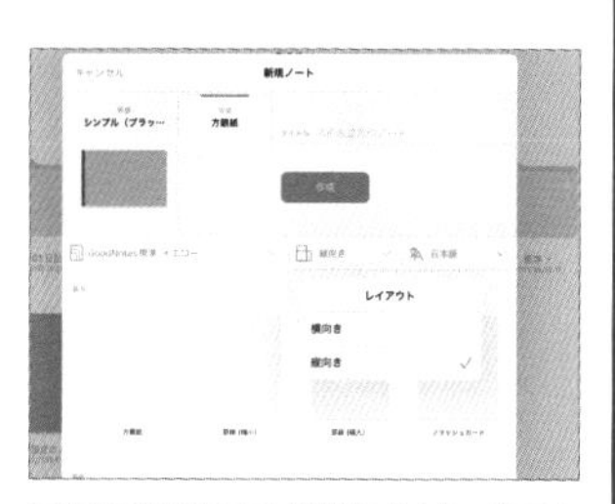

用紙選択画面で「縦向き」レイアウトを選択するとフラッシュカードが利用できる。

今、使うべきアプリ 3 Flexcil

1本で3つの役割をこなせる多機能PDFアプリ

独自機能が超便利! 資料読み込み系ノートの最高峰「Flexcil」を使う

PDF文書からのクリッピングが楽しくなる!

「Flexcil Note & Good PDF Reader」(以降「Flexcil」と表記)のことを、編集部で「資料読み込み系」ノートと名付けたことにはちゃんとした理由がある。一見すると、単なるPDFビューアにシンプルな注釈ツールが搭載されただけのアプリに見えるFlexcilだが、その真価はこれらの要素とは別に、PDFと同時表示できるメモ(「スタディノート」と呼ぶ)にある。

スタディノートにはテキストや手書き メモを書き留められることはもちろん、表示中のPDFから任意の部分のテキスト、画像などをクリッピングすることもでき、その操作もジェスチャで行えるなど、実にシンプルかつ直観的なのだ。

想定される使い方としては、資料として配付されたPDFの内容を読みつつ、気になるところや要点、ポイントになる図版などをスタディノートにクリッピングしつつ、後からスタディノートを見返して、資料の要旨を頭にたたき込むという、まさに「資料読み込み系」と言えるような用途になるのではないだろうか。

なお、Flexcilは無料で入手できるアプリだが、PDF注釈などの一部の編集機能を利用するにはアプリ内課金をする必要がある。

Flexcilはこんなアプリ

直観的に使える「PDFビューア+メモ」として

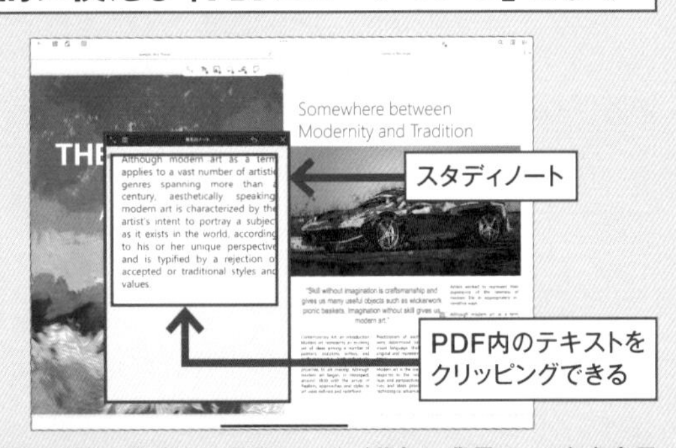

PDFを開きながら、同時にスタディノート(黄色い背景のメモ)を表示し、メモにはテキストを入力したり、PDF内の任意のテキストをクリッピングしたりできる。

メモには画像のクリップや手書きもできる

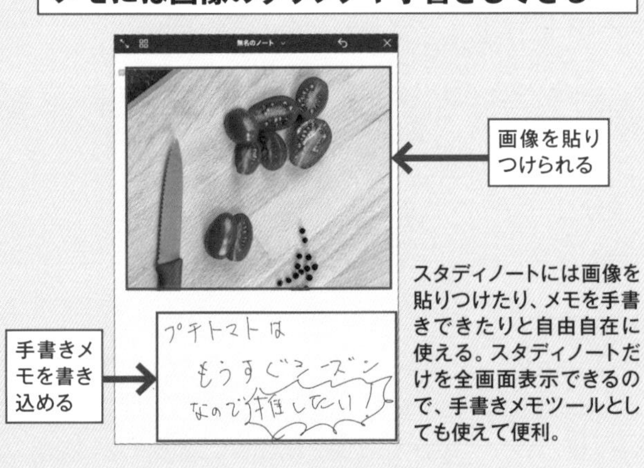

スタディノートには画像を貼りつけたり、メモを手書きできたりと自由自在に使える。スタディノートだけを全画面表示できるので、手書きメモツールとしても使えて便利。

手書き対応の「PDF注釈ツール」として

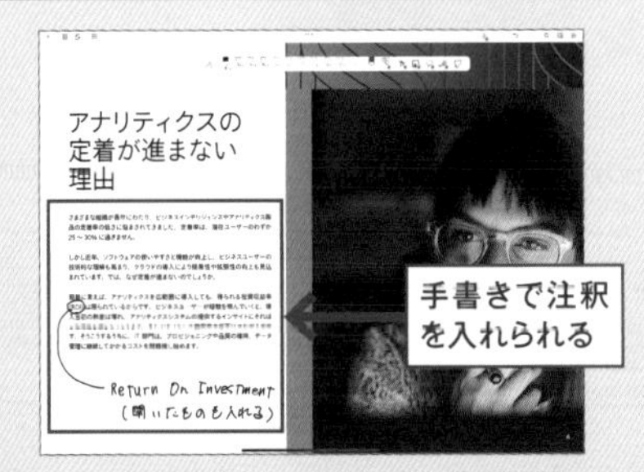

もちろん、PDF注釈ツールとしても使用可能。ほかの専用ツールと比べると機能面や用意されているツールの少なさが目立つが、手書き注釈にも対応しているので実用性は十分だ。

ドキュメントやメモの管理も一元的に行える

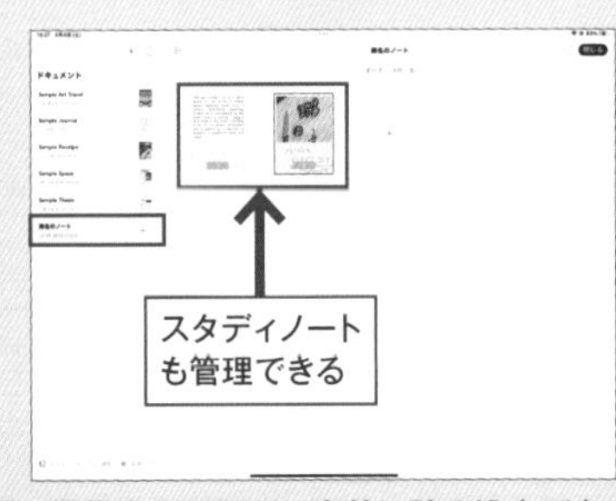

閲覧、編集するPDFは、事前に読み込んでおくことで、アプリ内で一元的に管理できる。ドキュメントの管理画面では、スタディノートの管理も可能になっている。

Flexcil Note & Good PDF Reader

作者/Flexcil Inc.
価格/無料(App内課金あり)
カテゴリ/仕事効率化

PDFリーダー+注釈ツール+手描きメモが一体化した便利アプリ

文書ファイルを読み込もう

対応ファイルを事前に読み込んでおく必要あり

Flexcilで文書を開き、その内容を閲覧したり、注釈を入れたりするには、事前にアプリに文書ファイルを読み込んでおく必要がある。右のように操作すれば、アプリの「ドキュメント」画面から読み込んだファイルをすばやく開くことができるようになる。

なお、読み込めるのはPDFやWord、パワポなど、一般的なドキュメントファイルとなる。

「ドキュメント」画面を開く

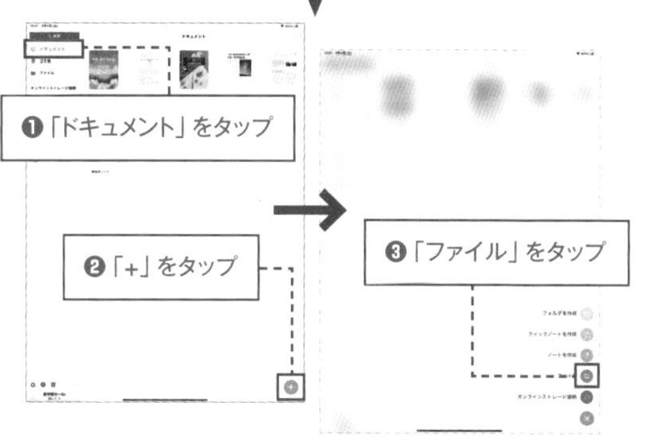

1 アプリの「ドキュメント」画面で「ドキュメント」をタップ、続けて画面右下の「+」をタップし、「ファイル」をタップする。「オンラインストレージ接続」から、Dropbox、Googleドライブなどのファイルを読み込むこともできる。

読み込むファイルを選択する

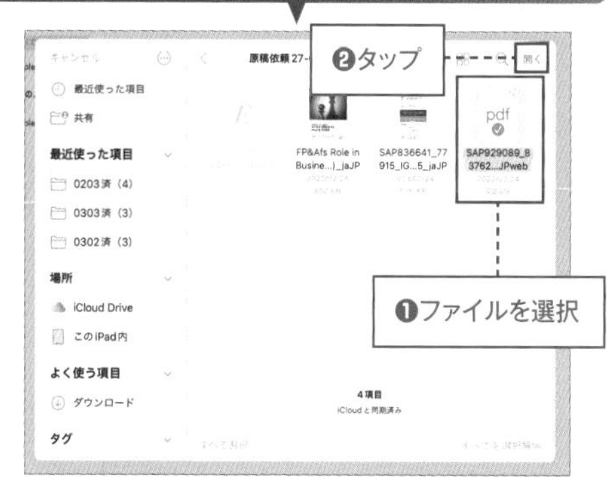

2 サイドバーで「このiPad内」あるいは「iCloud Drive」をタップし、アプリに読み込むファイルを選択して、「開く」をタップすると、アプリに読み込まれる。読み込んだファイルは前画面で長押し、ゴミ箱アイコンタップで削除可能。

シンプルだが必要十分な手書きノート機能

フリーハンドでPDFに注釈を入れる

PDFビューア＋注釈ツールとして使うのであれば、右のように操作して「ペンモード」に切り替えよう。ペンモードに切り替えると、ツールパレットにペンのプリセットや消しゴム、定規など、手書きに使えるツールボタンが表示される。いずれかをタップするとそのツールを使ってPDF上に手書きできるようになるが、鍵アイコンがついたツールを使うにはアプリ内課金が必要だ。

ツールボタンをタップする

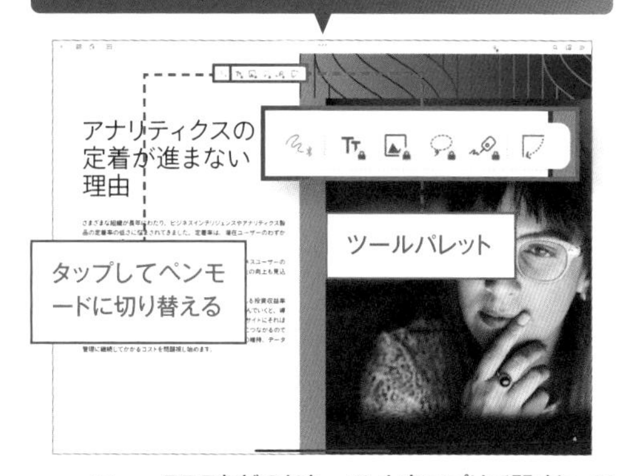

1 PDFなどのドキュメントをアプリで開くと、ツールパレットが常に表示されている。ツールパレット左端にあるボタンをタップして「ペンモード」に切り替える。

目的のツールを選んで手書きする

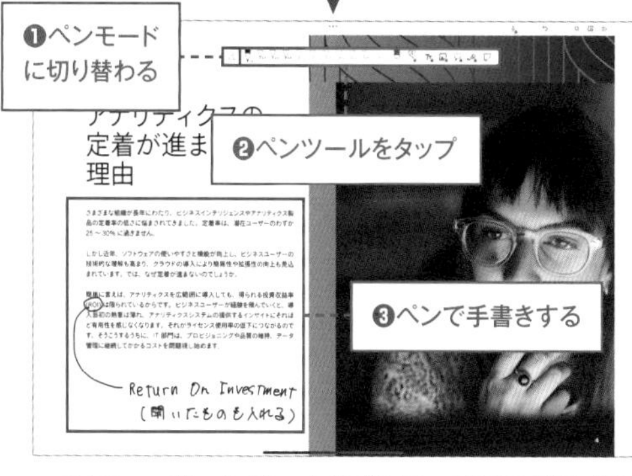

2 ツールパレットがペンモードに切り替わるので、目的のツールボタンをタップして、PDF上に手書きしよう。なお、ツールパレット左端のボタンを再度タップすると、もう1つのモードであるジェスチャモードに切り替わる。

ここがポイント! 1

より多くのツールを使うには?

PDFの表示中、常に表示されるツールパレットだが、一部のツールボタンには鍵アイコンが表示されて使うことができなくなっている。すべてのツールボタンを使えるようにするには、ストア画面からアプリ内課金を行い機能をアンロックする必要がある。なお、「試用版」をタップすると最初の15日間は全機能を無料で利用できる。

ツールパレットで鍵アイコンのついたツールボタンをタップすると、ストア画面が表示され、アンロックできる。

PDFへの注釈機能を使ってみよう

基本

ペンモードに用意された多彩な機能を利用する

ここではさらに、PDF注釈ツールとしてのアプリの使い方を深掘りしてみよう。前ページに引き続き、ツールパレットをペンモードの表示に切り替えた状態で使用する。

ペンモードでは、各種ペンツールと線の色や太さの異なる複数のプリセット、消しゴム、定規などのツールがボタンとして用意されており、目的のボタンをタップすることで使用できる。特に手書きしたものを消す役割を持つ「消しゴム」ツールでは、ポップアップメニューから消しゴムで消去する範囲(太さ)などを調整できる点が便利だ。
「定規」ツールを選択すると、その直後に選択したペンツールでフリーハンドで描いたものが、まっすぐでブレのない線になる。四角形や円などの図形、地図などを描くときに利用するといいだろう。

ペンモードに切り替えておく

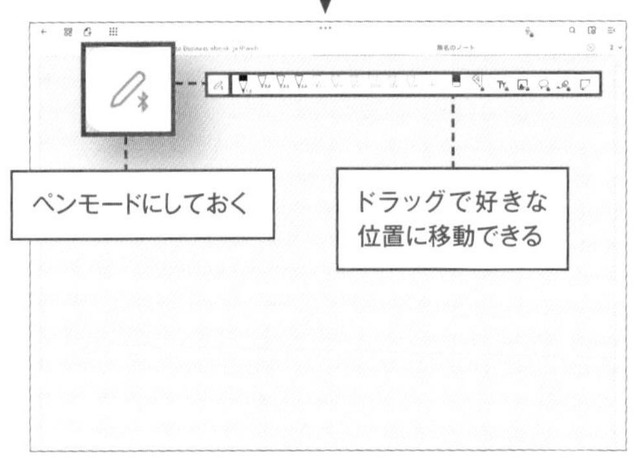

1 アプリで文書やスタディノートを開いているときに常に表示されるツールパレット。その左端のボタンをタップして、ペンモードに切り替えておく。なおツールパレットは、ドラッグして画面内の好きな位置に移動できる。

ペンツールで手書きする

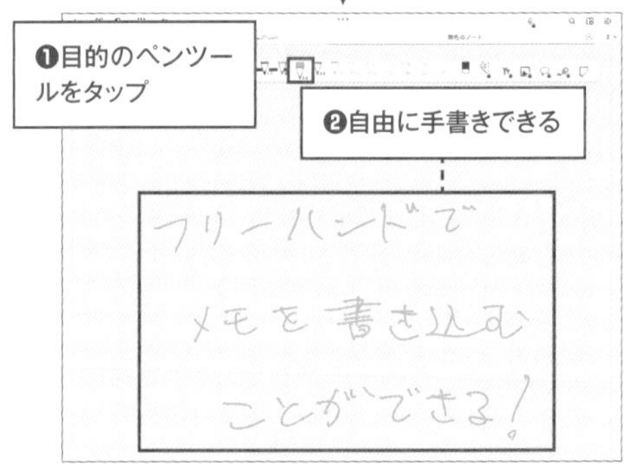

2 ツールパレットで目的の色、線の太さのペンツールをタップして選択してから、文書やスタディノート上を指、あるいはスタイラスペンなどでなぞると、選択したペンで手書きできる。

手書きしたものを消す

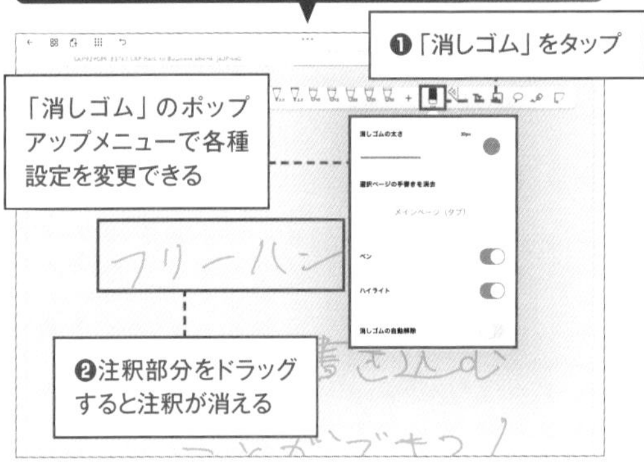

3 ツールパレットの「消しゴム」ボタンをタップして、手書きしたものなぞると消すことができる。「消しゴム」ボタンの「…」をタップするとポップアップが表示され、ここから消す範囲の調整や、画面上の手書き注釈をすべて消すといったことが可能だ。

図形や地図を手書きする

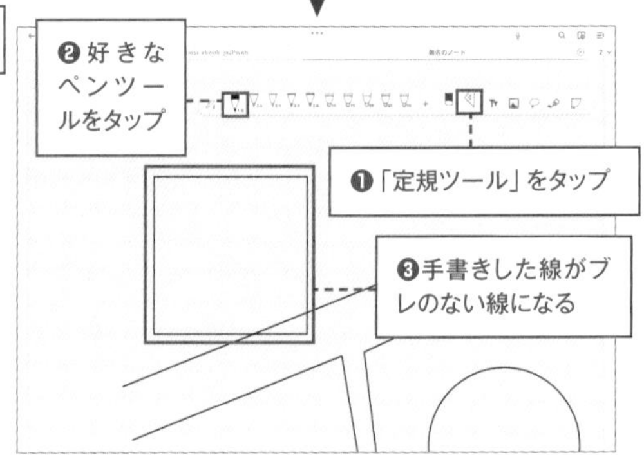

4 ツールパレットの「定規」ツールをタップした後、いずれかのペンツールをタップすると、その直後に手書きした線がブレのないものになる。

POINT Apple Pencil対応

Flexcilのペンモードは当然、Apple Pencilに対応しており、ペン自体の傾きや筆圧に応じて書ける線が変化する。また、第二世代Apple Pencilのダブルタップ操作にも対応している。

ここがポイント! 2 ペンツールの色や太さを変更するには?

ペンモードには、はじめから太さや色の異なる複数のペンツールが用意されているが、これらのプリセットにない太さ、色で手書きすることもできる。ペンの太さや色をカスタマイズするには、目的のペンツールをタップして選択してから、再度同じツールをタップしてポップアップを表示しよう。なお、「+」をタップするとオリジナルのプリセットを追加できる。

❶いずれかのペンツールをタップして、再度タップする

❷ポップアップが表示され、ペンの太さや色などを変更できる

ペンツールをタップ、再度タップして色や太さ、マーカーの場合は不透明度などを細かくカスタマイズできる。

これが最大のポイント! ポップアップノートを使おう①

スタディノートの基本的な使い方、扱い方を覚える

Flexcilの最大の特長であるスタディノートとはどのようなものなのか。まずは表示／非表示の切り替えや、表示中の挙動といった基本的な扱い方について解説する。

スタディノートの利用中は、常に画面の最前面に表示される。これはPDFのファイルを開いているときであっても、その前面にフローティング表示されるため、スタディノートに何らかのメモを取りながら、あるいはそのメモを参照しながらPDFの資料を読み進める際に便利だ。

また、スタディノートはアプリ内で特に制限もなく、いくつでも作成することができることも覚えておきたい。一般的なメモ併用型のPDFビューアアプリは、1つのPDFに対して1つのメモという制限があるケースが多いが、Flexcilにはそうした制限がないのは嬉しいポイントだ。

スタディノートを新規作成、フローティング表示する

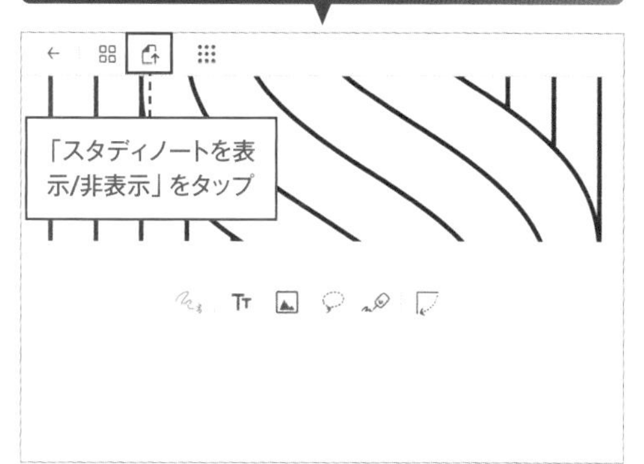

1 画面上端のツールバーにある、「スタディノート表示／非表示」ボタンをタップする。

スタディノートが表示される

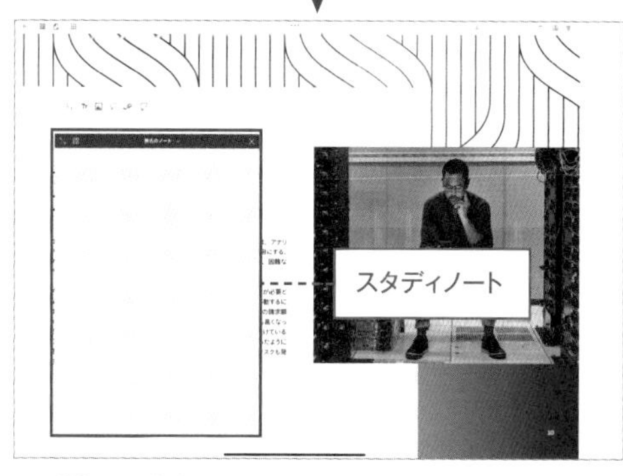

2 新規スタディノートが作成され、開いていたPDFの前面にフローティング表示される。直前に別のスタディノートを開いていた場合は、それがフローティング表示される。

スタディノートを操作する

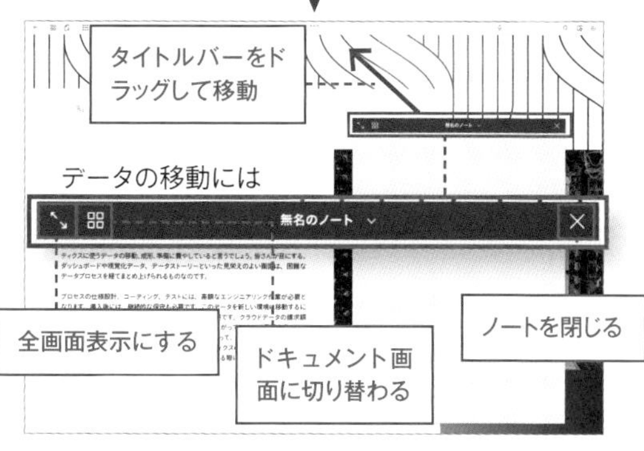

3 スタディノートのタイトルバーをドラッグすると移動できる。また、「×」をタップするかツールバーの「スタディノート表示／非表示」をタップすると非表示になる。さらに、タイトルバー左端のボタンをタップすると、スタディノートが全画面表示になる。

スタディノートを管理する

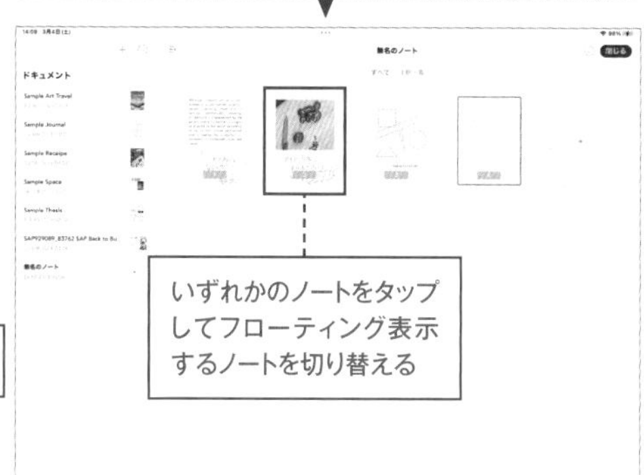

4 スタディノートのタイトルバー左から2番目のボタンをタップすると、ドキュメント画面に切り替わり、作成済みのスタディノートを一覧できる。ここで別のノートをタップすると、そのノートがフローティング表示される。

POINT 全画面表示を解除するには

スタディノートは上の手順で解説しているとおり、ポップアップ表示から全画面表示に切り替えることもできる。全画面表示中にタイトルバー左端のボタンをタップで元の表示に戻る。

ここがポイント! 3 スタディノートを削除する

スタディノートを削除するには、上の手順4のドキュメント画面で目的のスタディノートを長押しして選択すると表示される「削除」ボタンをタップする。なおこのドキュメント画面では、スタディノートの新規作成や、選択したスタディノートの複製などが行える。さらに、選択したスタディノートをPDFに変換して書き出すこともできる。

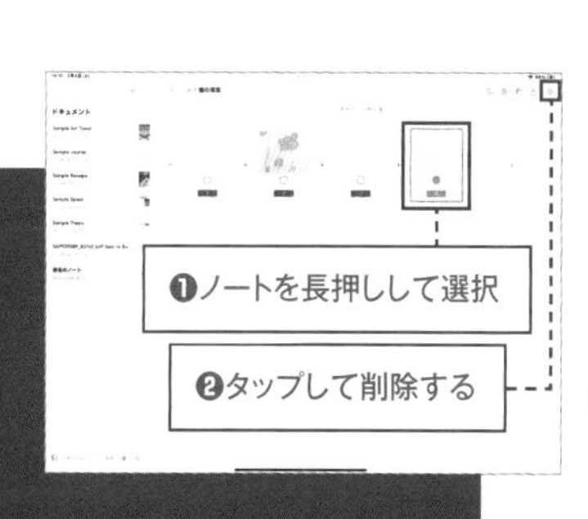

これが最大のポイント!ポップアップノートを使おう②

ジェスチャ操作でPDFの内容をすばやくクリッピング!

スタディノートには、手書き、もしくはキーボードからメモを書き込むことができるのはもちろん、開いているPDFの一部を取り出し、クリッピングしておくこともできる。むしろこちらの使い方こそが、「資料読み込み系ノート」アプリとしてのFlexcilの醍醐味であると言えるだろう。クリッピングはPDF内の指定した範囲をスクリーンショット（画像）に変換し、それをスタディノートにコピーするという流れだが、範囲の指定はジェスチャ操作で直観的に、すばやく行えるようになっている。しかも、同様の操作でテキストも、画像も範囲指定してクリッピングできる点が便利だ。

なお、テキストをクリッピングした場合、それをタップすればクリッピング元となったPDFが開き、該当部分が表示されるので、スタディノートを目次のように利用することもできる。

ジェスチャモードに切り替える

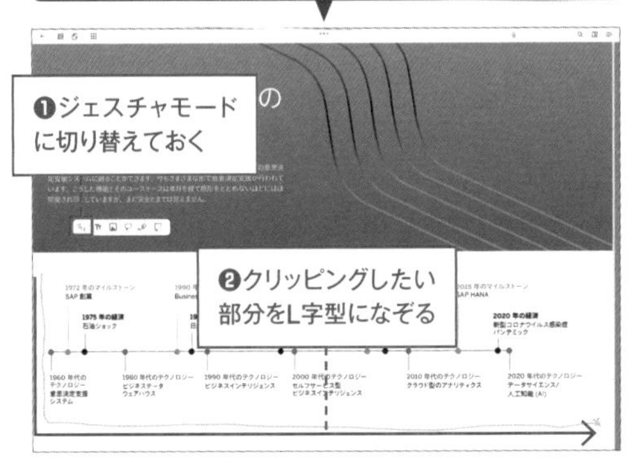

1 ツールパレット左端のボタンをタップして、図のようにジェスチャモードに切り替えておき、クリッピングする範囲の左端から下端をL字型になぞる。

指定範囲が画像に変換される

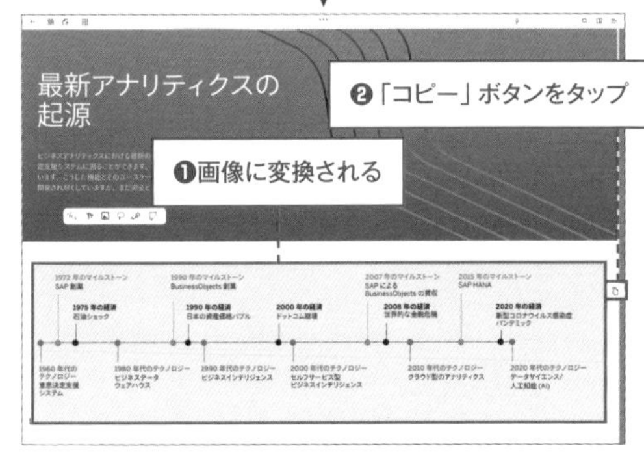

2 指定した範囲が画像に変換され、範囲の右端にコピーボタンが表示される。これをタップして画像としてコピーする。

スタディノートにペーストする

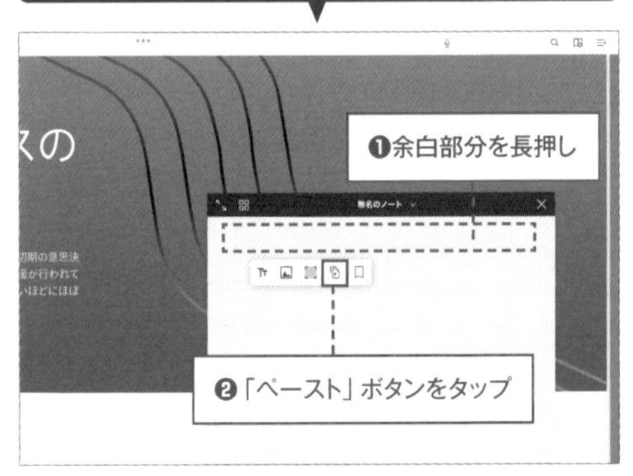

3 スタディノートを開き、余白部分を長押しすると表示されるポップアップボタンから、「ペースト」ボタンをタップする。

画像がペーストされる

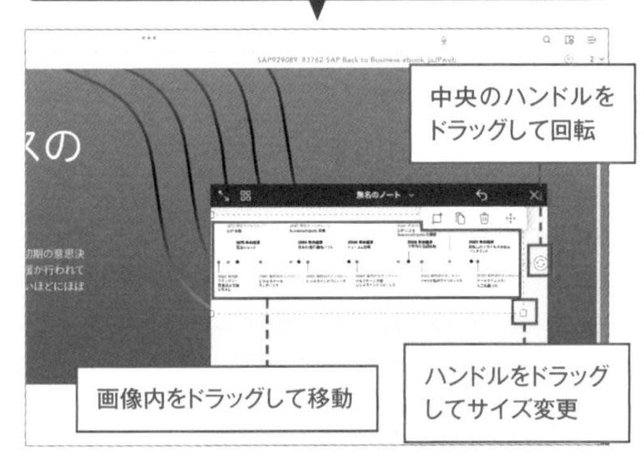

4 コピーした画像がペーストされる。画像周囲のハンドルをドラッグしてサイズ変更、画像内をドラッグして位置変更できる。また、画像右中央に表示されるハンドルをドラッグすると画像を回転できる。

POINT

クリップした画像を削除する

上の手順でスタディノートにクリップした画像を削除するには、目的の画像をタップして選択すると表示されるツールパレットで、「削除」ボタンをタップすればいい。

ここがポイント! 4

もう1つ、覚えておきたいジェスチャ操作

上の手順では、クリッピングする範囲を指定する方法として、L字型になぞるジェスチャを紹介しているが、もう1つぜひ覚えてほしいジェスチャがある。それが、PDFのテキストにマーカーを引くジェスチャだ。これは簡単で、目的のテキスト上をひと筆でなぞるだけ。なぞった直後にそのテキスト上に各色のマーカー、下線のボタンが表示されるので、目的のものをタップすればいい。

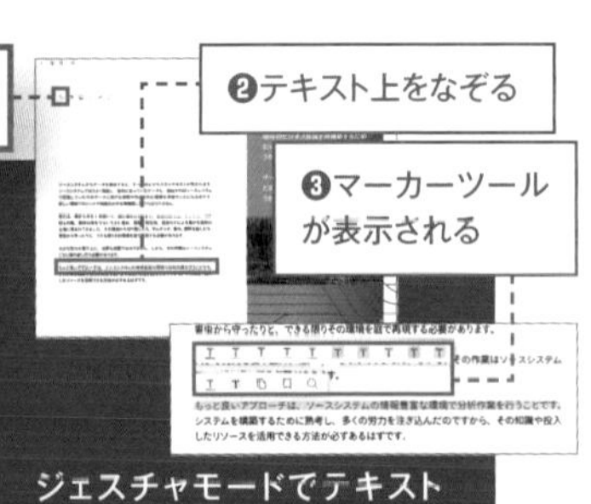

ジェスチャモードでテキスト上をなぞり終えると、ボタンが表示され、好きなマーカーを引くことができる。

Flexcilのインターフェースを理解しよう

できることの多さの割に、シンプルなユーザーインターフェースのFlexcil。使いこなすために覚えておくべきは、メイン画面とドキュメント画面、ツールパレットの各ボタンの役割だ。

メイン画面とドキュメント画面

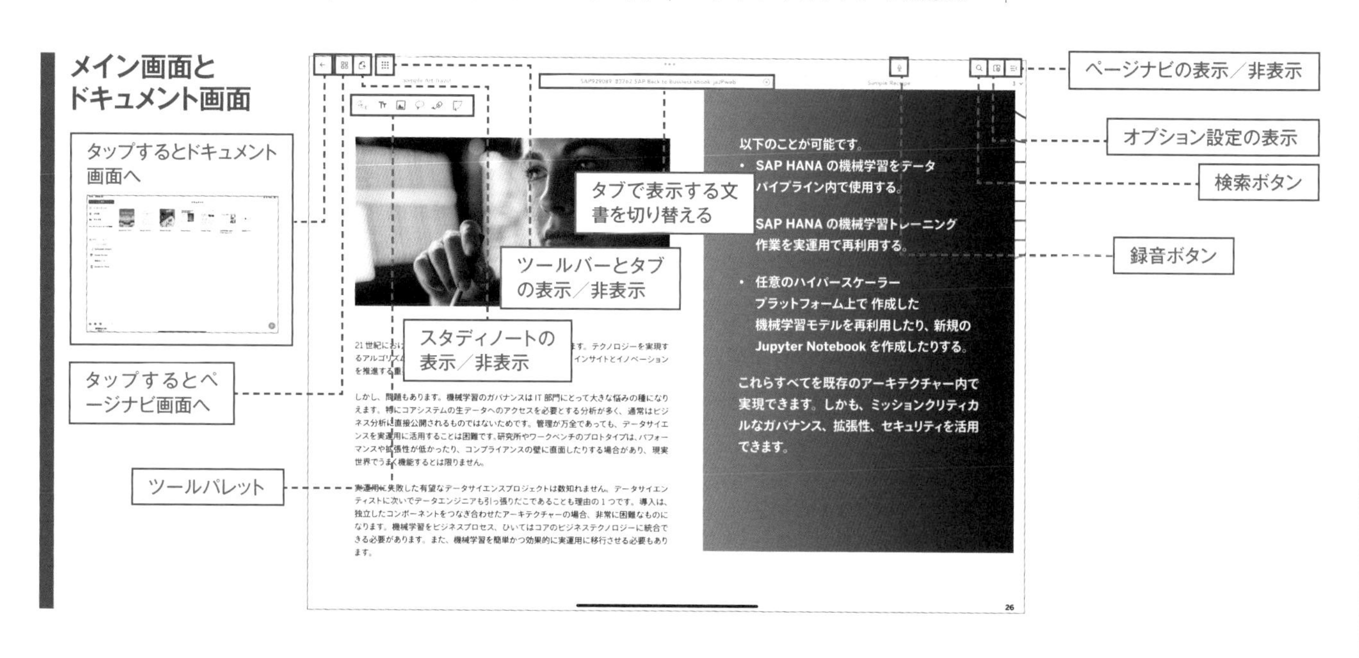

ツールパレット（ジェスチャモード）

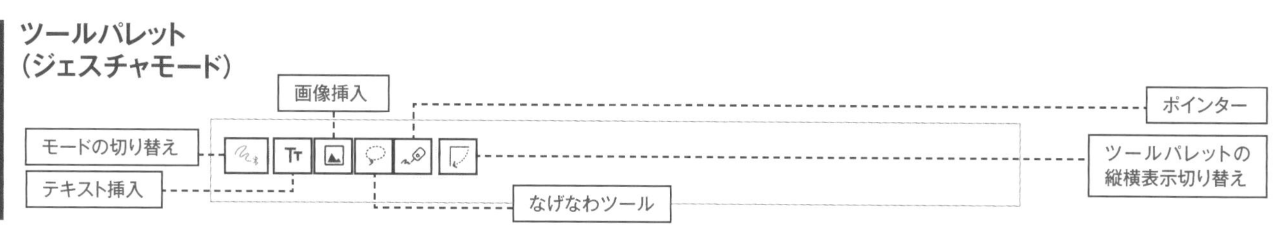

ツールパレット（ペンモード）

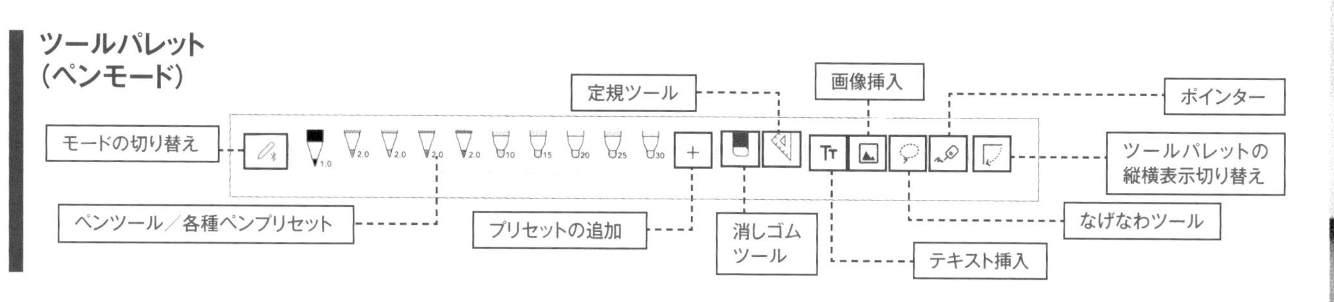

ここがポイント!

5

PDFやノートの表示形式を変更する

メイン画面のツールバーで「オプションの設定の表示」をタップすると表示されるポップアップからは、PDFやスタディノートの表示に関する各種設定を変更できる。たとえば、PDFのページを1画面に複数表示したい場合は、ポップアップで「画面当たりの枚数」の設定を変更すればいい。また、ノートのページ送り向きなども変更できる。

Split Viewなら4つのノートを活用できる

PDFとメモだけじゃない、分割表示のメリットを最大限活かす

スタディノートのフローティング表示中は、PDFの一部の内容がノートで隠されてしまう。これを避けるには、iPadの標準機能であるSplit Viewで、一方の画面にPDF、もう一方にノートを表示させるといいだろう。「ファイル」アプリからFlexcilに文書を読み込む際も、Split Viewを使うと便利だ。

PDFとノートを別々に表示する

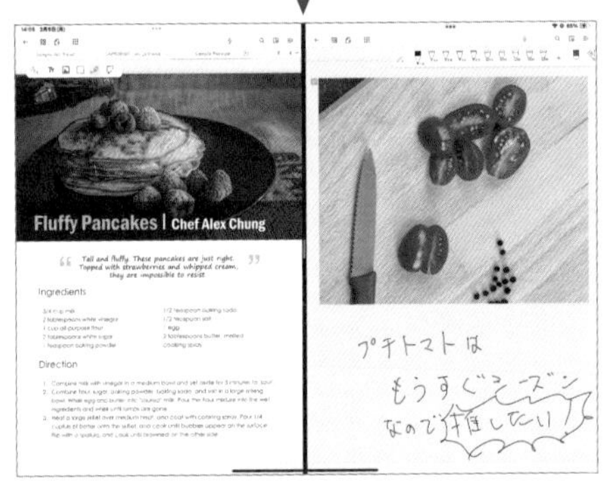

1 Split Viewで片方にPDFを、もう片方にスタディノートを表示させると、PDFの内容がスタディノートのウインドウに隠されずに済む。スタディノートはウインドウ枠いっぱいに表示させておこう。

ドラッグ&ドロップでファイルを読み込む

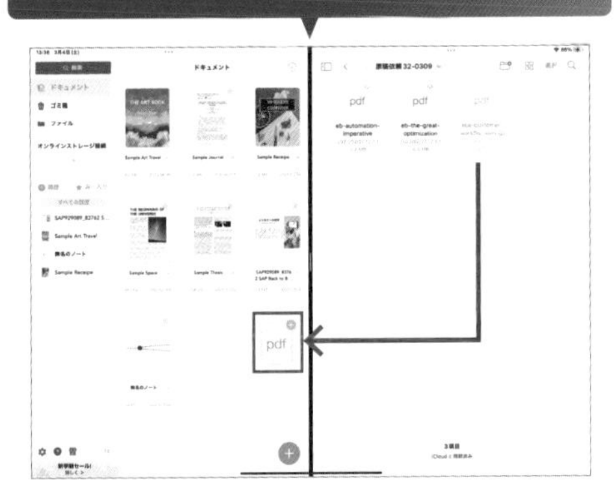

2 Split Viewで片方にFlexcilのドキュメント画面、もう片方に「ファイル」アプリを表示しておけば、「ファイル」アプリからのドラッグ&ドロップでFlexcilにファイルを読み込むことができる。

ページナビや注釈リスト機能も便利だ!

PDFのページ間移動や注釈の確認を効率化しよう

ツールバーにある「ページナビの表示/非表示」をタップすると画面右端の「ページナビ」で、現在開いているPDFのページサムネイルや、PDFにつけた注釈などを一覧できる。一覧から目的のページ、注釈をタップすると、そのページに素早く切り替えられ、ページ移動や注釈の確認作業が効率化されるので、ぜひ活用しよう。

PDFのページ間移動をすばやく

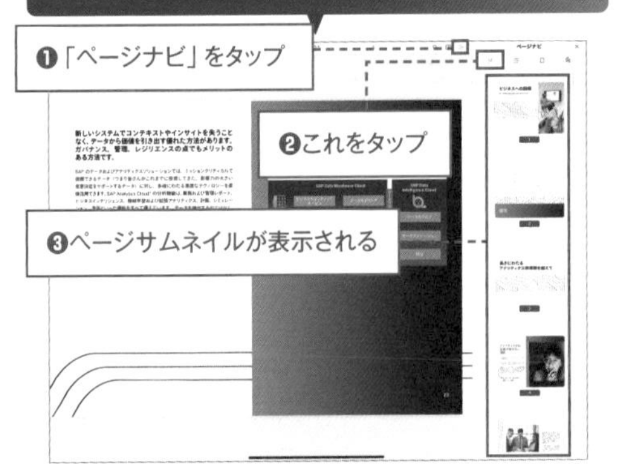

1 ツールバー右端の「ページナビの表示/非表示」をタップしてページナビを表示。「ページナビ」タブでは、PDFの各ページがサムネイル表示され、目的のページタップでそのページにすばやく切り替わる。

注釈の確認もすばやく

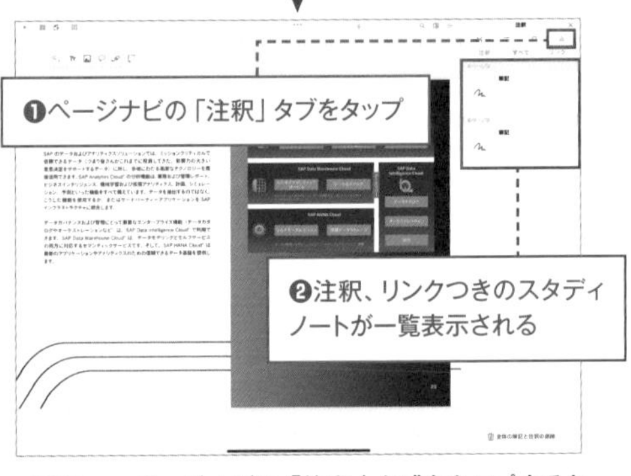

2 ページナビの「注釈」タブをタップすると、PDFにつけられた注釈や、本文や画像をコピーしたスタディノートが一覧表示される。ここで注釈やスタディノートをタップしても、該当ページに移動する。

ここがポイント!

PDF内のテキストを検索する

6

ツールバーの「検索」ボタンをタップすると、画面右端に「検索」サイドバーが表示される。ここにキーワードを入力すると、現在アクティブなタブで開いているPDFの本文の中から、キーワードに合致する部分が検索される。検索結果が複数ある場合はもちろん、「検索」サイドバーにそのすべてが表示され、目的のものをタップするとそのページにジャンプできる。

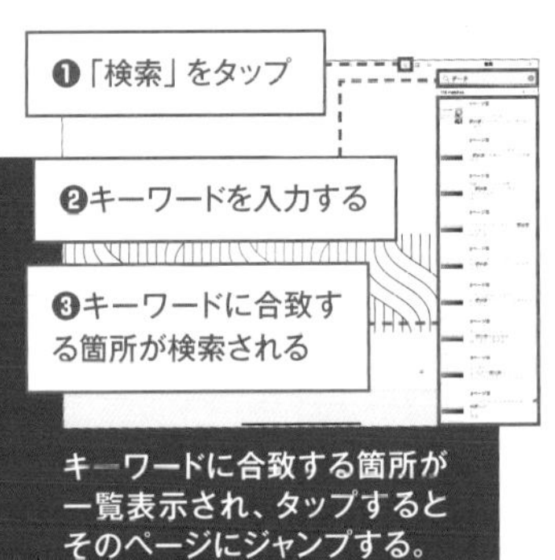

キーワードに合致する箇所が一覧表示され、タップするとそのページにジャンプする。

なんと、録音機能も備えている!

ワンタッチで録音開始、音声のファイル化も可能

メモアプリに不可欠な音声メモ、録音機能も、Flexcilにはしっかり備わっている。使い方は簡単で、ツールバーの「録音」ボタンをタップして録音開始、停止は再度「録音」ボタンをタップすればいい。録音した音声の再生はポップアップから行うが、ここから不要な音声を削除したり、音声だけをファイルとして書き出したりできる。

録音を開始、停止する

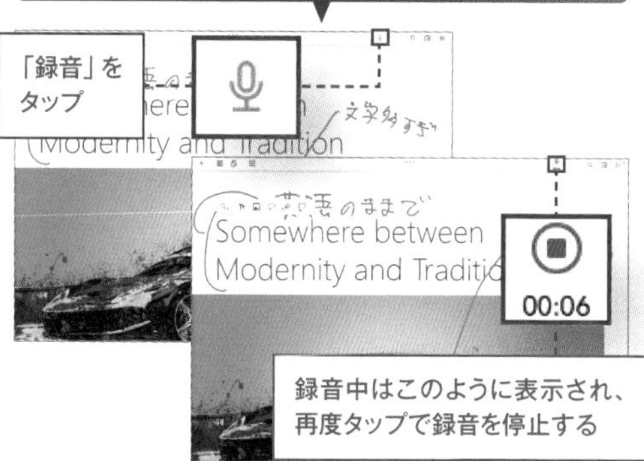

1 ツールバーの「録音」ボタンをタップすると録音開始。録音中はボタンに経過時間が表示されるのが、再度このボタンをタップすることで録音を停止できる。

再生する

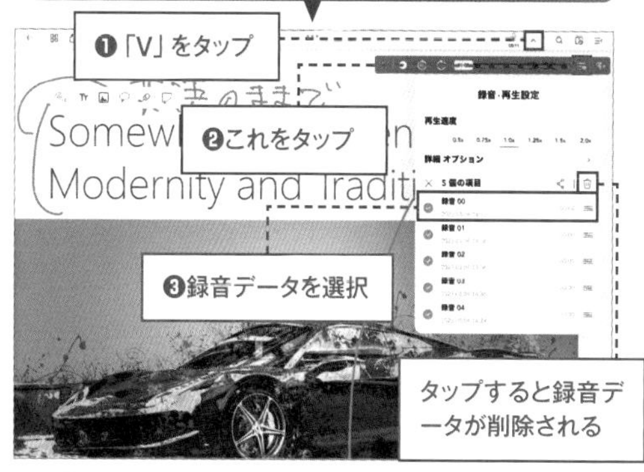

2 「録音」ボタンの「V」をタップするとコントローラーが表示され、録音した音声を再生できる。コントローラーのメニューから音声を削除したり、ファイルとして書き出したりできる。

MarginNoteやLiquidTextとの違いは? 類似アプリ

クリッピングに留まらない、多機能さが魅力

PDFなどのドキュメントファイルから、指定した部分に注釈を入れたり、テキストや画像をクリッピングしたりできるアプリとしては、MarginNote 3やLiquid Textがある。この2大アプリはFlexcilに近い機能を備えているが、クリップした要素を使ってマインドマップを作ることができるなど、多機能さも魅力となっている。

多彩な機能を使いたいなら「MarginNote 3」

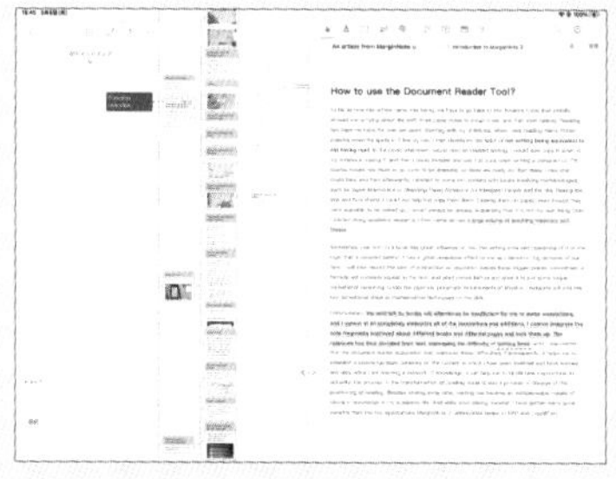

PDFからテキストや画像といったコンテンツをクリッピングできることはもちろん、クリッピングしたものをフローチャート化したり、マインドマップ化したりできる多機能ツール。

MarginNote 3

作者/Sun Min
価格/無料（App内課金あり）
カテゴリ/仕事効率化

シンプルにクリッピングに集中するなら「LiquidText」

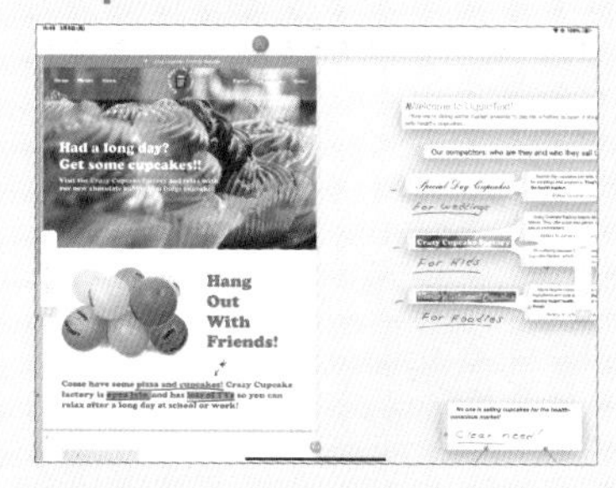

Flexcilのスタディノートに当たるメモを付箋型のインターフェイスで表現し、付箋同士をリンクさせたり、合体させたりできるユニークなクリッピングアプリ。

LiquidText

作者/LiquidText, Inc.
価格/無料（App内課金あり）
カテゴリ/仕事効率化

まとめ 「この機能がほしい」をシンプルな形で実現した、理想的なアプリ

PDFビューアであり、PDFの注釈ツールでもあり、手書きにも対応して、音声録音も可能な多機能メモアプリが、Flexcilだ。これだけの機能を備えていながら、その実装は極めてシンプルで、操作していても迷うことが一切ないのは、このアプリの大きな魅力といえるだろう。

残念なポイントを強いて挙げるとすれば、アプリ内課金をしないとほとんどの編集機能が使えないことと、その操作感が独特すぎることだ。

しかし、主要機能をアンロックするアプリ内課金はわずか1,000円で済み、永続的に使えるので、まずは試してみることをおすすめする。多彩なジェスチャについても、試して、慣れてしまえば、実に効率的に操作できることが絶対に理解できるはずだ。

今、使うべきアプリ 4 LumaFusion

今は動画編集マシンとしてiPadを選ぶ選択肢もあり!

iPadで動画編集するなら「LumaFusion」がベスト!

PCライクな動画編集がiPadにしっかりと落とし込まれた!

動画編集と聞くと、どうしても高性能な編集用PCが必要というイメージがある。確かに数年前まではその方法が主流だったが、近年ではスマホやタブレットの性能も上がり、動画編集用のアプリも便利なものが多々登場し、個人のiPadでも、十分に動画編集を楽しめるようになってきた。ではどのアプリを選べば？となるが、おすすめしたいのが「LumaFusion」だ。

LumaFusionは、iPadアプリながらPCの動画編集ツールと同様の操作感で動画編集が行えるアプリ。動画をカットしたり、つなげたり、テロップの挿入といった基本的なタイムライン編集に加え、フィルターや手ブレ補正までできるなど、かなりの本格派。動画クリエイターの中には、PCを使わずこのアプリだけで動画を編集して公開しているユーザーもいるほど、高いポテンシャルを持った編集アプリとなっている。

買い切りのアプリで、価格は4,800円。iPad用アプリとしては高額な部類だが、Mac版の「FinalCut Pro」は4万8800円。Adobeの「Premire Pro」は月額2,728円だと考えると、完全に同じことができるわけではないが、タイムラインを使った本格的な動画編集が手元のiPadで、カジュアルに楽しめるとあれば、「安い」と感じるはずだ。

LumaFusionとはどんなアプリなのか？

● 買い切り — 月額課金なしの4,800円

iPad編集 LumaFusion 4,800円

PC編集 Premire Pro 2,728円/月

iPad / LumaFusion　PC / Premire Pro

● 高い編集力

タイムラインではビデオ6レイヤー、オーディオ6レイヤーまで重ねられる

PC用動画編集ツールと同じく、ファイル・プレビュー・タイムラインという3レイアウト構成。シンプルながら高い編集力を持つ。

PCレベルの本格編集が可能

- カット編集
- 合成
- トランジション
- テロップ入力
- 手ブレ補正

● 高速・大容量な外部SSDのデータを扱える!

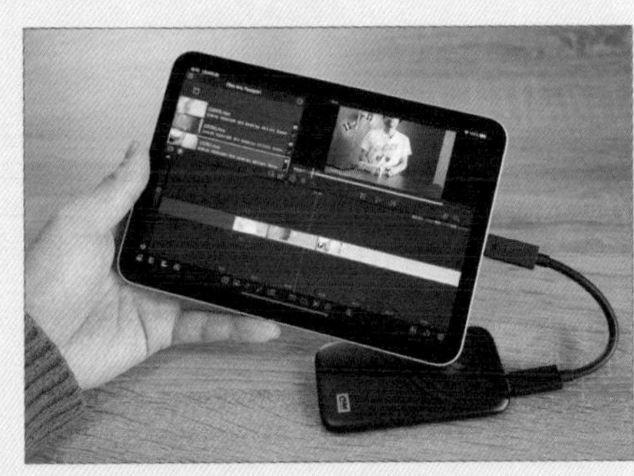

PCと同じようにiPadでも外部ストレージの読み込みに対応。外付けSSDを動画ストレージとして活用することもできる。

・転送不要で直接編集

ストレージ内の動画ファイルを直接編集することができるので、iPadのストレージが少なくても利用できるのが嬉しい。

外付けストレージ内で作業できる

外付けSSDで本体容量を圧迫せず編集

LumaFusionでは、外部ストレージの動画を、読み込み不要でそのままソースとして利用可能。動画編集での最大の悩みだった、ストレージの圧迫を解決できる。これには、iPadにストレージを接続し、ソースとして外部ストレージのドライブを選択してやればいい。ただし、編集中はストレージが外れないように留意しよう。

外部ストレージをリンクする

1 外部ストレージを接続。「ソース」から「リンク済みフォルダ」→「フォルダにリンクを追加」から外部ストレージを選択する。

外部ストレージの動画を読み込む

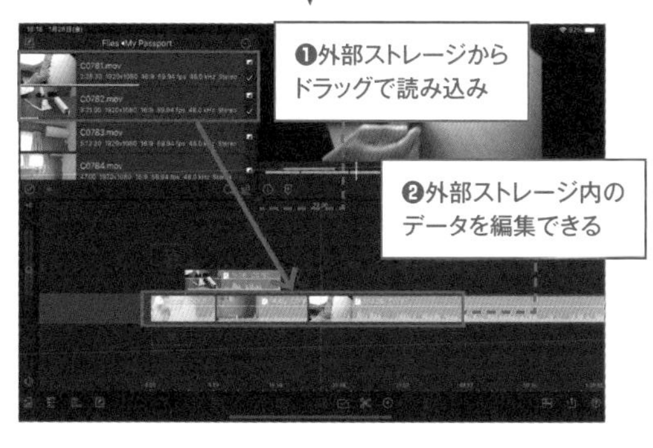

2 外部ストレージを開き、動画ファイルをタイムラインに読み込める（次の手順の新規プロジェクトを作成しておく必要がある）。

新規プロジェクトを作成して動画を読み込む

新規プロジェクトを作成してクリップの場所を開く

動画を編集するには、編集する作業場所となる「プロジェクト」を作成する必要がある。これを作成するには画面左下の「+」ボタンをタップ。プロジェクト名やフレームレート、アスペクト比などを指定して作成していく。プロジェクトが作成できたら、ソース欄から編集したい動画をクリップとして読み込もう。

プロジェクトを作成

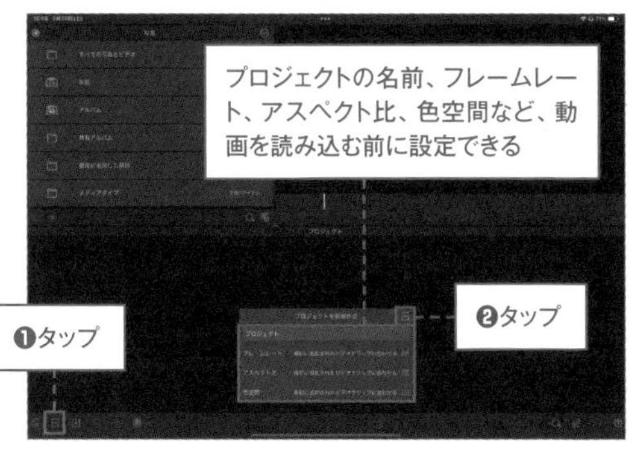

1 画面左下の「+」ボタンをタップし、ウインドウの「+」ボタンからプロジェクトを作成。プロジェクト名やフレームレートなども変更できる。

ソースを読み込む

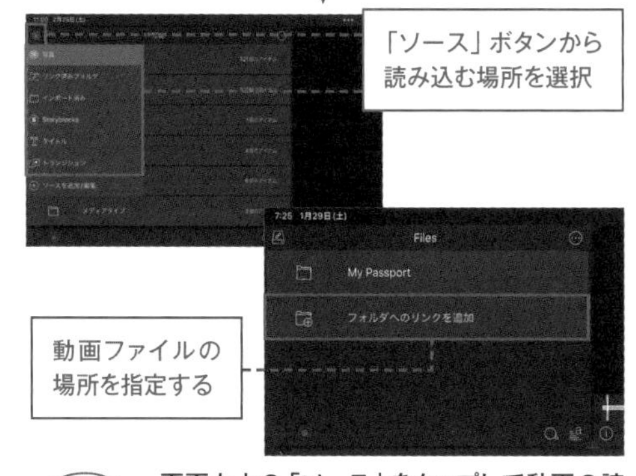

2 画面左上の「ソース」をタップして動画の読み込み方法を選ぶ。写真のライブラリや、上の手順で外付けドライブを参照することも可能。

ここがポイント！

メモを活用しよう！ 1

プロジェクトにメモを記入できる

編集中も画面左下の「+」ボタンからプロジェクト一覧画面を表示できる。ここでは、編集プロジェクトの切り替えや、プロジェクト名の変更などが可能。特に便利なのが、「メモ」の追加。プロジェクトに動画の内容や作業進行度などのメモを残しておくと管理が楽になる。検索ボタンからメモ内容の検索も可能だ。

メモアイコンからプロジェクトにメモを残せる。作業進行度などをメモしておくといい。

クリップをタイムラインに配置する

基本

動画編集のクリップの配置とカット編集

プロジェクトが作成できたら、利用したい動画をタイムラインへと配置していく。前のページの手順でライブラリに映像ソースとなる動画を表示したら、利用したいものを選んでプレビュー欄から内容を確認。タイムラインへとドラッグ＆ドロップで登録していけばいい。この際、事前にタイムラインに読み込む範囲を指定できるので、必要なシーンのみを読み込むことが可能。もちろん、タイムライン配置後でも変更できるので、自分が編集しやすい方法でいい。

配置したクリップは、ドラッグで順序の入れ替えや、長さの変更、メイントラックの上にオーバーレイトラックとして重ねるといった編集もOK。見せたい順に動画を配置できたら、クリップの必要なシーンのみを残し、不要なシーンを削除するといった、カット編集を行なっていこう。

クリップの確認と範囲を指定

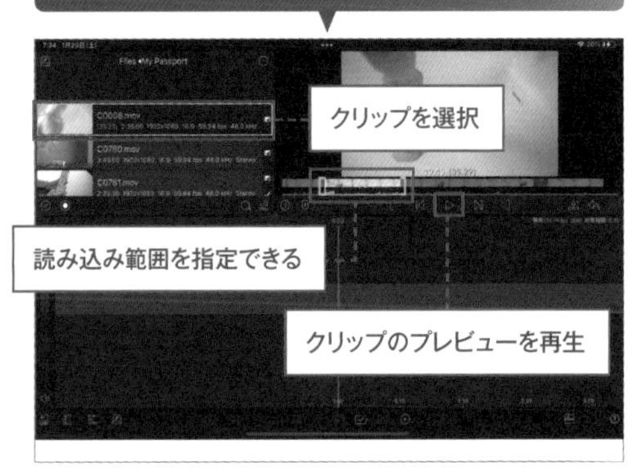

1 読み込みたいクリップを選択し、プレビューで内容を確認。この際読み込む範囲を事前に指定しておくことも可能だ。

クリップをドラッグして登録

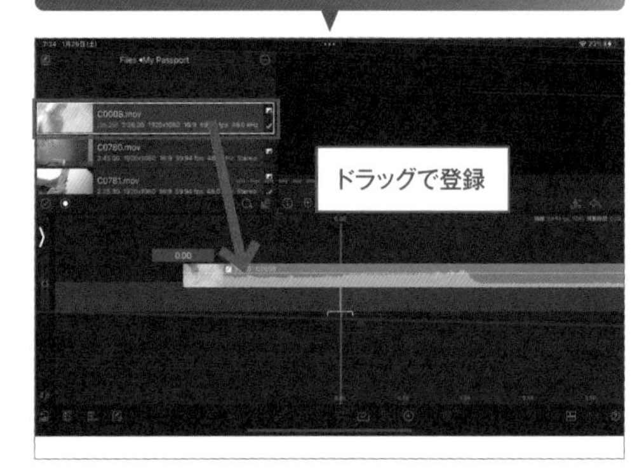

2 クリップをタイムラインへとドラッグ&ドロップで登録する。この手順を繰り返して利用したいクリップを登録していく。

クリップの分割編集

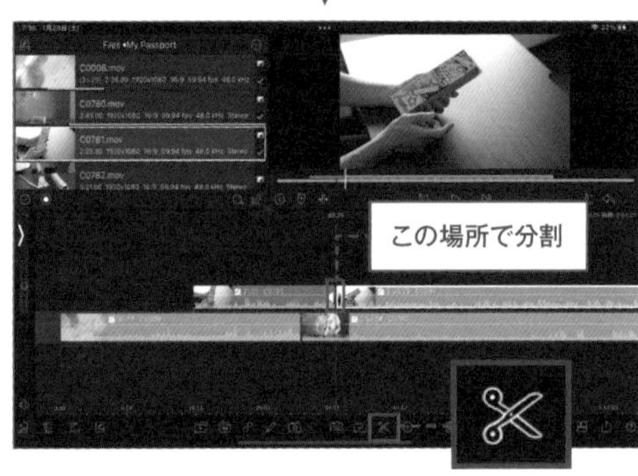

3 クリップはシークバーの場所で「カット」ボタンから分割できる。

不要なシーンを削除する

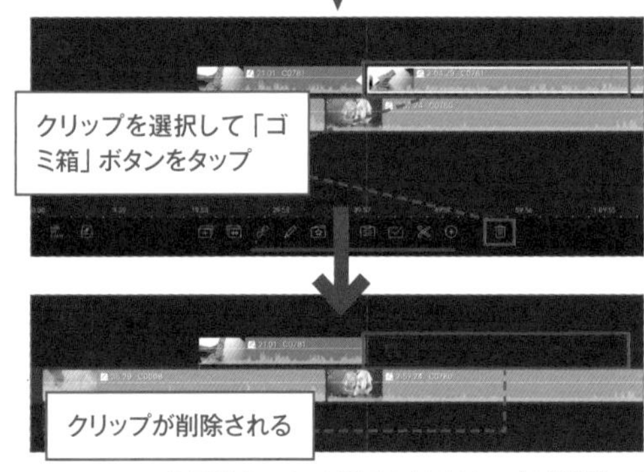

4 不要なシーンを削るにはクリップを選択して「ゴミ箱」ボタンをタップすればいい。このカットと削除を繰り返して必要なシーンを残していく。

POINT

ピンチイン・アウトで拡大縮小

タイムラインはピンチ操作で時間表示を拡大・縮小できる。クリップの長さに応じて編集しやすい表示に調整していこう。

ここがポイント！

2 クリップの長さを変更

配置後でも柔軟に編集できる

クリップはタイムラインに配置した後でも、ドラッグで再生順を入れ替えたり、重ね順を変更したり、クリップの前後にある「△」ボタンから長さを変えることもできる。効率よく編集するなら、ひとまず利用するクリップを順に配置してから、シーンを入れ替えたり、長さを変更していくといった手順がおすすめだ。

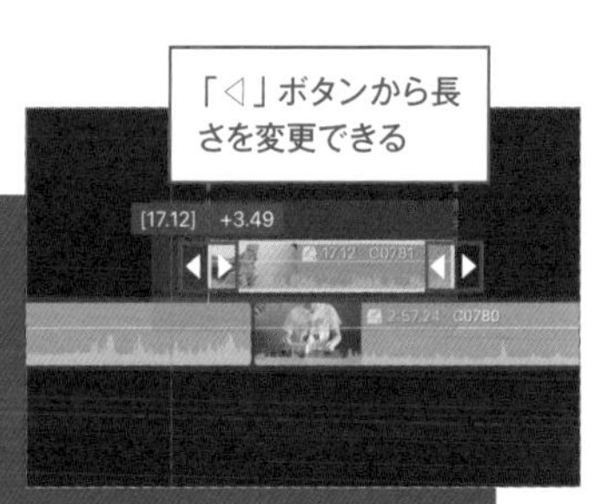

クリップは配置場所を変えたり、長さの変更も可能。

LumaFusionのインターフェース

これから編集作業を行っていくために、ここで「LumaFusion」の画面の見方をチェックしていこう。PCレベルの本格的動画編集が行えるだけあって、ボタン類は非常に多い。特にタイムラインのクリップ操作に使うボタンが多いので、iPadの画面を操作しつつ、機能を確認していこう。

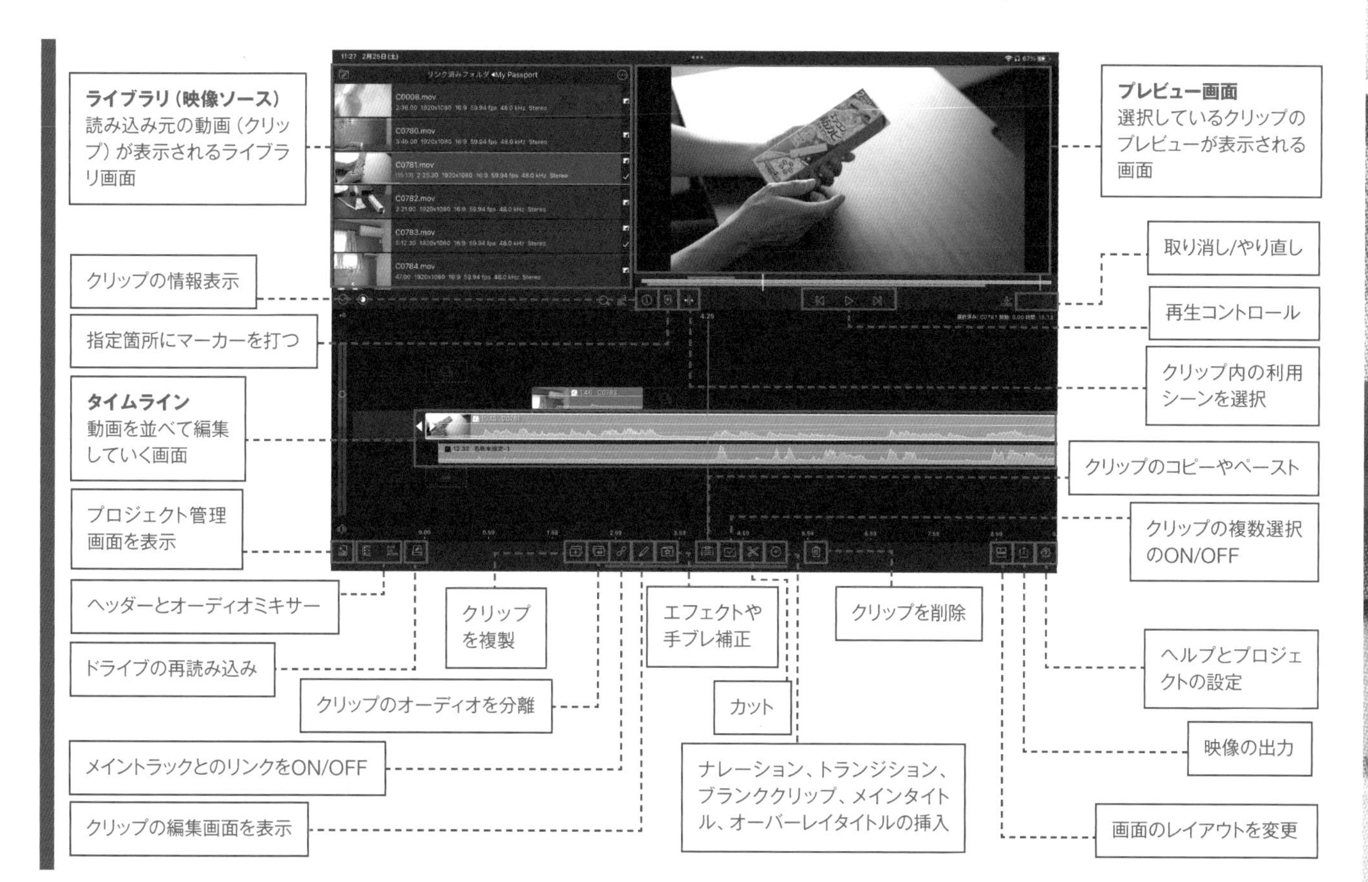

ヘッダーとオーディオミキサーは、必要に応じて表示/非表示を切り替えられる。トラックごとに音声をON/OFFしたり、音量を調整可能だ。

画面のレイアウトは複数のプリセットが用意されていて、手軽にレイアウトを変更可能。自分が見やすいレイアウトを探そう。

ここがポイント!

3 フレームレートを変更する

シネマ感を出すならフレームレートは24fps!

スマホやアクションカメラで撮影した動画のフレームレートは30fpsや60fpsが多い。このままのフレームレートでも問題はないが、オシャレなVlogを目指すなら、フレームレートは24fpsに変更しておくといい。これは映画で採用されているフレームレートとなり、ちょっとした日常の映像も、シネマ感が増して雰囲気が良くなる。

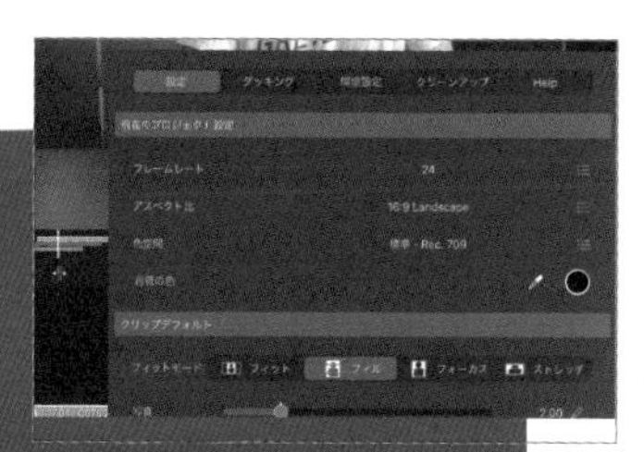

画面左下、プロジェクトの設定から、フレームレートを変更できる。24fpsにするとシネマ感が増す。

メインタイトルを作成する

動画の最初に説明となるタイトルを加える

唐突に動画が始まるのではなく、最初にメインタイトルを入れることもできる。これにはタイムラインの最初のクリップを選択した状態で「+」ボタンから「メインタイトル」を選ぶ。タイトルが追加されるので、ダブルタップで表示したい内容を編集していこう。なお、動画にタイトルを重ねることもできる。その場合はP65のテロップの追加方法をチェックしよう。

「メインタイトル」を選ぶ

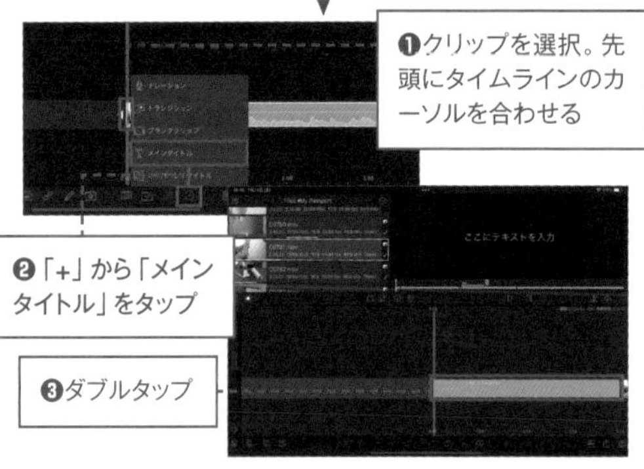

1 タイムラインの最初のクリップを選択し、「+」ボタンから「メインタイトル」を選択。追加されたタイトルをダブルタップする。

表示したい文字を入力する

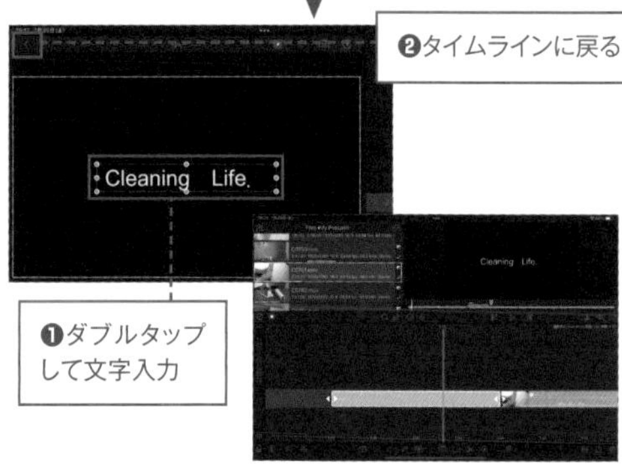

2 文字編集画面になるので、テキスト部をダブルタップして文字を入力。入力できたら「<」をタップしてタイムラインに戻って内容を確認する。

動画のつなぎにトランジションを加える

シーンの変更は切り替え効果を加えていく

クリップとクリップのつなぎ部分には「トランジション」という特殊な切り替え効果を加えていくと見栄えがよくなる。トランジションは標準では前後を徐々にフェードさせていく「Cross Dissolve」が選ばれているが、スライドやドロップ、ズームなど、さまざまな効果へ変更も可能だ。

トランジションを追加する

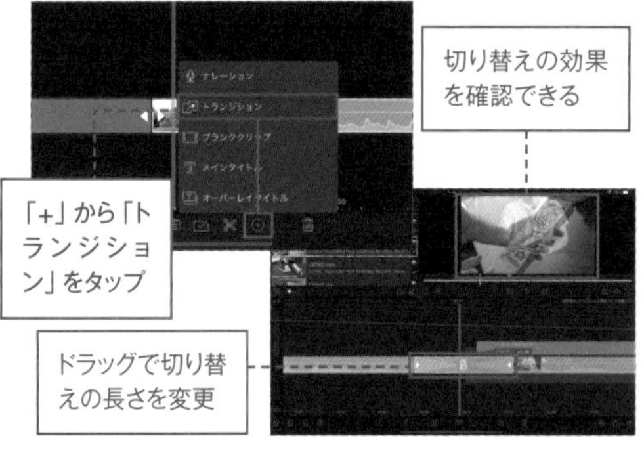

1 トランジションを加えたいクリップをタップし、「+」ボタンから「トランジション」を選択。長さを調整していく。

トランジションの効果を変更する

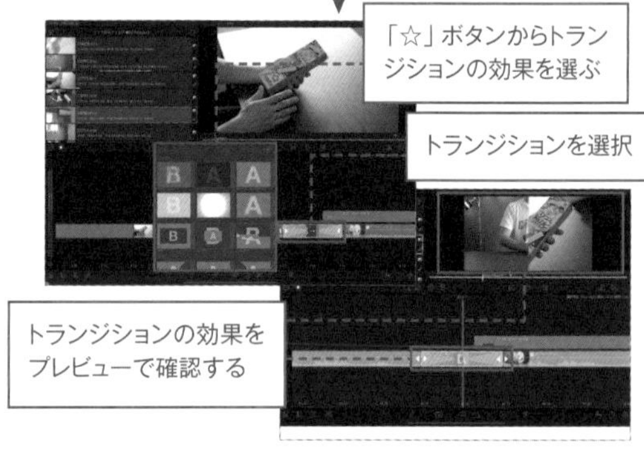

2 効果を変更するにはトランジションを選択して「☆」ボタンをタップ。適用したいトランジションのエフェクトを選べばいい。

ここがポイント!

4 テキストにもトランジションを

オーバーレイタイトルもトランジションを加えられる

トランジションはクリップとクリップのつなぎにかけていくのが基本だが、オーバーレイタイトル(次ページで紹介)にかけることもできる。これを利用すると、テロップをゆっくりとフェードイン表示するなど、テロップの表現方法の幅が広がるのでおすすめだ。

オーバーレイタイトルを選択した状態で「+」ボタンからトランジションを追加していけばいい。

テロップを入れてみよう!

動画の上に文字を追加するオーバーレイタイトル

YouTubeやSNS映えする動画には、テロップ(文字)も必須。これには画面下部の「+」ボタンから「オーバーレイタイトル」を選べばいい。タイムライン上にタイトルが追加されるので、長さと位置を調整。文字をタップしてスタイルの変更。ダブルタップから文字が入力できる。

スタイルは標準でいくつか用意されているが、フォント、サイズ、文字色など詳細に編集することもできるので、シーンや動画の内容・雰囲気に合わせて変更していこう。ドラッグでテロップの表示位置を変更することもできる。

もう1点、便利なのがタイトルのテンプレートの利用だ。テキスト編集画面でテキスト部以外をタップすることで、さまざまなタイトルのテンプレートが表示されるので、そちらから選択するだけで、本格的な装飾がついたタイトルを加えられる。

オーバーレイタイトルを追加

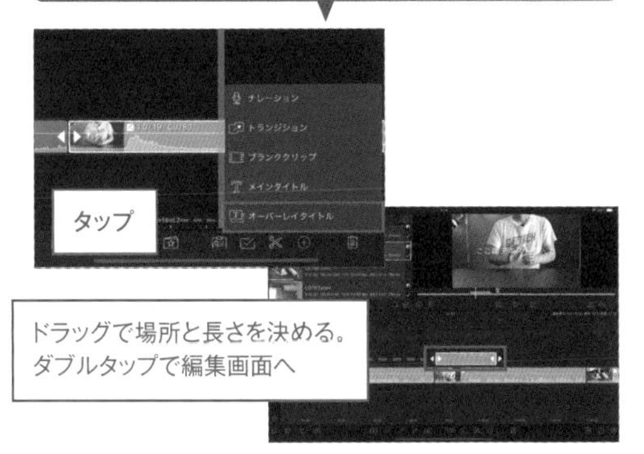

1 画面下部の「+」ボタンから「オーバーレイタイトル」を選択。タイトルの長さと追加する場所を決めたらダブルタップ。

テキスト入力とスタイルの変更

2 タイムラインのテキスト部をタップすると編集画面で文字を入力できる。入力できたらスタイルやフォントの変更が可能だ。

テンプレートからスタイルを選ぶ

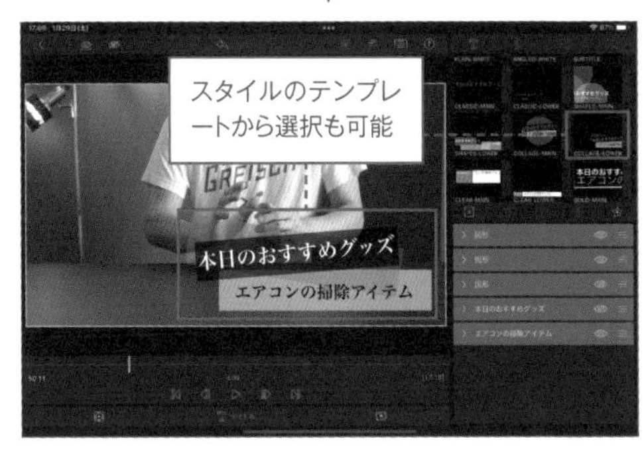

3 文字以外のプレビュー領域をタップすると、タイトルのテンプレートが表示されるので、そちらからスタイルを選んでもいい。

プレビューでテロップを確認

4 プレビューでテロップの表示位置や時間などを確認。微調整していこう。

POINT
人気YouTuberやテレビを参考にする

テロップは自由に編集でき、テンプレートも実に多彩。いろいろな表現を試したくなるが、動画の見やすさを重視したほうがいい。人気YouTuberの動画やテレビのテロップを参考にしていこう。

ここがポイント! 5
テキストに動きをつける 上級技!!

「フレーム&フィット」でテキストの出し方に一工夫

上級者向けの編集となるが、タイトル編集画面の「フレーム&フィット」からは、タイトルに動きをつけることができる。右から左へと文字を流したり、拡大縮小して表示するなど、シーンに合わせた文字表現が可能。多用し過ぎは見づらくなってしまうが、要所要所で利用していこう。

「フレーム&フィット」で文字に動きやエフェクトを加えられる。設定はやや複雑なので上級者向けの編集だ。

動画へのエフェクト追加と手振れ補正

動画の見た目を良くするためのエフェクト追加

動画に特殊なエフェクトを加えることもできる。これにはクリップを選択して「☆」ボタンをタップ。エフェクトリストから適用したいものをタップで選べばいい。また、この画面からは手ブレ補正（スタビライズ）をかけることもできる。撮影時の手ブレが気になる場合は手ブレ補正をかけていこう。

エフェクトを追加する

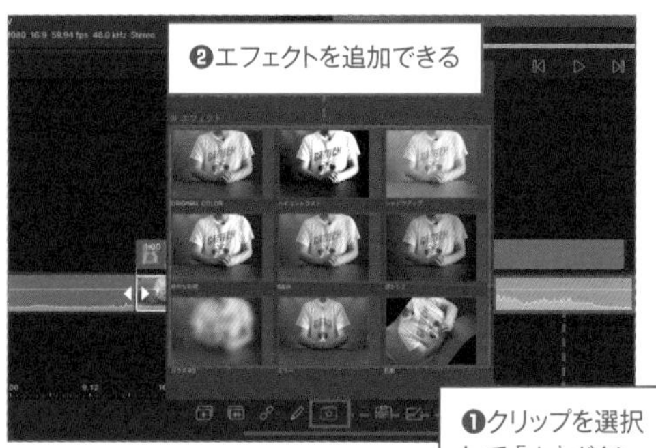

1 クリップを選択して、「☆」ボタンをタップ。用意されたさまざまなエフェクトをワンタップで加えることができる。

手ブレを補正する

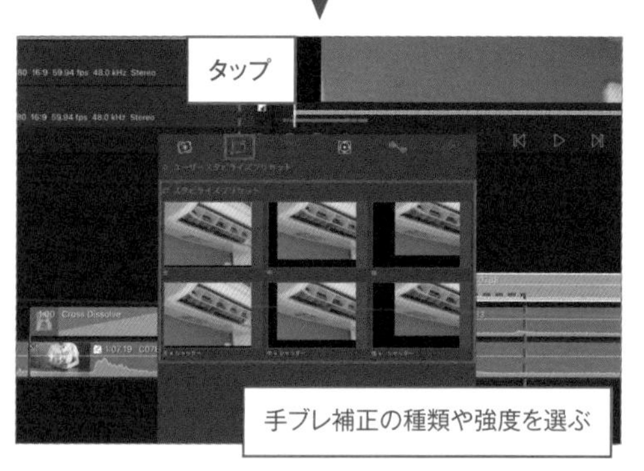

2 エフェクト画面で「スタビライザ」ボタンをタップすれば、動画の手ブレを補正できる。補正のレベルも選択可能だ。

動画にBGMを付ける

音源を用意して動画のBGMへ利用する

動画にBGMはつきもの。動画の雰囲気にマッチしたBGMを加えれば評価も高くなる。BGMを挿入するにはライブラリの「…」ボタンから音楽ファイルを読み込む。その後、読み込まれた音楽ファイルをタイムラインにドラッグ＆ドロップして登録すればいい。YouTubeやSNSで公開する場合は、著作権に気をつけよう。

音楽ファイルをインポートする

1 ライブラリの「…」ボタンをタップして「メディアをインポート」を選択。音楽ファイルの場所を指定して読み込んでいく。

BGMを追加する

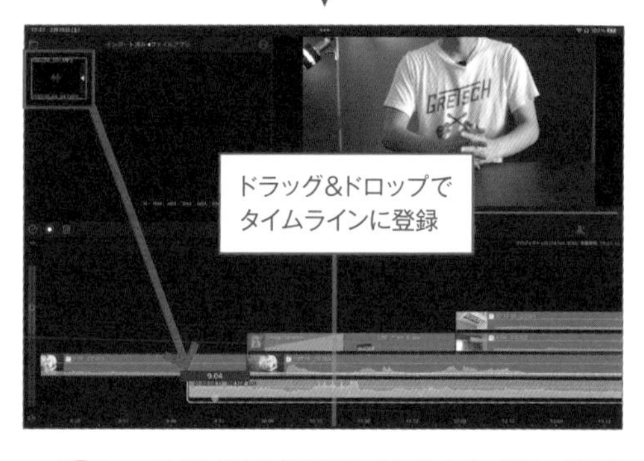

2 BGM用の音楽を読み込めたら、ドラッグ&ドロップでタイムラインに登録していく。動画クリップと同じくカット編集なども可能だ。

ここがポイント!

動画のカラーを編集する

6

さらに本格的な映像加工も楽しめる

クリップの編集画面を表示すれば（クリップ選択後、鉛筆ボタン）、さらに多種多様なエフェクトを加えられる。カラー変更やライトエフェクト、ぼかしなどに加えて、PC用動画編集ツールと同じく、「LUTs」を加えることも可能。より深くまで、こだわった映像加工を楽しむことができる。

「LUTs」を利用できることで、logで撮影された動画ソースの利用も現実的になる。

進化したカラー補正能力で好みの色合いに

上級技!!

カラー編集には「ビデオスコープ」を表示して確認!

前のページで紹介したような、映像の色を調整したい場合は、「ビデオスコープ」を表示するといい。映像のヒストグラム、波形、ベクトルスコープなど、色に関する情報を可視化することができる。好みの色を再現したい場合はこれらの情報を確認していこう。

また、カラー補正は複数適応でき、オンオフをワンボタンで切り替えられたり、重ね順の変更も可能だ。

ビデオスコープを表示する

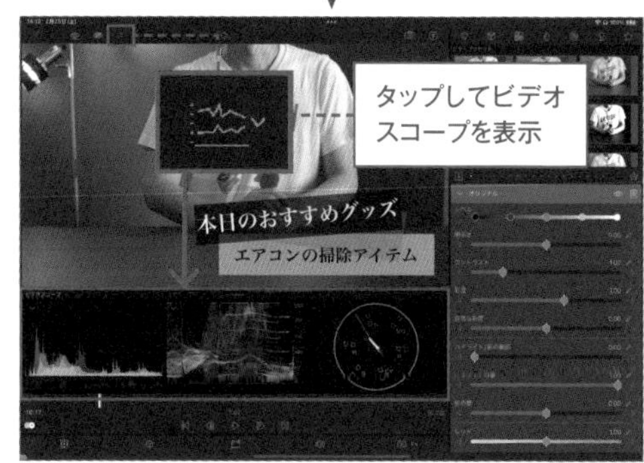

1 クリップの編集画面で、左上にある「ビデオスコープ」の表示ボタンをタップしよう。映像下部に3種の情報が表示される。

カラー補正のオン・オフを切り替える

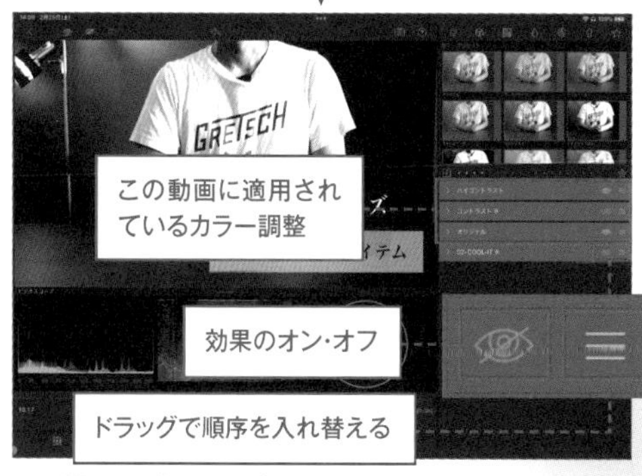

2 「カラープリセット」や「LUTs」などのカラー調整は重ねられる。ボタンからオン・オフを切り替えたり、ドラッグで重ね順の変更も可能だ。

バックアップからプロジェクトを復元する

iCloudへの自動保存でプロジェクトの復元も簡単

LumaFusionは自動でプロジェクトをiCloud Driveにバックアップしているので、不意にアプリが落ちてしまっても、直前の状態で復元できる。大幅な編集をやり直したいときも、バックアップから復元すればいい。

なお、iCloud Driveを通じて、他のiPadで編集を引き継ぐこともできるが、iPad内にないメディアはリンク切れを起こしてしまうので注意しよう。

iCloud Driveに自動保存

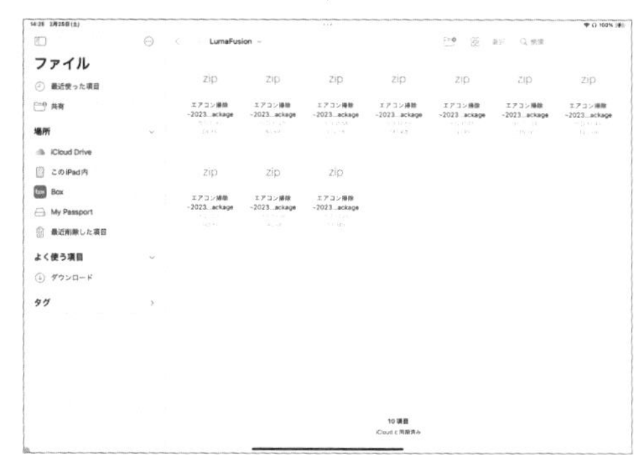

1 編集しているプロジェクトは、自動でiCloud Driveに保存される。メディア（動画や音楽）は含まれないが、タイトルやタイムラインのデータは含まれる。

バックアップデータを読み込む

2 プロジェクトの管理画面で「インポートと復元」→「プロジェクトのバックアップを復元」でバックアップファイルを指定して読み込める。

ここがポイント!

動画用外付けドライブは何がベスト? 1

USB-C接続の外付けSSDを転送速度よりも容量重視で

iPad用の外付けドライブを購入するなら、USB-Cの外付けSSDがベスト。iPadはモデルによってUSB-Cの転送規格が異なるが（480Mbps～40Gbps）、動画用ストレージにするなら、速度も重要だが、容量重視の方がいい。転送速度は500MB/s～1000MB/s前後で、容量の大きな（1TB～2TBクラス）を選びたい。

バッファローの容量1TBで転送速度1050MB/sモデル「SSD-PHP1.0U3BA/N」。容量・速度・コストとのバランスが良い。

動画を書き出そう 基本

動画サイトや外部ストレージへの書き出しにも対応

タイムラインでの編集が完了したら、動画を書き出していこう。画面右下にある共有ボタンをタップ。「写真」アプリ内を始めYouTubeやVimeoといった動画サイトなどへの出力も選べる。また、出力先に「ファイル」を選べば接続している外部ストレージへ書き出せるため、iPadの容量を節約できる。

共有ボタンから動画を書き出す

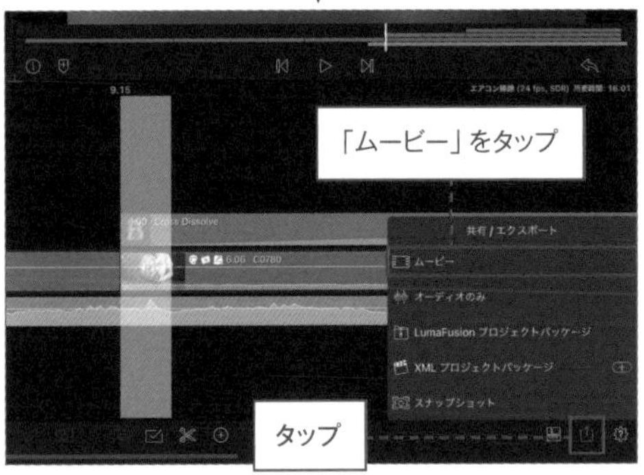

1 動画を書き出すには画面右下の共有ボタンをタップ。書き出し方式は「ムービー」を選択する。

出力先を選んで書き出す

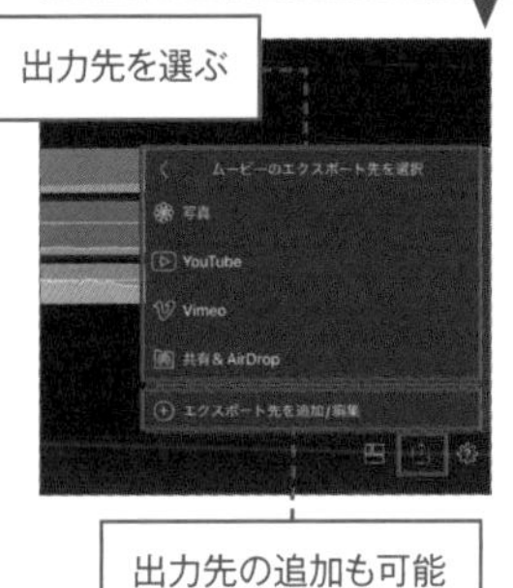

2 出力したい場所を選択。出力先の追加も可能だ。共有ボタンをタップすれば、動画が書き出される。

iMovieやCapCut、DaVinci Resolveとはどう違う？ ―類似アプリ

iPadでの動画編集はカジュアルに利用できる「iMovie」や「CapCut」。そしてiPad版が登場した「DaVinci Resolve」など、アプリの選択肢も多い。特に「DaVinci Resolve」は、iPadでもプロクオリティのカラーグレーディングができると話題になったが、現状では安定性が欠ける印象だ。インターフェースもiPadに最適化しきれていないので、現状のiPadでの動画編集はLumaFusionをオススメしたい。

● iMovie

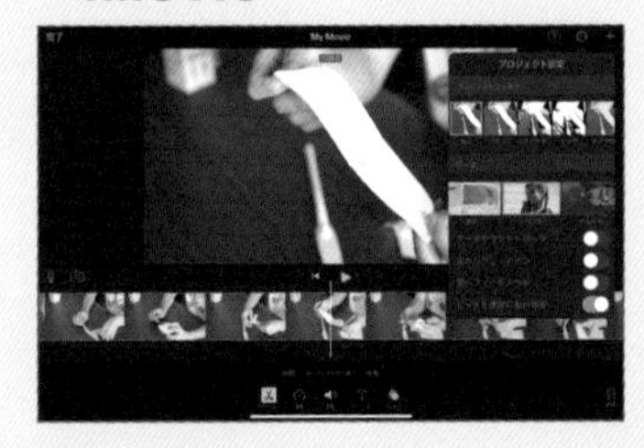

✔ iMovie

作者/Apple
価格/無料

手軽さがウリのiMovie。カット編集レベルであれば、このアプリで十分だが、それ以上を求めると物足りない。

✔ DaVinci Resolve

作者/Blackmagic Design Inc
価格/無料
（App内課金あり）

DaVinci ResolveがついにiPadにも対応。強力な調整力は魅力だが、iPadへの最適化は現状いま一歩。

● DaVinci Resolve for iPad

✔ CapCut

作者/Bytedance Pte. Ltd
価格/無料

シンプルな操作感で機能も豊富。手軽に雰囲気の良い動画を作れるCapCutも魅力的だが、商用利用できない点に注意。

● CapCut

まとめ

導入コストを抑えて動画編集環境を手に入れられる

タブレットでの動画編集は、あくまでも簡易的なもの。持ち運べてカジュアルに編集できるが、「できること」はPCには及ばないというイメージがあったが、この「LumaFusion」は機能も豊富で操作感もPCライク。タブレット編集でのネックだった外部ストレージ内動画の直接編集に対応しているなど、かなりPC用編集ツールに肉薄していると感じられる。

もちろん、PCの方が自由度は高くてプラグインなどによる機能拡張も充実しているので、PCでの編集環境があるならそちらを利用したほうが良い。しかし、導入コストを抑えつつ、本格的な動画編集を楽しみたいのであれば、エントリーなiPad+LumaFusionの組み合わせも十分に現実的。編集用PCを購入するよりも、遥かに低価格に、編集環境を手に入れられるのは見逃せないメリットだ。

やりたいことが見つかりさえすれば、その思いに最大限に応えてくれる……iPadはそんな存在です

YouTubeで、Apple製品をはじめとした、さまざまなガジェットや生活雑貨などのレビュー動画を出している、こにたくさん。特にiPad関連の動画に並々ならぬ力が入っているように感じたので、取材をお願いし、ご自宅に訪問させていただいた。デスクの外部ディスプレイの前の主役は、Macではなく、もちろんiPad Proであった。どのようにiPadを活用しているのか、細かく聞いてみた。

こにたく (nikostyle) YouTuber

関西出身の兼業YouTuber。本業は、東京のIT企業の企画営業職でマネージャーをしており、HPやアプリなどのITサービスをさまざまな団体に向けて、ヒアリング・提案するような業務が中心。iPadは11インチのM1 iPad Pro（2021）を使っている。
Twitter：nikostyle_tk

YouTubeを始めたのは「話す力」をつけたい、と思ったから

●いきなりですが、本業の方がきっちりと週5日ある中で、今のペースでYouTube動画を出し続けるのは、相当大変だと思うんですけど、それを続けるモチベーションはどこから来ているんですか?

もともと僕がYouTubeを始めようと思ったのは、本業が営業職なので、「話す力」をつけたいと思ったんですね。社内でも言葉を発する機会は多いんですが、管理

YouTubeチャンネル
こにたく/nikostyle
https://www.youtube.com/@nikostyle_tk

iPadやiPhone、Macなどの動画のほか、スマートホーム関連の動画も多い。「暮らしの時短効率化」、「おしゃれで快適な暮らし」がテーマとなっている。どの動画も語られている内容は濃く、高密度な内容でとても見応えがある。

【長期レビュー】MacじゃなくiPad Pro 11インチをメインで使うメリットとデメリット

本誌の読者にまずおすすめしたいのがこの動画だ。メインマシンをMacでなくiPadにするメリット、デメリットがとても丁寧に解説されており、必見!

撮影／鈴木文彦(snap!)
文／編集部

職なのでお客さん先で提案することがほとんどないんですよ。
自分が今の会社でずっといられるかどうかもわからないですし、仮に転職するとしても管理職になるかどうかもわからないですよね。
なので、お客さんと直接の交流をしていない現状のままの時間が続くとブランクがすごく出ちゃうなあ……という考えに至ったんです。そして、仮に僕がこの先どういう道を進んでも、ある程度「話す」スキルが身についた状態でいたいな、という希望があって、それでYouTubeがいいかな、という結論になったんです。

●!!　なるほど。意外でした。そこからYouTubeが始まったんですね。実際にYouTubeをある程度やって、変わってきた部分はありますか?

そうですね、「プレゼン力」はついたかもしれないです。今でもそうなんですけど、僕はわりと早口で、緊張もしやすいタイプだったんで、YouTubeを始める前は、プレゼンが始まるやいなや、バーっと焦って喋ってしまってたんですが、今は抑揚をつけたり、相手のことを見ながら状況を伺いつつテンポを調整して喋ることもできてきた感じがありますね。

YouTubeは話す力を強化できますし、もともとカメラ好きですし、動画編集も興味あったし、そしてなによりiPad Proを使う用途としても最適なんですよ。

前置きが長くなりましたが、モチベーションは、動画にはコメントもそれなりにいただけたりして、誰かの役に立ててるんだな、というところや、自己承認欲求も強いんだと思います(笑)。動画自体も過去のものよりちょっとずつ良くなっている実感も味わえてますし、またYouTubeの持っている「なにが当たるかわからない」、ガチャガチャ的なものにも中毒性を感じてますね。

テキスト周りの処理はすべて「Notion」で行っている

●なるほど。動画編集のことは後でまたお聞きするとして、ひとまず、iPadの一般的な使い方からお聞きしようと思います。テキストエディタはなにを使っていますか?

「Notion」がメインですね。テキスト処理全般に使ってますが、例えばYouTubeにはこんな風に使ってます。エディタというよりも管理リストみたいな感じですが。
浮かんだネタはとりあえずメモ書きしておいて、そこから動画にしようと思ったものは、このNotion上で「検討中」のフェーズに置いて、そこに置いたものは原稿化していきます。で、原稿完了→撮影→編集→完了みたいにステータスを変えていきます。Notionで管理しておけば、カレンダーで一定期間にどれぐらい投稿しているか、ジャンルはどの辺りのものを出しているか、テーブルで見られるので便利です。

Notion

Notionで作っているYouTube管理リスト。多数の項目がキッチリとタグで整理されている。

●凄いですね!完璧に整理されている!

Notionのいいところは、Apple製品だけじゃなくWindowsでもOKなので、どこからでも見られるので……紆余曲折ありましたが、これに行き着きましたね。「Craft」も機能はいいと思うんですが、Apple製品にしか対応していない点がちょっと……Apple純正メモもそうですし。

●タスク管理もNotionですか?

タスク管理はNotionではなく、「TickTick」を使っています。本業の方で使っていて、仕事が終わった後とかにiPadで見て、チェックしたりしてます。

●ブラウザはSafariですか?

9割、というか10割Safariですね。Safariはスタート画面にブックマークとか、ほかのApple機器で開いたサイトとか、すごくたくさん整理して置ける機能が便利だと思っていますね。

●「GoodNotes 5」はどんな用途に使っていますか?

これは、頭の中にある曖昧なアイデアを吐き出すときに使ってます。ブレインストーミング的な使い方ですね。

●動画編集アプリは「LumaFusion」一択ですか?

そうですね。「DaVinci Resolve」は試したんですけど、処理落ちというか、まだ安定していない印象なので、まだなのかなと。機能は多いですけどね。LumaFusionは、「動く文字」とかテキストを遊ばせたりする機能がないので、おしゃれな感じでテキストにモーションをつけたりする用途ならDaVinci Resolveの方がいいと思います。

LumaFusionは本当に安定性が高いというか、保存のされ方も凄いんですよ。1秒単位で保存されてるのかな?という印象で、いつ切ってもその切った箇所から始まるので……。

●LumaFusionは本当にすごく出来がいいですよね。これで買い切りで使えるんですからね。では、画像の編集はどんなアプリを?

写真編集は「Lightroom」を使ってますが、画像の方は「Pixelmator」を使ってます。背景を透過させる作業などはこれで、あとは「Canva」ですね。あと、だいぶ変わってると思うんですけど、僕はYouTubeのサムネール画像もLumaFusionで作っているんです。

●えっ、それは聞いたことないですね! 作れるものなんですか!?

できますよ。LumaFusion上でサムネール画像用のプロジェクトを作って、そこで全部作ってますね。外部フォントも読み込んで使えるので、全然やれちゃう感じです。でもこれよりは、普通に「Adobe Photoshop」とか「Affinity Designer」とか使った方が絶対いいと思いますが(笑)。

LumaFusion

専用のプロジェクトを作って、サムネール画像もLumaFusionで作っている。

iPadでは、Excelやスプレッドシートの作業はどうやってもうまくいかない

●iPadでは無理で、MacやPCを使わないとダメな作業はありますか?

いくつかあるんですけど、そのひとつが「表」関係ですね。Excelとかスプレッドシートとかの編集作業ですね。やっぱり、とても使いにくいです。操作としての使いにくさもそうなんですけど、Excelの機能としても、完璧にすべては使えないのかな!?と感じています。なので本格的に仕事で使おうとすると結構しんどいんですよね。PC的作業のほとんどは快適にiPadで行えると思うんですけど、「表」関連の作業はMacなりPCの方が向いていますよね。

●プライベートでも表を作る作業は多いですか?

稀ですね。なので僕の場合はiPadで全然問題ないんですが、普段もプライベートで表を扱うような人だと、iPadでは役不足を感じるかもしれませんね。

あと、Excelの話と似てますけど、パワーポイントや、Google Slideで資料を作るときなども、iPadよりMacの方が編集はしやすいかな、と思いますね。普段からWindowsではマウスを使っているので、

同じような操作感を求めてしまうのかもしれませんが、iPadでトラックパッドを使っての操作とは相性がよくない感じがありますね。

iPadOSではトラックパッド操作の方が、ピンチイン、アウトを使うときなどマウスより圧倒的に便利なので、基本、トラックパッドしか使わないです。

あと、ブラウザ、Safariでの表示が、iPad独自のものにされてしまって、映らないものが発生したりするのが困りますね。僕はYouTubeのアナリティクスをよく見るんですが、全然スムーズに表示してくれなかったりします。Amazon Payの決済情報が見えない、とかもありますね。

外部ディスプレイは「閲覧」、iPad側では「作業」

●家や外でiPadを使う場合の作業環境についてお聞きしたいです。

家ではiPadを外部ディスプレイにつないで作業する時間が多くて、LumaFusionやNotionを外部ディスプレイ側にステージマネージャーを使って大きめに表示して、脇でSafariやファイルアプリ、LINE、Gmailなどを一緒に表示させています。

基本的に自宅での作業時は、外部ディスプレイは閲覧用、iPad側では作業用……という感じに自然に分かれる感じになりますね。なぜそうなるのかというと、iPadのアプリはタッチ操作を前提に作られているじゃないですか。外部ディスプレイ側ではタッチ操作が完璧にはできない……もちろんトラックパッドで操作はできるんですが、iPad上でのタッチ操作とはレスポンスが違うので、メインの作業はiPad側でやる方がスムーズになりますね。

外出時などにiPad単体で使う場合は、僕の場合、LumaFusionをメインで使っている場合が多くて、LumaFusionはSplit Viewに対応していないので、Slide Overでほかのアプリ、Notionやファイルアプリ、Safari、Spotify、LINE、Gmailを同時に使う……そんな感じですね。メインとなっているアプリはLumaFusionか、Notionですね。NotionでYouTubeの原稿や概要欄なんかもすべて管理しているので。

ホーム画面

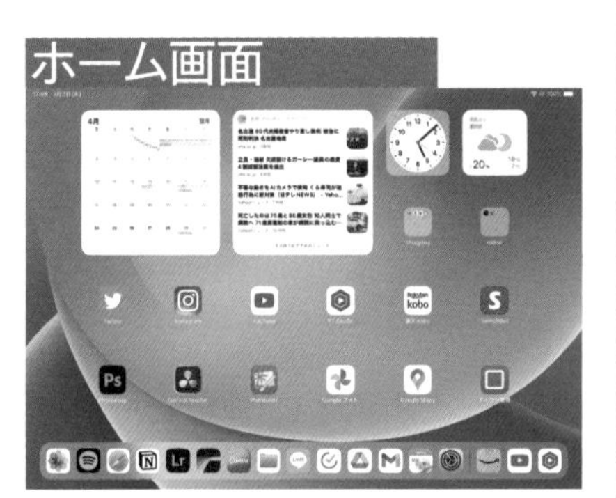

DockにはSlide Overで使うアプリや優先度の高いアプリを置いている。ホーム画面は一枚のみ。

YouTubeで撮った素材は、編集したら全部捨てている！

●動画編集は外付けSSDを使って行いますか？

僕は外付けSSDは使っていないんですよ。すべてiPadのストレージ内、もしくはクラウドですね。

●あっ、そうなんですか!?　でも動画編集で使ったファイルは、iPadから出していかないといけないですよね？

僕は全部、消しちゃいます（苦笑）。動画を編集してYouTubeにアップしてしまったら、過去の動画を再度使うってことはあまりないんですよね。写真はLightroomにとってあったりしますけど、動画は1ファイルで20~30GBあったりするんで、捨てちゃいますね。一時はSanDiskの外付けSSDを使っていて、そこに使ったファイルをとっておいた時期もあったんですけど、あとで使うことがまったくなかったんですよ。コピーも面倒だし。「過去のこの動画のこのときのシーンをBロールに乗せる」みたいなことをよくYouTuberの皆さんはやられてますけど、過去のシーンのこともあまり覚えてませんし（笑）。

●でも、なにかの機会に「過去のあのときのシーンをもう1回編集し直して使おうかな？」とかなりませんか？

それだったら、再度撮りますね（笑）。まあ、将来的に外部ストレージは買うかもしれないですけど、それよりは次にiPadを買うときは2TBモデルにしようかな？という方が強いです（笑）。

●Magic Keyboardはずっとつけたままで使っている感じですか？

ほぼつけたままですね。Apple Pencilを使うときには外すしかないのが面倒ですが、そんなにPencilを使う機会もないので（笑）。基本、Apple PencilをiPadの上に乗せている時間がほとんどないんですよ（笑）。かなりPCライクな使い方をしてます。

僕はiPadの日本語入力……ライブ変換が気に入っているので、キーボードでの入力はすごく快適ですね。YouTubeの原稿も結構細かく書いていて、文字量もあるんですが、予測変換で出てきて欲しい単語も充分出てきますし、WindowsやAndroidではGoogle日本語入力を使ってますけど、ライブ変換でも全然違和感は感じないですね。

iPad Proを触りたいからYouTubeをやっている、そんな部分もあります

●ところで、12.9インチの方にはあまり魅力を感じていないんですか？

iPad 購入遍歴

● 最初に買ったiPadはどの機種ですか？

最初に買ったのはiPad Air 2でした。利用用途が明確じゃなかったので、持て余していました。MacBook Airの13インチも持っていたんですけど、そっちも使い道に迷って放置してました。単純にそういうプロダクトに魅力を感じて買ってた感じでしたね。周囲にそういう話をする人もいなくて、結局あまり使わないまま終わってしまった……という感じでした。

途中で、iPad Proの10.5インチなども経由しつつ、2018年モデルのiPad Proが出てからは、完全にプライベートのメインマシンはMacではなく、iPadに変わりました。iPadOSが登場したことや、平岡さんのブログの影響も大きいですね。

量販店で触ったりして、何度か悩んだんですけど、画面が大きい方がやっぱり効率はいいかな?とか……でもやはり大きくて重いんですよ。12.9インチにしちゃうと僕がiPadに求めている、カンタンに持ち運べて、手軽に出せる、という要素がなくなってしまうな……と。画面はすごく綺麗だし、キーボードもより打ちやすいとは思うんですけどね。

Apple製品の中で、純正のキーボードをつけられて、ノートパソコンっぽく使えるデバイスでは一番最軽量なのが、11インチiPadだと思っていて、なおかつ、めちゃくちゃパワフルでさまざまな用途に充分使える……4Kの動画編集もまったく問題なく、電車の中とか飛行機の中でもさっと出して使うことができる。そこがiPadの一番の魅力かなと思ってますね。フリーズするとか動作がカクつくとかもほとんどないんですよ。このM1モデルを買う前の、2018年のiPad Proのときも4K動画の編集をしても全然快適でしたし、iPadはとにかく使いやすいですね。

●でもずっと、Macの方も使われているわけですよね? 動画編集もMacの方がより快適なんじゃないですか?

そうですね……たぶん僕はiPad Pro自体がすごく好きなんですね(笑)。iPad Proを触りたいからYouTubeやってる……みたいなところもあるんですよ。iPad Proの、板1枚にキーボードがついて、少し浮いている、そのフォルムが好きです。MacBookは、もちろん洗練されてますし使いやすいと思いますけど、カッコよさはiPadの方があるなと思います。

あと僕はカバンが好きなので、いろいろな種類のカバンを使っているんですけど、けっこう小さめのカバンでも11インチなら入るんですよ。カバンの選択肢がより広くなるんです。これがMacBookだとそうはいかなくて、やっぱりノートPCを運ぶためのカバンに限定されがちなんですね。iPadなら、ショルダーバッグとかサコッシュとかにも入りますし、そういう部分でも楽しめるんですよ。

●最後に、iPadに対して感じていることを伺えればと思いますが。

僕自身がそうだったんですけど、「iPadを買えばなんでもできるよ!」というのは事実だと思うんですが、なにに注力するかを自分で決断しないと、ちょっとサイズの大きい、iPhoneと同じようなモノになってしまうと思うんです。自分も昔は好奇心とか憧れからiPadを手に入れたものの、数年間は放置状態でした。

でも「YouTubeを始めたい」とか、人によってバラバラと思いますが、やってみたいことが見つかってしまえば、それに最大限応えてくれるマシンではあるのかな、と感じています。その思いに寄り添ってくれて、最小限にコンパクトなデザインで、MacBookとほぼ変わらないパフォーマンスを出してくれる……そこがiPadの魅力だな、と思っています。使う人それぞれによって、まったく別の専用マシンになる、面白い存在ですよね。

あとは、iPadを買う前に見えなかった魅力をあとで感じる場合もありますし、ソフトウェアのアップデートで別の魅力が登場する場合もあるので、最初は思うように役立たなくても、手放さず、持っていてもいいんじゃないかな、とも思います。

SwitchBot

SwitchBotで照明や、エアコン、玄関の鍵などをキッチリと制御している。画像のものはすべて稼働中とのこと! iPadもしくはiPhoneで操作している。

iPad 仕事術!

iPad Working Style Book!!!!

2023

Chapter 1

入力 INPUT

Chapter 2

編集 EDIT

Chapter 3

情報収集 INFORMATION

Chapter 4

効率化 IMPROVE

Chapter 5

管理 MANAGEMENT

NEW AI TOOLS

iPadでも使いたい! 今、目が離せない、最新AI特集!

こんな用途に便利！

Apple Pencilでテキストを入力したい人
Apple Pencilとキーボードの切り替えの手間を省くことができる

キーボードでの文字入力が苦手な人
アナログな方法で効率よくテキスト入力できる

テキストの削除や挿入も効率的に行いたい人
キーボードや指で削除部分や挿入部を指定する必要がない

スクリプルの操作を完璧にマスターしておこう

日本語もほぼ完璧! かなり精度が高く実用的に使える

iPadには、Apple Pencilで手書きした文字を自動でテキストに変換してくれる「スクリブル」機能がある。この機能を使えば、iPadで文字入力を行う際に、毎回オンスクリーンキーボードを開く必要がない。

ひらなが、カタカナ、漢字を手書き入力すると自動的にテキストに変換してくれる。変換精度は非常に高く、難しい漢字や崩れた汚い文字でもきちんと認識して変換してくれる。

スクリブルは、テキスト入力できる場所であればほとんどに対応している。届いたメッセージに素早く返信したり、今日することをリマインダーに書き留めたりするときに効果を発揮するだろう。なお、テキスト入力場所からはみだしても認識されるので、誤認識されないよう、はっきり書くのがコツだ。

また、スクリブルは文字を入力するだけでなく、選択した部分を削除したり、指定した部分に新たにテキストを挿入するなど編集機能も搭載している。誤字が発生した場合でも、キーボードの削除キーや戻るキーを押してやり直す必要がない。スクリブルの操作方法を完全にマスターして、Apple Pencilだけであらゆる操作ができるようになろう。メモやメールなどのほか、Safariやマップなどで検索ワードを入れるのにとても便利だ。

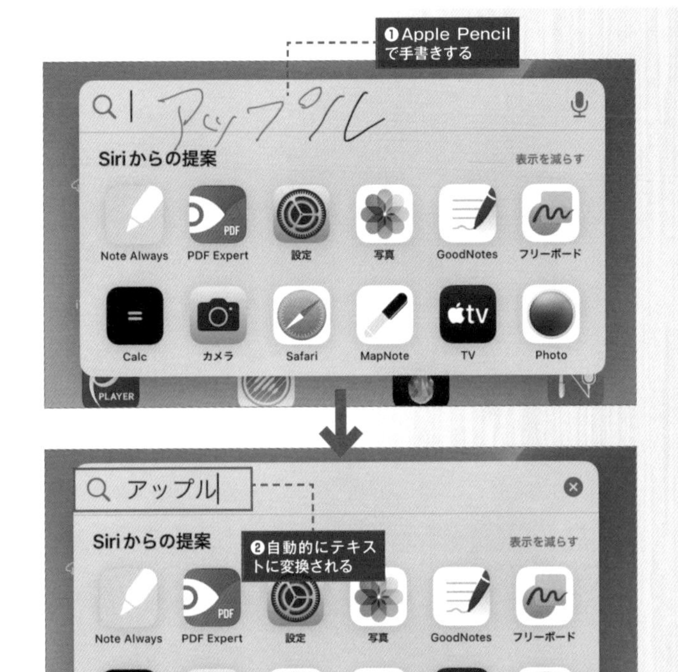

入力フォームなどテキスト入力できる場所ならだいたいは対応している。入力場所からはみだしても認識され、きちんと入力される。

スクリブルを有効にして手書きでメールを作成しよう

1 スクリブルを有効にする

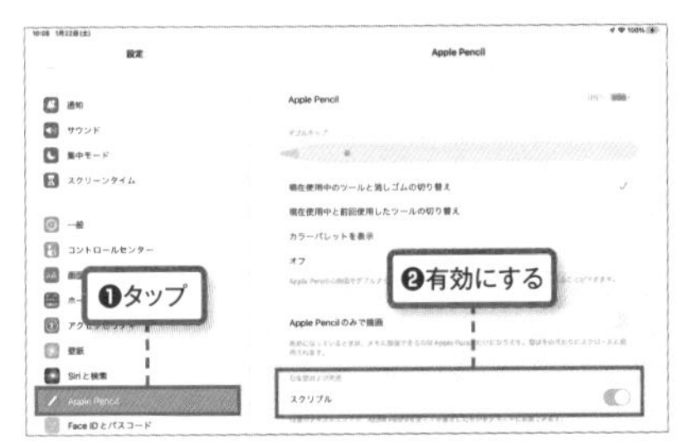

スクリブルを利用するには、iPadの設定画面で「Apple Pencil」を開き、「スクリブル」を有効にしておこう。

2 日本語入力できるようにする

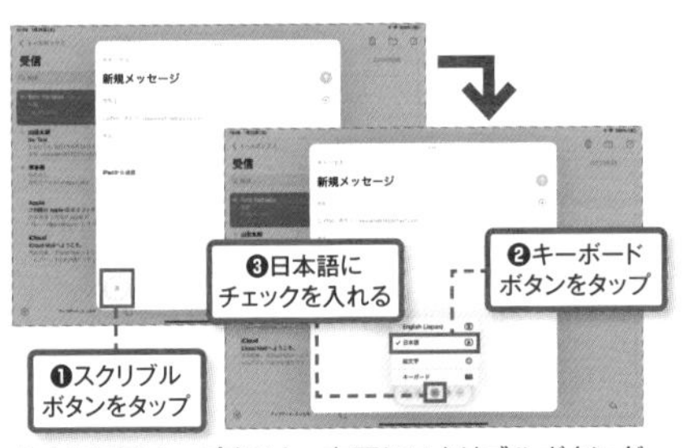

入力場所をタップすると、左下にスクリブルボタンが表示される。タップしてメニューが表示されたら、キーボードボタンをタップし「日本語」にチェックを入れる。

3 入力箇所に手書きする

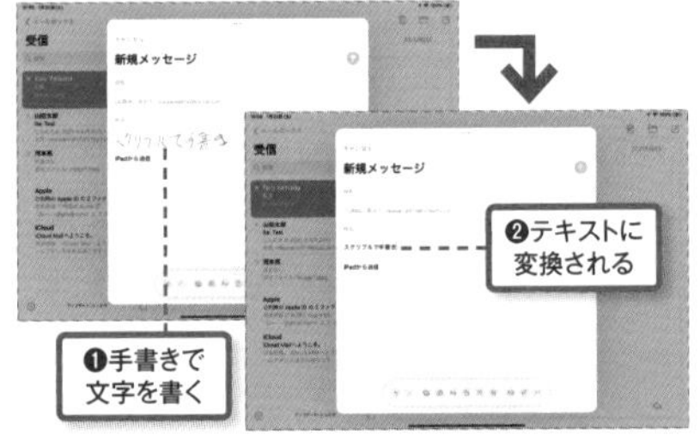

あとは実際にテキスト入力可能な場所で、Apple Pencilで手書きしよう。自動的にテキストに変換される。

メモアプリの場合はスクリブル用のペンを使おう

一般的な入力フォームでスクリブルを使用する場合は、そのまま手書きするか、iPad画面左下に表示されるスクリブルボタンをタップすれば利用できる。

ただし、メモアプリに付属している「マークアップ」を使う場合は使い方に注意しよう。マークアップ起動中は、ツールバー左端にあるスクリブルペンをタップすると、スクリブルが有効になる。

また、メールアプリや写真アプリなどマークアップをオプション機能として利用するアプリの場合も注意が必要だ。スクリブルからマークアップに変更したい場合は、スクリブルツールバー上にあるマークアップアイコンをタップすると、マークアップモードに変更できる。

1

メモアプリのマークアップツールでは、通常の手書きを行う場合は真ん中の3つのペンを有効にして利用する。

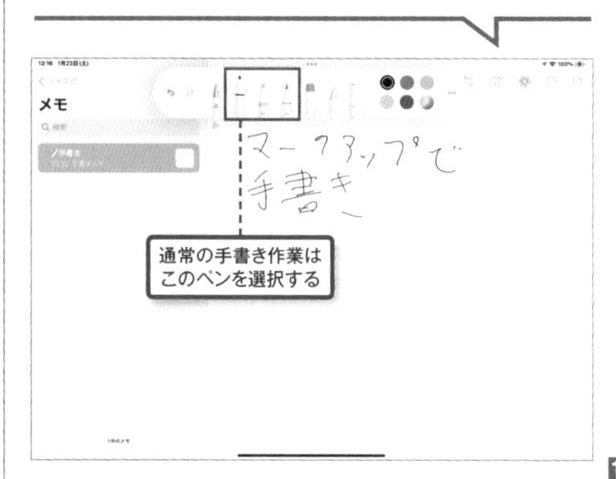

2

スクリブルを使って手書きした文字をテキストに変換したい場合は、左端の「A」と記載されたペンを有効にして手書きしよう。

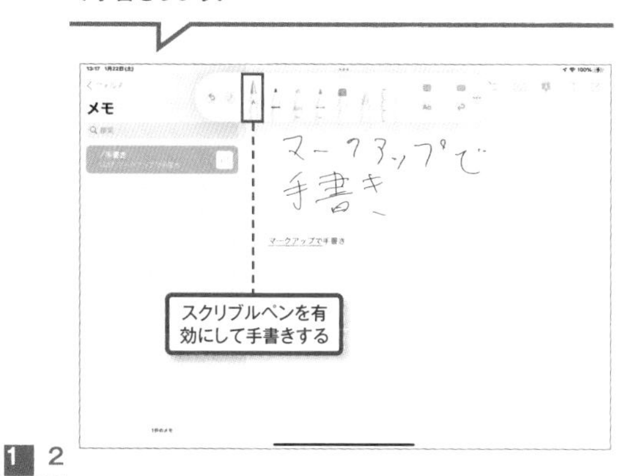

3

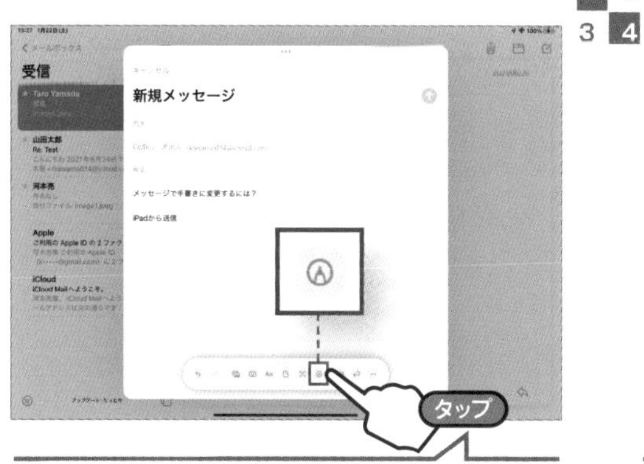

メールアプリで、スクリブルからマークアップに変更したい場合は、スクリブルツールバーにあるマークアップアイコンをタップする。

4

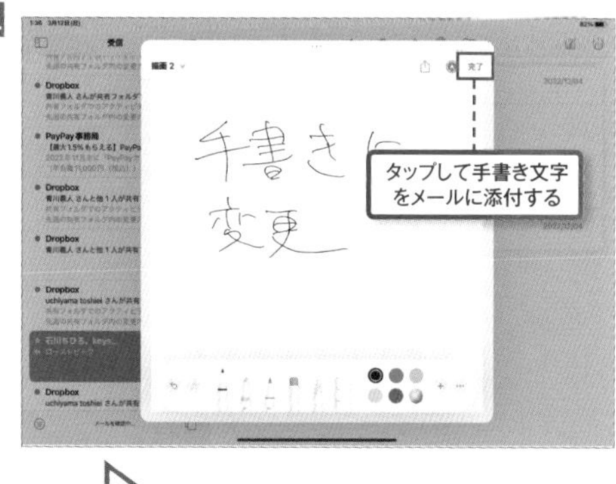

マークアップ画面が別に表示され、手書き入力ができるようになる。「完了」をタップすると手書き文字がメールに添付される。

ここがポイント

他社製アプリでもスクリブル入力ができる

iPadに標準で搭載されているアプリだけでなく、スクリブル入力に対応している他社製アプリであれば手書きした文字をテキストに変換することができる。たとえば、PDF Expertのメモツール上でApple Pencilで手書き入力すれば、テキストに変換してくれる。ほかに、GoodNotes 5などの手書きノートアプリのテキストツールも対応している。Pages、Numbers、keynoteアプリなどでも利用できる。

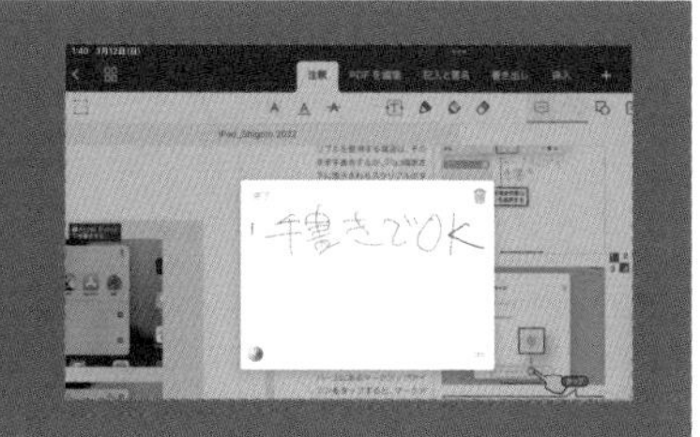

4 テキストを削除する

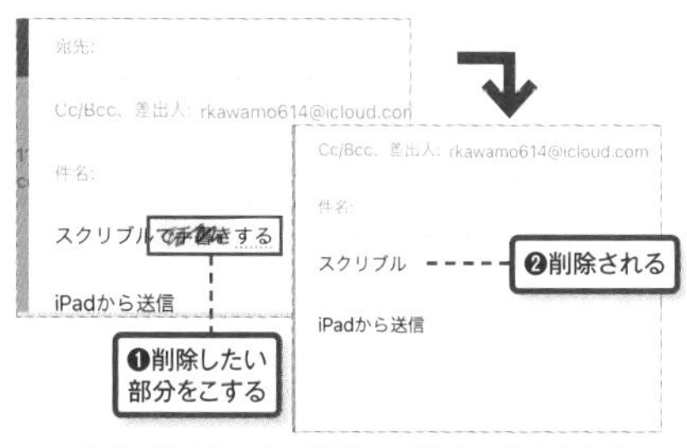

スクリブルはテキストの削除もできる。入力されたテキストを横や縦方向にこすってみよう。軌跡が現れ、軌跡の範囲をきれいに削除することができる。

5 テキストを挿入する

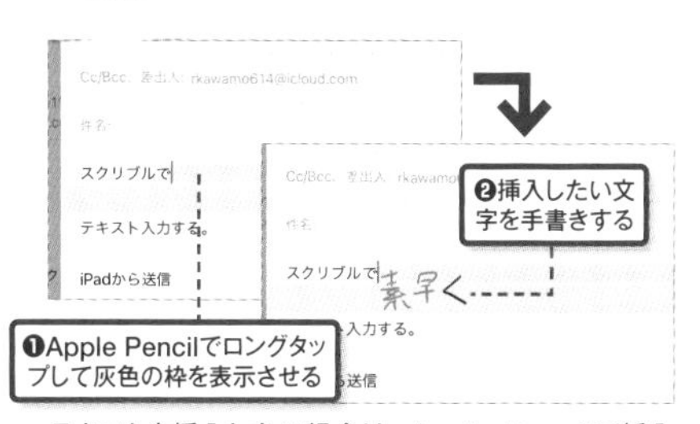

テキストを挿入したい場合は、Apple Pencilで挿入したい場所をロングタップしよう。灰色の枠が現れたら、そこに文字を手書きで書くとテキストに変換され挿入される。

6 テキストの分離と結合を行う

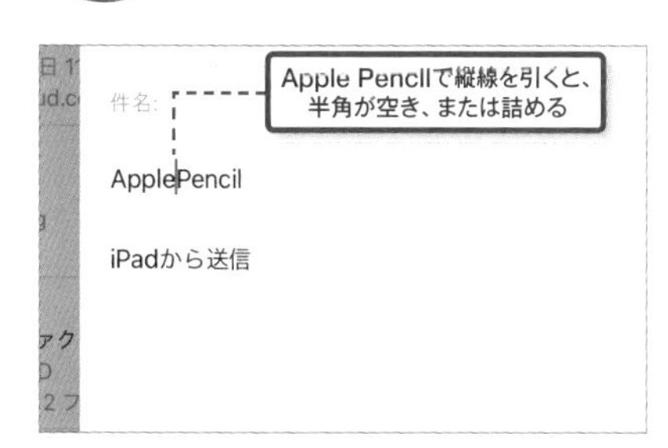

半角スペースを挿入したい場合は、挿入したい場所に縦線を引こう。逆にスペースを詰めたい場合は、空いている場所に縦線を引こう。

こんな用途に便利！

キーボード入力環境を快適にしたい
フローティングキーボードで片手入力ができる

効率的にテキスト編集をしたい
新しいタップ操作やジェスチャ操作をマスターしよう

物理キーボードの入力を効率化する
地球儀キーのショートカットを使いこなそう

キーボード入力やテキスト操作を完璧にマスターしよう

iPadで片手入力を可能にするフローティングキーボード

iPadで文字入力するには画面を直接指でタッチするオンスクリーンキーボードを使うのが一般的だが、画面が大きいこともありスマホに比べ使いづらいものだった。しかし、iPadOSではiPadでの入力操作がかなり改良されている。

便利な「フローティングキーボード」を有効にするとキーボードがスマホサイズに変化し、片方の指だけで楽々と文字入力することが可能だ。フローティングキーボードは自由に動かせるので利き手の使いやすい位置に置こう。特にスマホのフリック操作に慣れている人にとって便利に感じるだろう。小さくなった分アプリを表示するスペースも広がる。

フローティングキーボードとは別に分割キーボードモードというもの存在している。有効にするとキーボードが左右に分割され、画面右側にフリックキーボード、画面左側に変換候補が表示され、ゲームのコントローラーのように文字入力ができるようになる。また、分割キーボードは自由に高さを調整することができる。ただし、分割キーボードはiPad Proでは利用できない。

フローティングキーボード

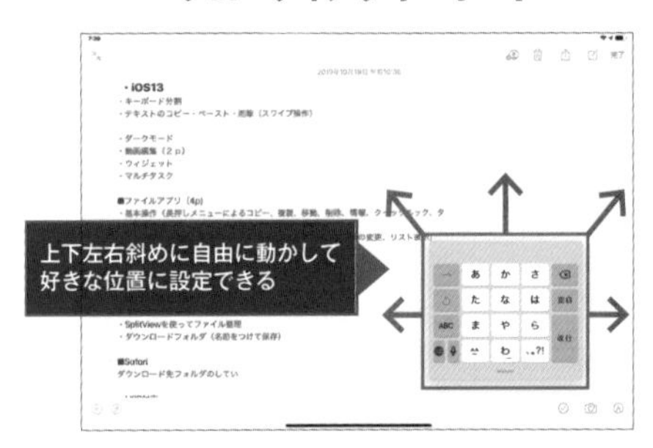

iPadOSから追加された新しいキーボード。iPhoneのように文字入力が片手でできる。文字入力以外の箇所も広く閲覧できるようになる。軽い小型のiPadユーザーにおすすめ。

分割キーボード

iPadOS以前から搭載されていた機能でキーボードを左右に分割し、QWERTY形式のほか、片手で文字入力、左側で変換候補を選択する形式も可能。ゲームのコントローラーのように文字入力をしたい人におすすめ。

両方とも位置を自由な場所に移動できる

フローティングキーボード、分割キーボードともに位置を自由に変更できる。ただし分割キーボードの場合は上下移動のみ。

フローティングキーボードや分割キーボードを使ってみよう

1 フローティングキーボードを有効にする

フローティングキーボードを有効にするにはキーボード上でピンチイン。するとスマホサイズのキーボードに変更する。ピンチアウトで元のキーボードに戻る。

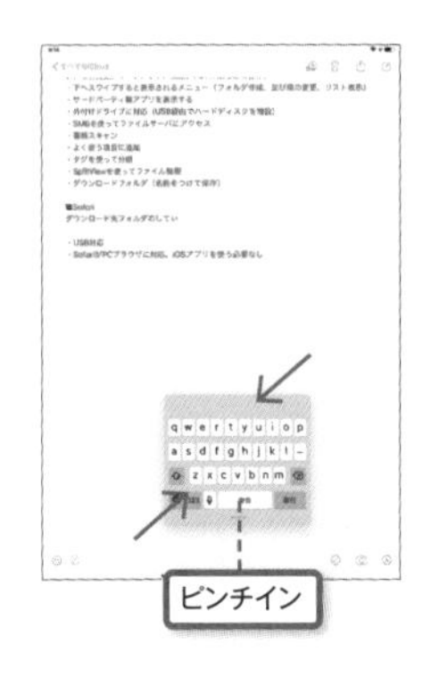

2 好きな場所にキーボードを移動する

フローティングキーボードの下にあるつまみをドラッグして、画面の好きな場所に移動できる。上下左右斜めなど、あらゆる方向に移動できる。

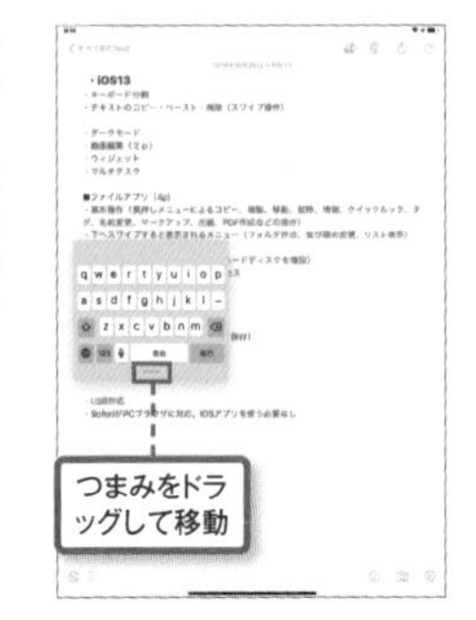

3 テンキーに変更してフリック入力を行う

スマホのフリック入力に慣れている人なら、QuickTypeキーボードからテンキーに切り替えよう。ボタンを上下左右にフリックして素早く入力できる。

テキストの選択・コピペへのジェスチャを覚えよう

iPadOSではテキストの範囲選択やコピー、ペーストといった編集操作も簡単だ。これまでテキストを編集するにはカーソルを指で直接移動させて範囲選択で指定したあと、タップして表示されるメニューからコピーとペースト操作を選択する必要があった。現在のテキスト編集機能ではこれら多くの編集操作がタップジェスチャだけでできる。また、テキスト上を指でタップすると、まとまりのある範囲選択ができる。これらのジェスチャを覚えておけば劇的にテキスト編集作業が楽になるだろう。

カーソル自体も改良され使いやすくなっている。カーソル部分を長押しするとマウス操作のように自由に移動できるようになった。

1 テキスト群を1度タップすると通常のカーソルが表示されるが、2度連続タップすると単語を範囲選択した状態になる。

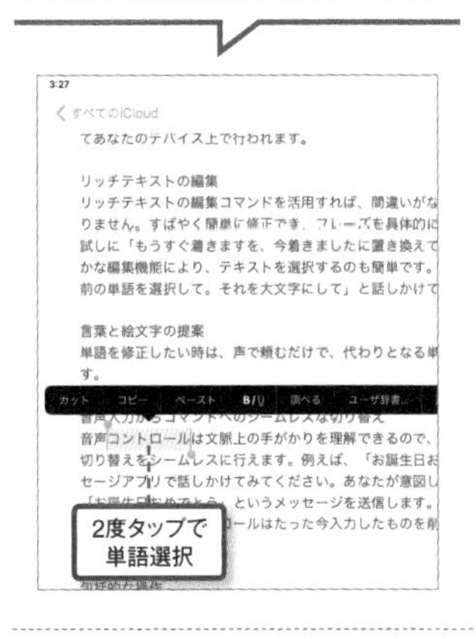

2 テキストを3度タップするとタップした箇所の一段落分が範囲選択される。

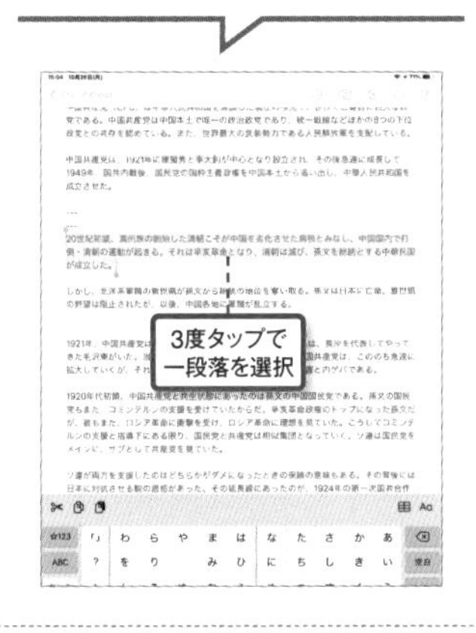

3 範囲選択しない状態で3本指でピンチインすると画面上部に「戻る」「進む」などのメニューが表示される。

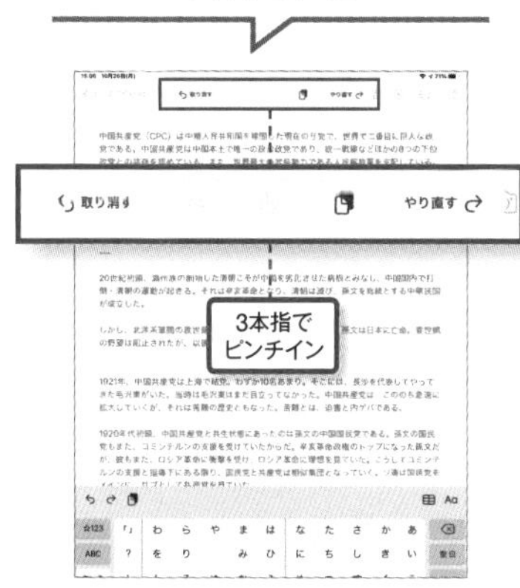

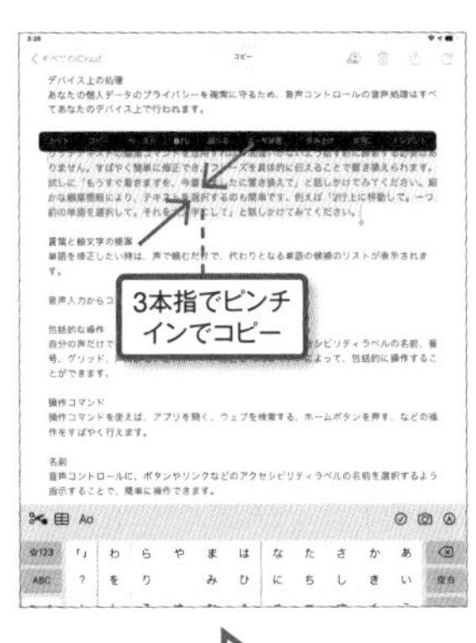

4 文字列を範囲選択したあと3本指でピンチインするとコピーできる。

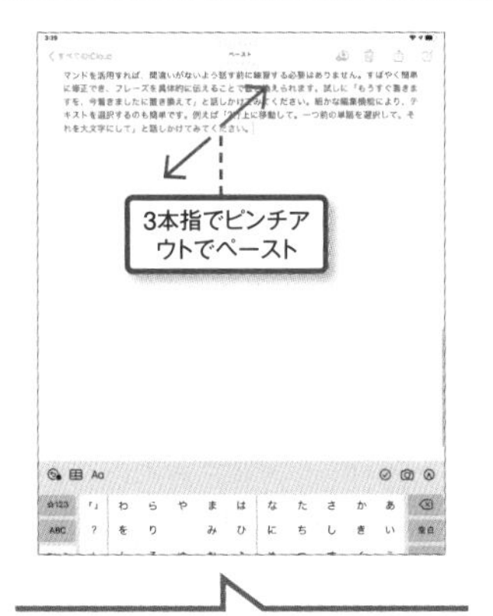

5 ペーストしたい箇所にカーソルをあて、3本指でピンチアウトするとコピーした内容をペーストできる。

6 3本指で右から左へスワイプすると1つ前の操作を「取り消す」ことができる。

ここがポイント
外部キーボード接続中は地球儀キーのショートカットを使おう

外部キーボード接続中に限り、地球儀キーと各種キーを組み合わせることによりさまざまなiPad操作ができる。ホーム画面への移動、検索、アプリの切り替え、Siriの起動など多くの基本操作が画面にふれずに行えるようになる。AppleのMagic Keyboardやサードパーティ製のキーボードを使っている人は覚えておこう。

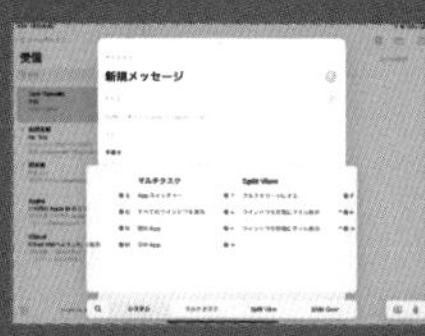

地球儀キーを押し続けると利用できるショートカットが表示される。

4 分割キーボードを有効にする

分割キーボードを有効にするには、右下のキーボードボタンを長押しして「分割」をタップする。キーボード上で左右にスワイプしても分割できる。ただし、iPad Pro、Airの一部の機種では分割できない場合がある。その場合はフローティングしか選択できない。

5 分割キーボードを利用する

キーボードが左右に分割される。日本語テンキーの場合は右側で文字入力をすると左側に変換候補が表示される。

6 キーボードを上下に移動させる

分割キーボードは上下のみスライド移動させることができる。分割を解除する場合はキーボードボタンを長押しして「固定して分割解除」をタップしよう。

こんな用途に便利！

メモの作成や管理が楽しくなる
美しく洗練されたUIのおかげで、メモを見ているだけで楽しい

フリーハンドで自由にメモができる
スケッチ機能対応で、Apple Pencilなどを使った手書きメモが可能

Macとメモを同期できる
マルチプラットフォーム対応で、MacやWindowsなどとメモを同期できる

Notionより圧倒的にiPadに最適化されて使いやすい「Craft」

多機能なだけじゃない、洗練された使い心地も魅力

テキストや写真、手書きメモなど、雑多なドキュメントを作成、管理できる多機能メモは、iPadアプリの中でも人気ジャンルの1つ。そんなアツいジャンルの中でも注目株なのが、ここで紹介する「Craft」だ。

Craftを起動すると最初に目を引かれるのが、シンプルながら美しいインターフェース。まるで雑誌記事のように、個々のメモやドキュメントがレイアウトされた状態で表示され、その中身もひと目でわかるようになっている。この美しさと見やすさが、Craftを毎日使うモチベーションにもなってくれるはず。

もちろん、洗練された見た目だけではなく、機能面でも充実しているのが、Craftの魅力だ。テキスト、写真、動画、オフィス文書やPDFなどのファイルを「メモ化」して管理することができ、その検索や共有も簡単にできる。テキストには段落スタイルや文字装飾、チェックボックス、個条書きも設定できるなど、多機能なテキストエディタとしても十分に活用できる。

Craftがリリースされてから瞬く間に人気を集めた理由として挙げられるのが、その斬新な操作性だ。Craftではメモを構成するテキストや写真などのひとまとまりを「ブロック」単位で取り扱うが、下の手順のように、このブロックの選択方法、操作方法がとにかくユニークで直観的。選択したブロックに対して、テキストなら書式をまとめて変更したり、ブロックごと削除したりするには、ツールパレットの各ボタンを利用する。

作者／Luki Labs Limited
価格／無料(App内課金あり)

Craft-ドキュメントとメモエディタ

Craftはこんなアプリ

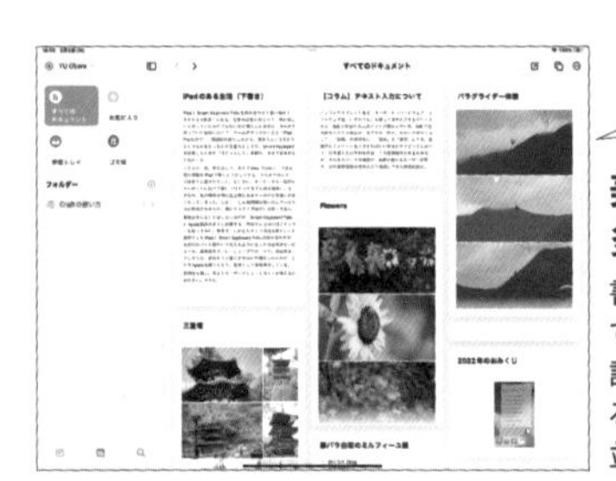

キレイに配置してくれる!

美しいUIの多機能メモアプリ

書き留めたメモ、ドキュメントを単に一覧するだけでなく、その大きさに合わせて雑誌記事のように美しくレイアウトしてくれる。メモ、ドキュメントは更新順に自動的に並べ替えられる。

手書きも完璧に使える!

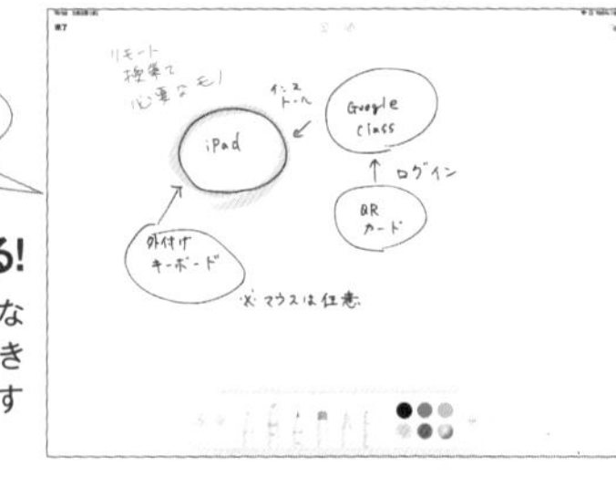

手書きでメモできる!

スケッチ機能を使えば、Apple Pencilなどのスタイラスで手書きメモを作成できる。スタイラスがなくても、指で手書きすることも可能だ。

ブロック選択などの基本操作を覚える

1 ブロックを左右にフリックする

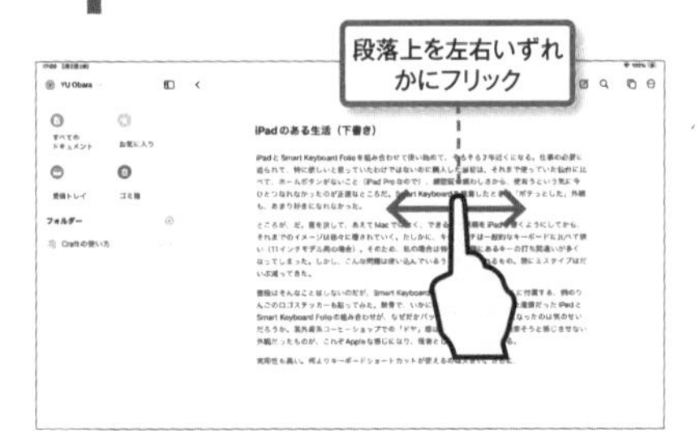

テキストをブロック（段落）単位で選択するには、目的の段落を左右いずれかにフリック。テキスト単位で選択する場合は、選択範囲をドラッグする。

2 段落が選択される

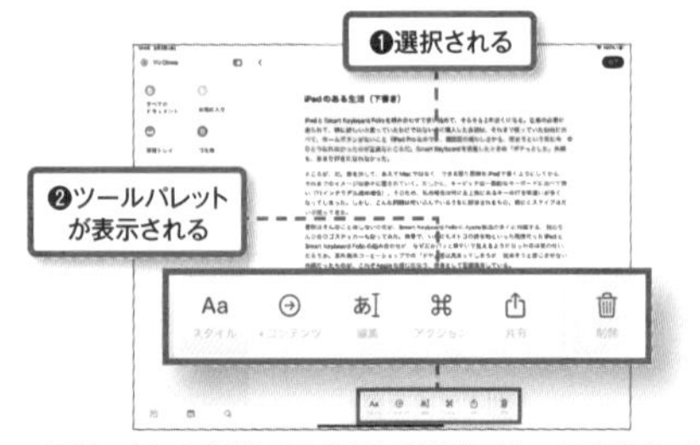

フリックした段落のテキストが選択され、画面下にツールパレットが表示される。選択を解除するには、再度同じ段落上をフリック。編集エリアに挿入された写真やファイルも、同様の操作で選択できる。

3 複数ブロックをまとめて選択する

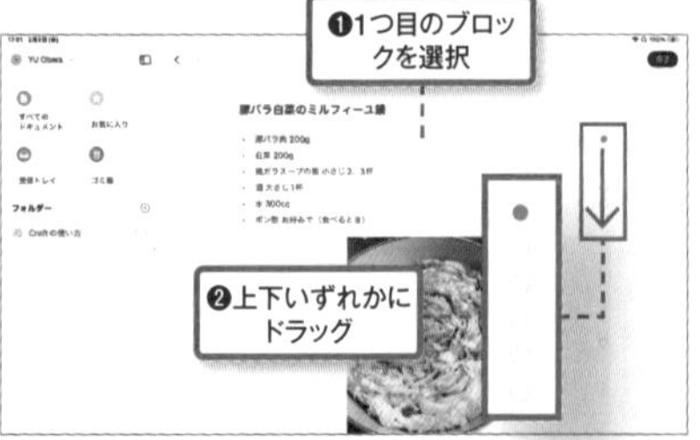

1つ目のブロック上を左右いずれかにフリックして選択。続けて、選択したブロック右端にある「●」を上下いずれかの方向にドラッグ。

タイトル、本文を入力し、写真を挿入する

メモやドキュメントをはじめから作成するには、右の手順のように操作する。メイン画面右上の「新規メモの作成」ボタンをタップすると、白紙のメモが表示されるので、1行目にタイトルを入力して、以降の行に本文を入力する。入力が済んだら、画面右上の「完了」をタップして編集を終了してから、「<」をタップしてメイン画面に戻ると、新たなメモが「カード」として追加される。再編集する場合はメイン画面でそのカードをタップすればいい。

メイン画面でカードを長押しすると表示されるメニューから、「ゴミ箱へ移動」をタップすると、そのメモは削除される。削除されたメモは、サイドバーの「ゴミ箱」をタップすると表示されるが、ゴミ箱に入れてから30日が経過すると完全に削除されてしまうことを覚えておこう。

1 新規メモを作成する

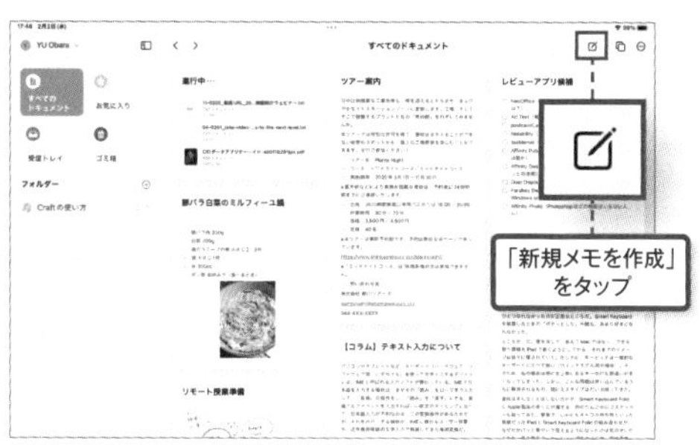

メイン画面で「新規メモを作成」をタップする。既存のメモを長押しすると表示されるメニューから、メモを削除することができる。

2 タイトル、本文を入力する

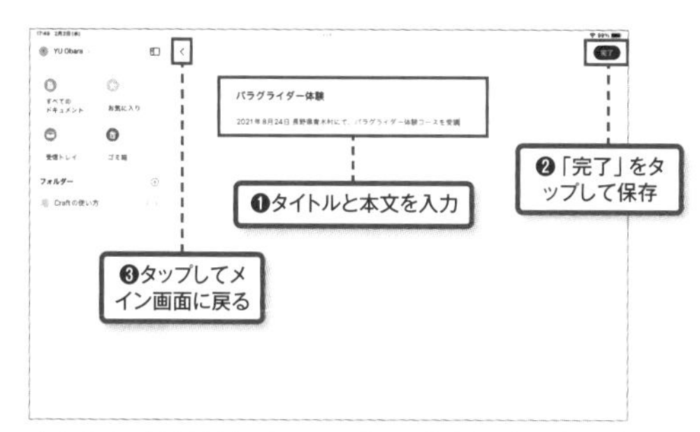

空白のメモが表示されるので、1行目にタイトルを、2行目以降に本文を入力する。入力が済んだら「完了」をタップして保存し、「<」をタップしてメイン画面に戻る。

3 写真を挿入する

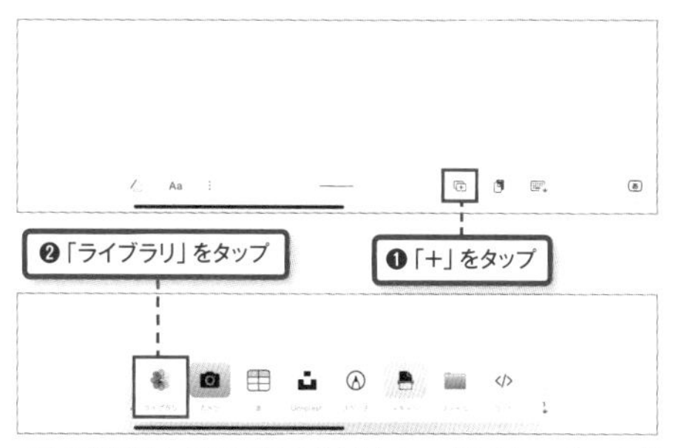

メモの編集中に画面下部の「+」をタップすると、パレットが表示されるので、「ライブラリ」をタップする。「カメラ」をタップすると、内蔵カメラで撮影した写真がメモに挿入される。

4 写真を選択する

「写真」アプリのライブラリが表示されるので、目的の写真をタップして選択し、「追加」をタップすると、メモにその写真が挿入される。

ここがポイント

メモを手書きするには？

CraftはiPadの標準機能である「スケッチ」に対応しているので、メモ本文にApple Pencilなどを使って手書きすることができる。スケッチ機能を呼び出すには、上の手順の3つ目の画面で表示されるパレットで、「スケッチ」をタップしよう。なお、同じパレットで「表」をタップすると、メモの本文に表を挿入できる。

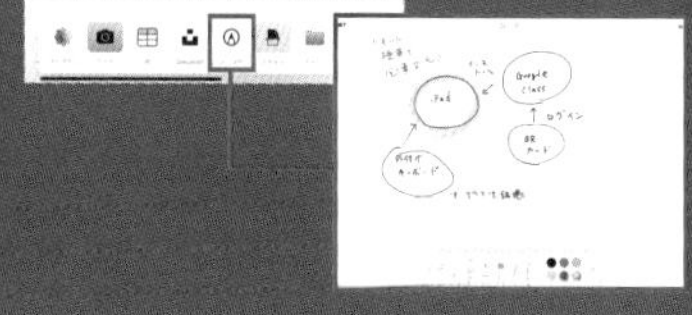

パレットで「スケッチ」をタップすると、メモ本文に指やスタイラスペンを使って手書きできるようになる。

4 まとめて選択される

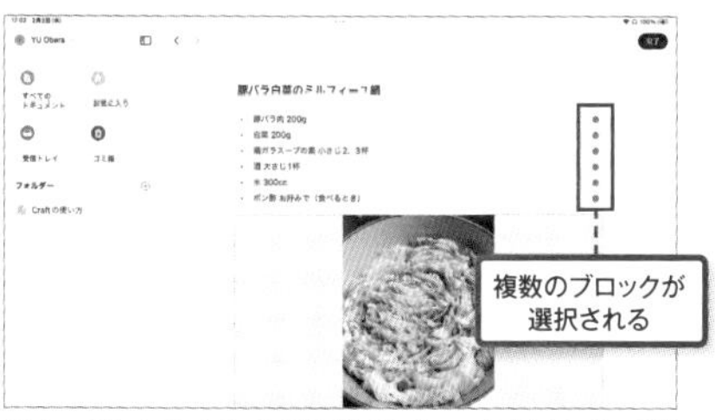

ドラッグした方向にある複数のブロックがまとめて選択される。この状態で書式などを設定すると、選択したすべてのブロックに適用される。

5 テキストに書式を適用する

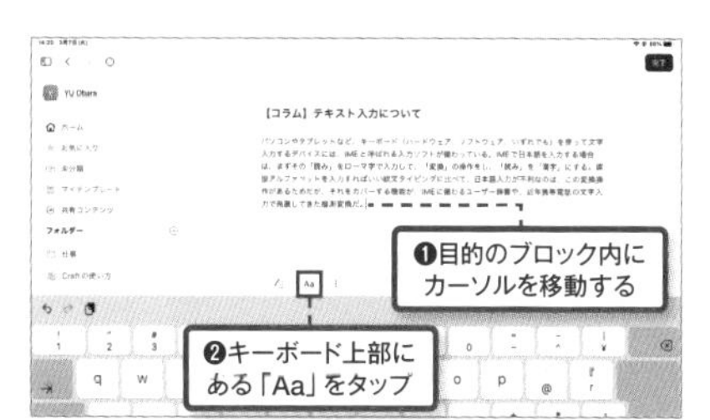

特定の段落のテキストに対して、インデントや文字色などの書式をまとめて設定するには、目的の段落にカーソルを移動してから、「Aa」をタップする。

6 スタイルパレットが表示される

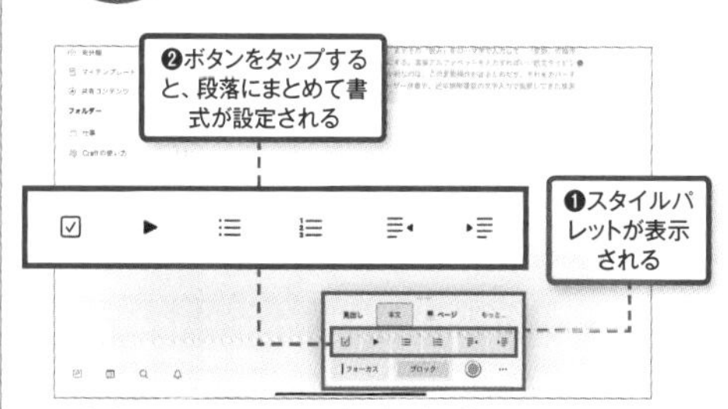

スタイルパレットには、見出しなどの「スタイル」、チェックボックスや個条書き、インデント、文字色などを設定するためのボタンがまとめられている。いずれかのボタンをタップして、段落に書式を設定する。

こんな用途に便利！

デザイン、ビジュアル性に優れたノートを作成したい
ペンの種類やカラーのカスタマイズ性が高く、色の調整がしやすい

効率的にノートを作成したい
テンプレート数が豊富で、ビジネスや学習など用途に合わせた用紙設定ができる

録音機能があると嬉しい
録音機能もあり、録音したファイルは、ノート内の自由な場所にファイルとして配置できる

キメ細かくキレイな手書きノートを作成できる「Noteshelf」

さまざまな部分をカスタマイズできる人気のノートアプリ!

Noteshelfは、GoodNotes 5と並んで人気の高いノートアプリ。洗練されたインターフェースで多機能ながらも、非常に使いやすいのが特徴で、フォルダ管理ができない点以外は、GoodNotes 5とほとんど変わらない。

Noteshelfが優れているのはペンの種類が豊富なことだ。万年筆、ボールペン、鉛筆、シャープペンと、2種類の蛍光ペンを備え、各ペンの太さは最大9段階に調節できる。カラーを自由にカスタマイズできる点はGoodNotes 5と同様だが、Noteshelfでは独自の「パレット」という機能があり、美しい発色のカラーが事前に用意されている。さらに、作成したカラーとペンの組み合わせはお気に入りに登録し、「お気に入りツールバー」を表示させることで、素早くペンを切り替えることができる。

また、インターフェースのカラーをカスタマイズできる点も特徴的で、標準でのホワイトのほか、目に優しいダークモードやアクア、ブラウン、グリーンなどさまざまなカラーが用意されている。

カラフルでビジュアル的に美しいノートを作成したい方には、カスタマイズ性の高いNoteshelfがおすすめだ。

作者／Fluid Touch Pte. Ltd.
価格／1,600円
カテゴリ／仕事効率

Noteshelf

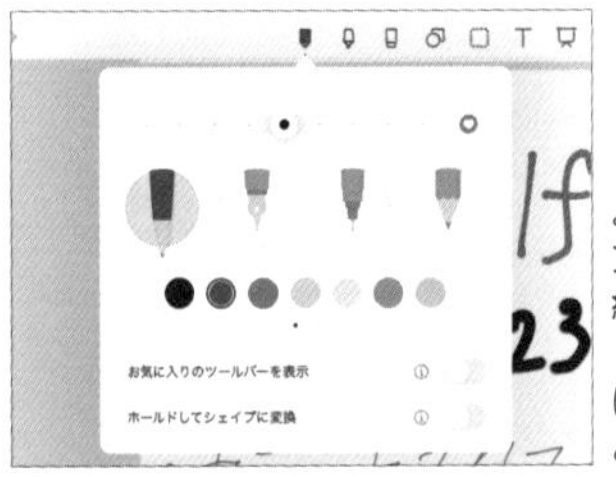

よく利用するペンとカラーの組み合わせは「お気に入り」に保存することができる。

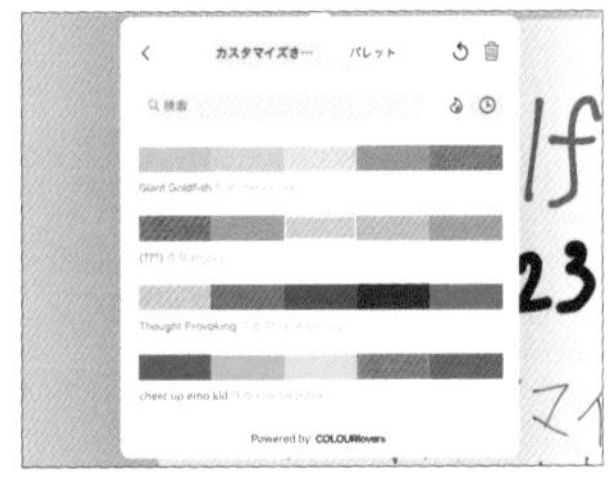

カラーカスタマイズ画面で「パレット」タブを開くと、美しい発色のカラー設定があらかじめ用意されている。

NoteshelfとGoodNotes 5の比較表

	Noteshlef	GoodNotes 5
インターフェース・使いやすさ	★★★★	★★★★★
ペンの種類や機能	★★★★★	★★★
消しゴム	★★★★★	★★★
テンプレートの豊富さ	★★★★★	★★★★
ノート管理機能	★★★	★★★★★
投げ縄ツール	★★★★	★★★★
図形作成	★★★★	★★★★
	30点	28点

インターフェースの使いやすさやノートの管理機能は劣るものの、そのほかの機能はNoteshelfが優れており、総合評価ではNoteshelfが上回る（著者による採点）。

Noteshelfのペンやインターフェースをカスタマイズしよう

1 ペンを選択する

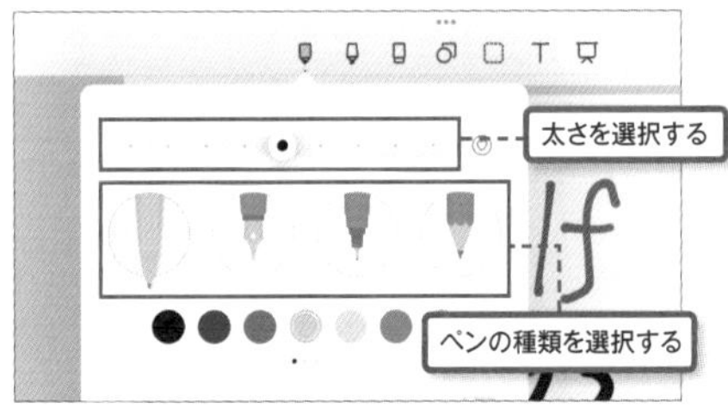

ボールペン、万年筆、鉛筆、シャープペンなど4種類のペンと2種類の蛍光ペンが用意されている。ペンは太さを段階的に調整できる。

2 カラーをカスタマイズする

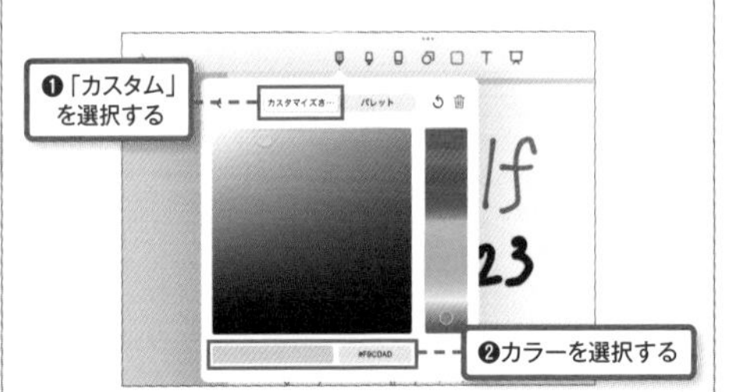

ペン設定画面でカラーをタップするとカラーカスタマイズ画面が表示される。「カスタム」からカラーコードを自分で指定して追加することができる。

3 「パレット」からカラーを選択する

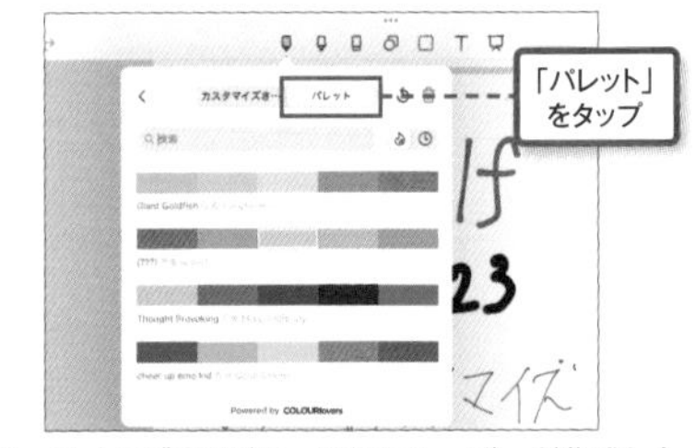

「パレット」タブを開くと、ほかのユーザーが作成したきれいな発色のカラーを利用できる。Noteshelf独自の機能だ。

優れたテンプレートが豊富に揃っているのもNoteshelfの特徴

Noteshelfの魅力は、豊富なテンプレートの種類にもある。ベーシックな無地や罫線入りの用紙に加え、レターサイズや標準A4など40種類以上の用紙が無料で提供されている。また、ビジネス向けや学生向けなどユーザーの性質に合わせて分類されており、効率化を図るためのテンプレートもある。表紙のテンプレートも非常にデザイン性が高く、多数の豊富な選択肢がある。

さらに、テンプレート画面右上にあるショップアイコンをタップすることで、無料でさらに多彩なテンプレートをダウンロードできる。また、オリジナルのテンプレートを自分で追加することも可能だ。Noteshelfは、メモした内容をきれいに整理するために最適なノートアプリだ。

1 新しいノート追加ボタンをタップすると、表紙と用紙の設定画面が表示される。設定する項目をタップしよう。

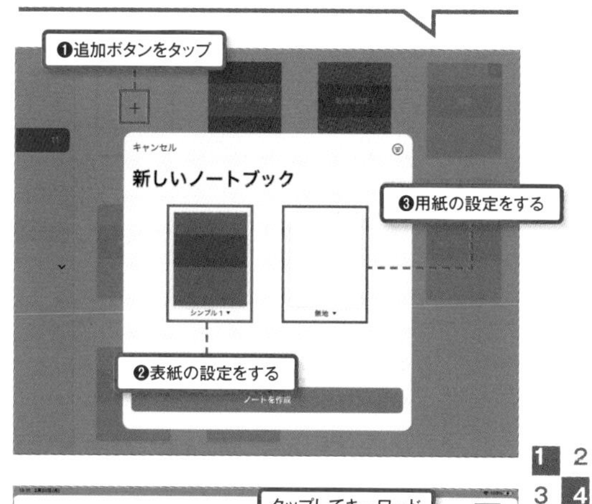

2 テンプレート画面が表示される。さまざまなテンプレートが表示される。タップすると適用される。ほかのテンプレートを探したい場合は右上のショップアイコンをタップ。

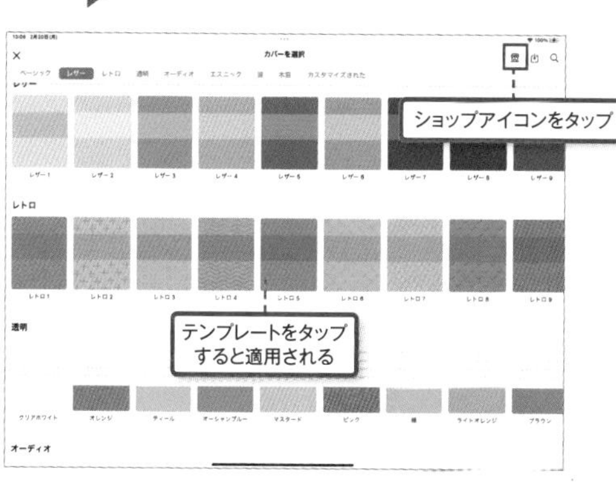

3 さらに、多くのテンプレートが表示される。タップするとiPadにダウンロードされる。右上の検索ボタンからキーワードでテンプレートを探すこともできる。

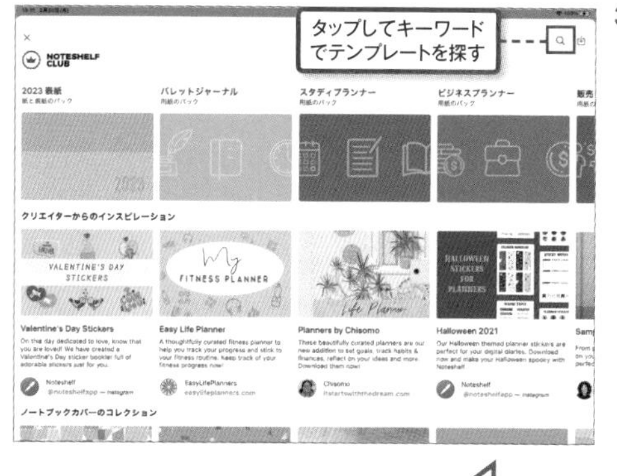

4 用紙のテンプレート設定画面では、左上のメニューを開くと、利用している端末に合わせた用紙を選ぶこともできる。用紙のカラーも変更できる。

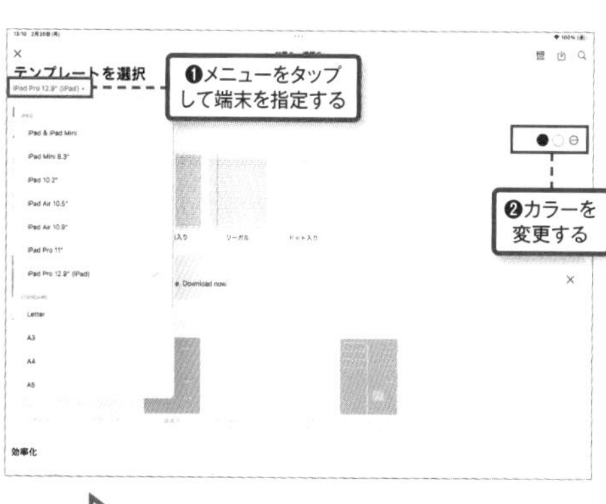

ここがポイント
録音機能も搭載されていて便利!

Noteshelfは録音機能を搭載しており、周囲の音声を録音しながらノートを作成できる。GoodNotes 5と異なる点は、録音した内容を添付ファイルとしてノート上の好きな場所に貼り付けできることだ。録音後、ノート上に追加された赤いボタンをドラッグして自由に配置することができる。また、ツールバーの追加画面の「オーディオ」から過去に録音したファイルを一覧表示できる。

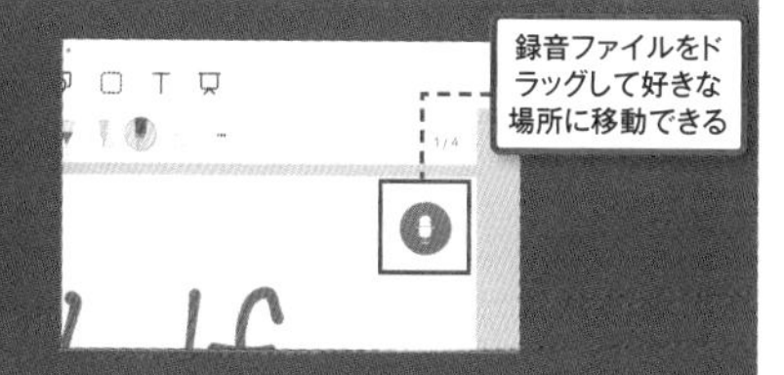

4 いつも使うペンはお気に入りに登録する

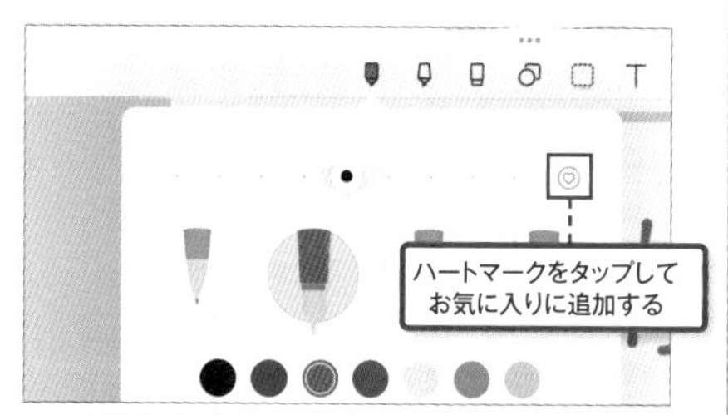

いつも使うペンとカラーの組み合わせはお気に入りに追加しよう。ペンとカラーの設定後、右上のハートマークをタップしよう。

5 お気に入りのツールバーを表示する

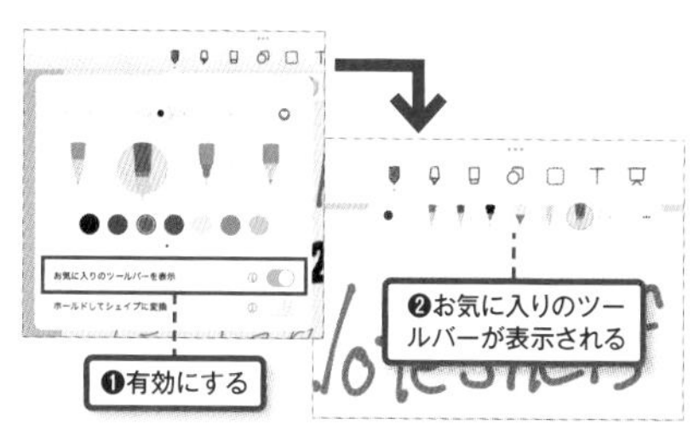

「お気に入りのツールバーを表示」を有効にすることで、お気に入りツールバーが表示され、お気に入りに登録したペンとカラーの組み合わせが表示される。

6 インターフェースのカラーを変更する

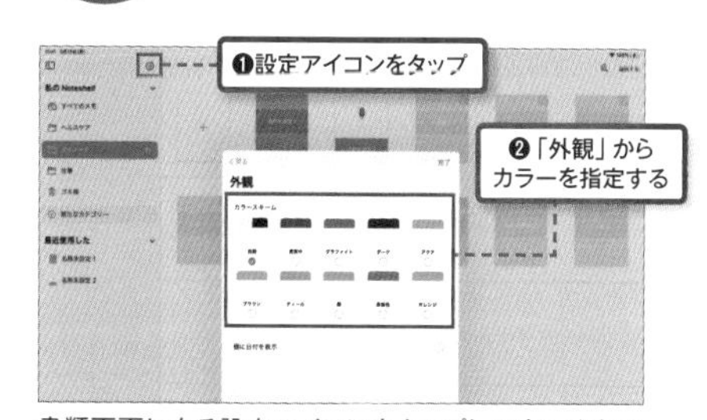

書類画面にある設定アイコンをタップして表示されるメニューから「外観」をタップするとNoteshelfのインターフェースのカラーを変更できる。

こんな用途に便利！

効率よく情報を整理したい
付箋やテキストボックスなどは好きな位置に移動可能!

2つのメモを同時にチェックしたい
「マルチメモ」機能で2画面分割可能。メモ内容を見比べることができる

議事録をスムーズに作成する
録音しながらメモができて効率的

録音だけじゃない! 独特の便利機能を誇る手書きノート「Notability」

手書きだけの性能でも注目すべきノートアプリ

便利な手書きノートアプリは？　と聞かれると、「Notability」は欠かせない。GoodNotesが優れているのは確かだが、こちらも比較検討した方が良いソリューションだ。

Notabilityといえば、やはり音声録音機能が注目される。音声とメモを同時に取れるため、議事録を録音しながらメモするなど、ビジネスシーンを中心として広く活用されてきた。

この録音機能が優れているのは間違いないが、ここではあえて純粋に手書きノートとしての使い勝手はどうなのか？　にフォーカスを当ててみよう。

結論からいえば、このアプリは手書きノートとしても優秀だ。テンプレートが豊富で、写真やWebページのクリップ、付箋なども貼り付けることができる。iCloudなどオンラインストレージへの同期（バックアップ）にも対応するなど、一般的にノートアプリで必要とされている機能は一通り整っている。

独自機能としては、縦スクロールで続くページの視認性の高さ、ほかのメモと素早く切り替えられるスイッチャー、同時表示できるマルチメモなど。ほかのアプリにはない優位性が光る。

作者／Ginger Labs
価格／無料（※App内課金あり）

Notability

※サブスクリプションは、月額350円、年額1480円となる。

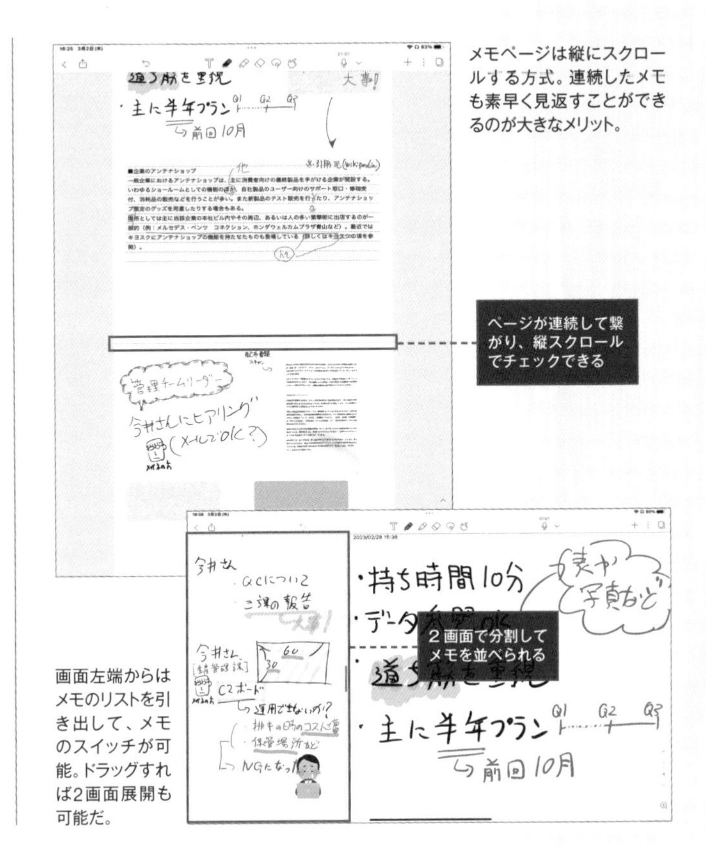

メモページは縦にスクロールする方式。連続したメモも素早く見返すことができるのが大きなメリット。

画面左端からはメモのリストを引き出して、メモのスイッチが可能。ドラッグすれば2画面展開も可能だ。

手書きのマスト機能とスイッチャー機能

1 お気に入りペンの登録

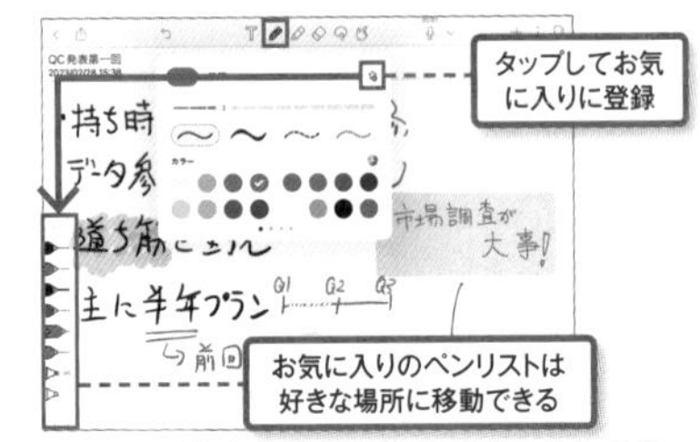

ペンツールでは「お気に入り」ボタンからお気に入りのペンリストに追加可能。素早く切り替えることができる。

2 描画の選択と移動

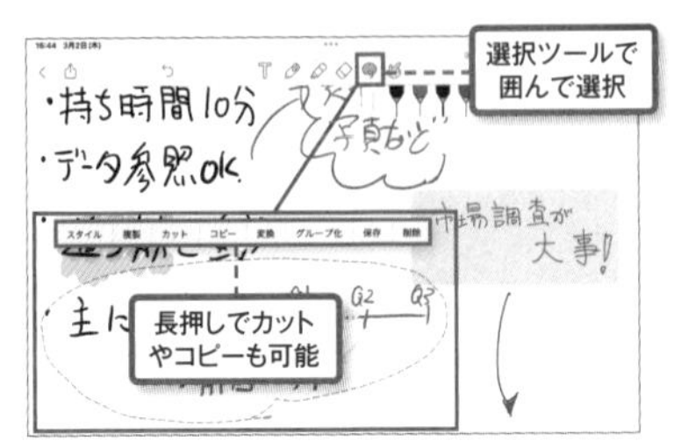

描画したオブジェクトは、選択ツールで囲むことで選択、ドラッグで移動可能。長押ししてコピーやカットも可能だ。

3 書いた文字のスタイルを変更

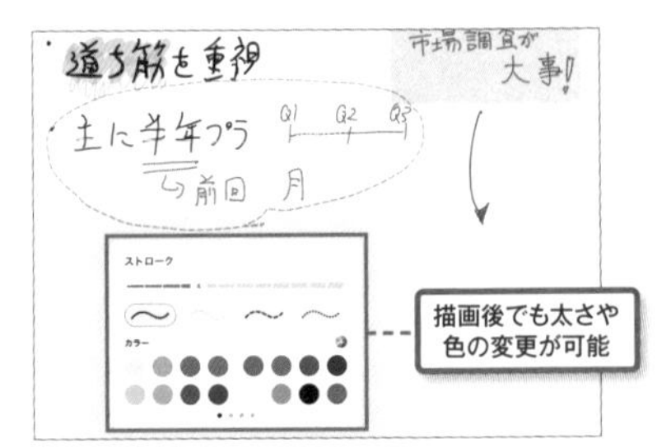

手順2で「スタイル」を選ぶことで、描画後の手書きの太さや色の変更ができる。

Notabilityで注目すべきは情報整理機能!

Notabilityを使いこなすにあたり、押さえておきたい機能がテキスト入力と付箋の使い方。

テキストボックスはキーボードでの入力に加えて、iPadOSのスクリブル機能にも対応している。日本語認識能力も高いので、キレイに清書したい場合に利用していこう。

そして注目したいのは、情報整理の効率の良さだ。追加したテキストボックスは、付箋のように背景を変更できる。手書きとも共存するため、注釈を加えた状態でノートの好きな位置に移動も可能だ。

ほかにも「付箋」を貼って手書きでメモしたり、Webページのスクラップなど、情報の整理整頓に有利な機能が備わっている。手書きのメモとしてだけでなく、アイデアノートや勉強のためのツールとしても役立つので、ぜひ一度触れてみよう。

手書き入力をテキスト入力に変換するiPadOSの機能「スクリブル」にも対応。さっと書いた文字でもかなり正確に認識してくれる。

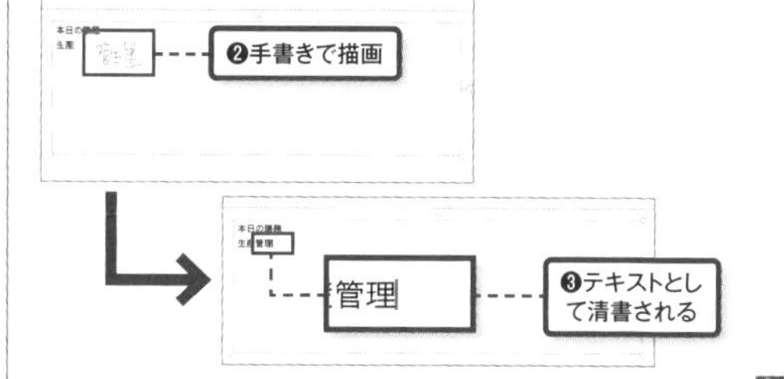

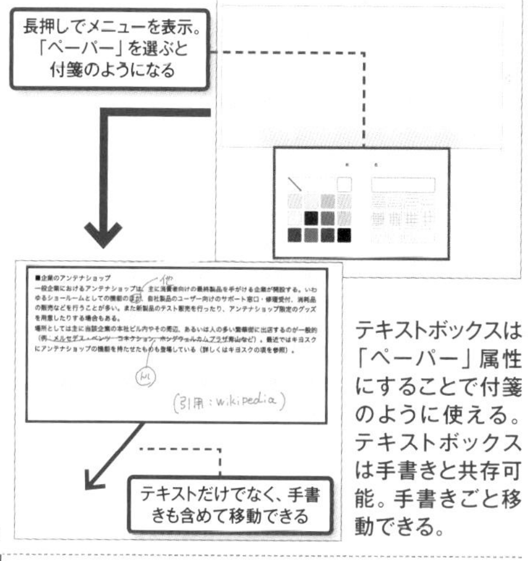

テキストボックスは「ペーパー」属性にすることで付箋のように使える。テキストボックスは手書きと共存可能。手書きごと移動できる。

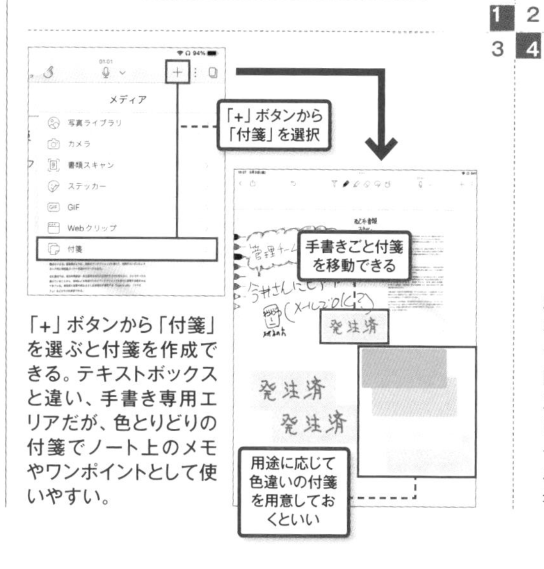

「+」ボタンから「付箋」を選ぶと付箋を作成できる。テキストボックスと違い、手書き専用エリアだが、色とりどりの付箋でノート上のメモやワンポイントとして使いやすい。

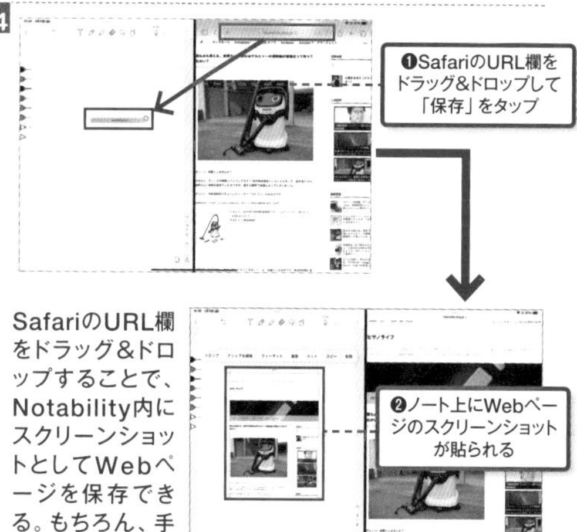

SafariのURL欄をドラッグ&ドロップすることで、Notability内にスクリーンショットとしてWebページを保存できる。もちろん、手書きも可能だ。

ここがポイント

手書きメモでもキーワードで検索できる

あまり知られていないが、NotabilityはOCR機能も強力。手書き文字でもキーワード検索が行える。検索はページリストに表示される検索欄に入力。該当するページがピックアップされ、文字にはハイライトが加えられる。議事録のメモや講義の板書を見返すなど、仕事や学習で活躍する機能だ。

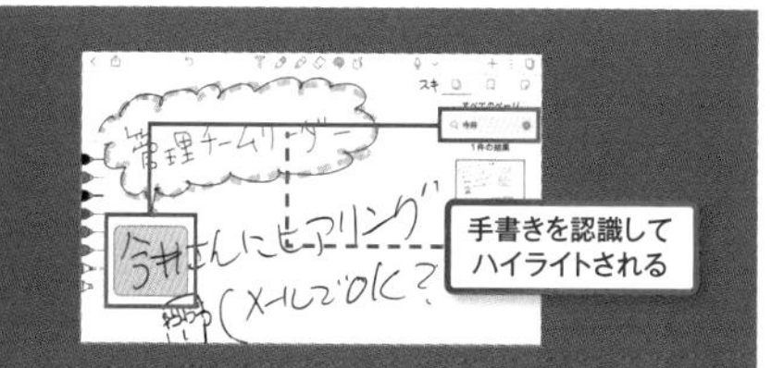

4 カメラから書類をメモに取り込む

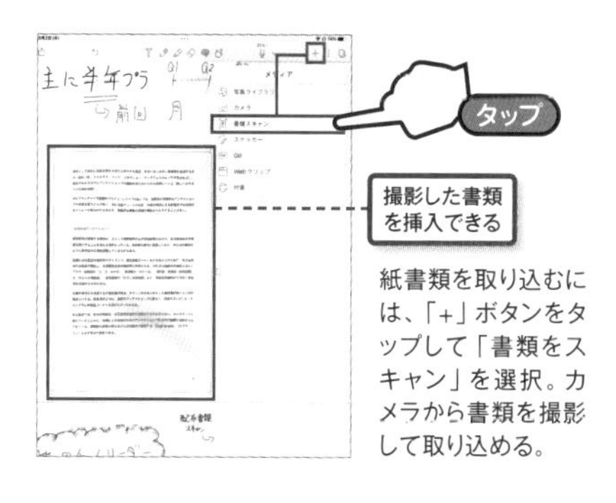

紙書類を取り込むには、「+」ボタンをタップして「書類をスキャン」を選択。カメラから書類を撮影して取り込める。

5 メモスイッチャーを表示

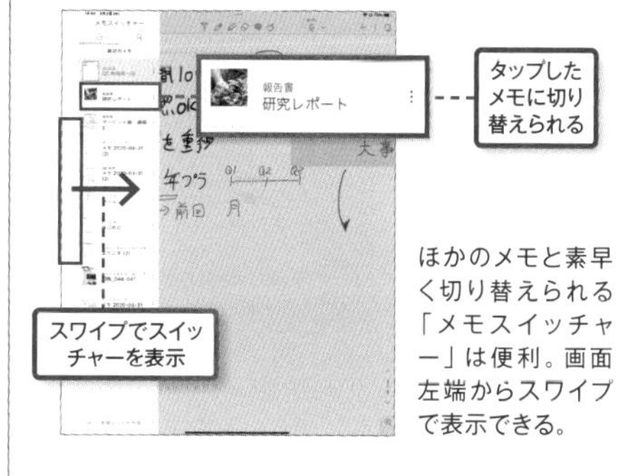

ほかのメモと素早く切り替えられる「メモスイッチャー」は便利。画面左端からスワイプで表示できる。

6 2画面に分割してメモを見比べる

メモスイッチャーのサムネイルから、メモを画面にドラッグすると、2画面分割でメモを見比べることができる。

こんな用途に便利！

iPadで写真の修正や色調補正ができる
指やApple Pencilで不要な部分を消去できる

AI機能による修復機能が完璧!
周囲の色調に合わせて自動的に修復するため、どこが修正されたかわからないほどだ

AI機能による色調の自動修正が便利
「ML（機械学習）」ボタンをタップするだけで、写真全体を解析して適したカラーに自動的に変更してくれる

写真をカンタンに修正できる機能が満載の「Pixelmator Photo」を使う

AI機能を使って写真を簡単に自然な形で修正する

「Pixelmator Photo」は、iPadを使って写真の修正や色調補正をするのに便利なアプリだ。たとえば、写真の不要な部分を削除したい場合は、Apple Pencilや指でなぞるだけで周囲の色調に合わせて自動的に消去してくれる。これにより、写真をSNSに投稿する際に、企業のロゴや人の顔などを消すことができる。

また、画面全体の色調を修正する方法も簡単だ。一般的なアプリだと、露出量、明度、コントラストなど各項目の数値を自分で指定しなければならないが、Pixelmator Photoでは、搭載されたAI機能を使用してタップ1つで写真を修正することができる。メニューにある「ML（機械学習）」ボタンをタップするだけで、写真全体を解析して適したカラーに自動的に変更してくれる。

さらに、アプリには標準で多数のフィルターが用意されている。フィルタ選択画面では、適用後の写真をサムネイルで一覧表示してくれるため、目的のフィルタを見つけることが簡単。フィルタを適用した後に微調整したい場合は、右側にある各項目をカスタマイズすることができる。

作者／Pixelmator Team
価格／無料（※App内課金あり）
カテゴリ／写真／ビデオ

Pixelmator Photo

サブスクリプションは、月額580円、年額3200円となる。

Pixelmator Photoのインターフェースを把握しよう

Pixelmator Photoは高機能ながらメニューは少なくわかりやすいインターフェース。主要機能は右上にそろっている。

Pixelmator Photoで写真をあっという間に修正しよう

1 手動で指定した部分のみ修正する

写真から不要な部分を消去したい場合は、修復ボタンをタップして、消去したい部分をなぞろう。

2 修復を確認したら外部に書き出す

すると違和感なく対象を消去してくれる。修正した写真を外部に保存する場合は、メニューボタンをタップして「共有」か「書き出す」を選択しよう。

3 細かな色彩調節を行う

露光量、ハイライト、コントラストなど細かな色彩調節を行うには、右上の調節ボタンをタップすると、さまざまな項目が表示されるのでシークバーを動かして調節しよう。

レイヤーを使って細かなレタッチを行うには?

細かなレタッチをする場合は、レイヤー機能搭載のグラフィックアプリ「Pixelmator」を使おう。Pixelmatorは、大手グラフィックアプリと同様に、レイヤー機能を使用して複雑なグラフィック制作やレタッチを行うことができる。レイヤーを利用するには、まず利用する写真を追加メニューから登録していこう。写真を追加するごとにレイヤーが作成される。iPad画面の左端をタップすると登録した写真がレイヤー形式で一覧表示される。あとはレタッチに利用するレイヤーにカラーを付けたり、透明度を変更したり、特殊効果をかけてほかのレイヤーを重ねればよい。

作者/Pixelmator Team
価格/1,500円
カテゴリ/写真/ビデオ

Pixelmator

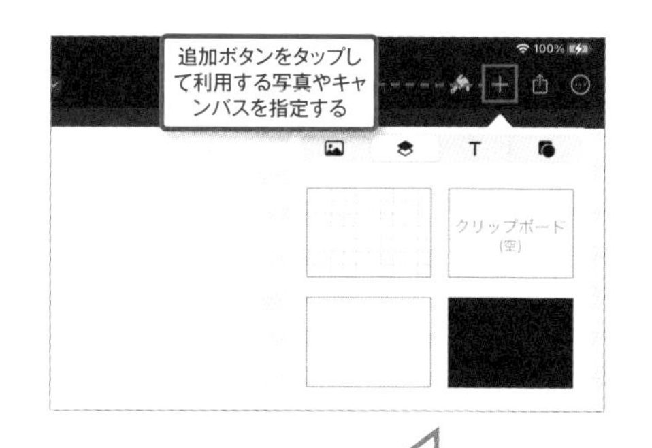

1 写真を開いたら、ほかに利用する写真や空のレイヤー追加していこう。上部メニューの追加ボタンからレイヤーを追加できる。

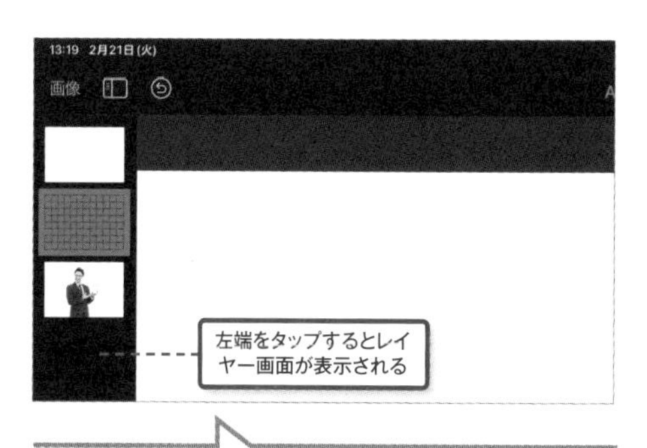

2 写真やキャンバスを追加したら、画面左端をタップ。するとレイヤー画面が表示される。レタッチに利用するレイヤーを選択する。

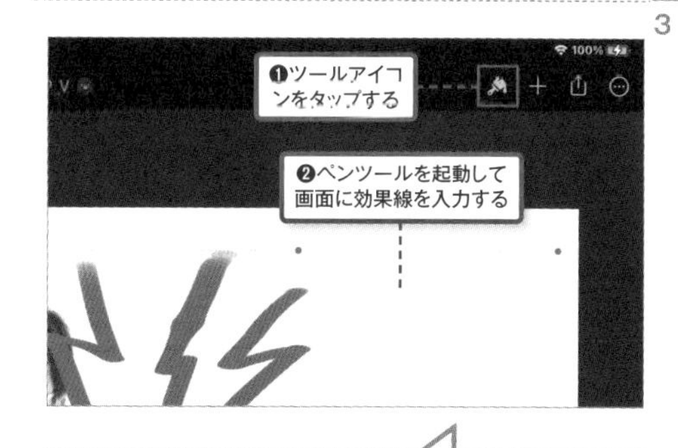

3 空白のキャンバスに特殊効果を入れてみよう。まずは、右上のツールアイコンから「ペイントと消去」をタップしてペンで画面に効果線を入れていこう。

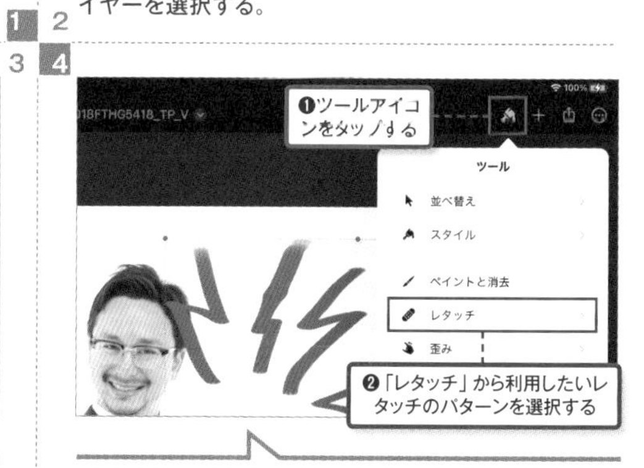

4 効果線を入力したら、効果線のレイヤーを選択にした状態で再びツールアイコンをタップする。「レタッチ」から利用したいレタッチパターンを選択しよう。

5 エフェクトが作成できたら、左側にあるレイヤーをドラッグして結合して1つにしよう。

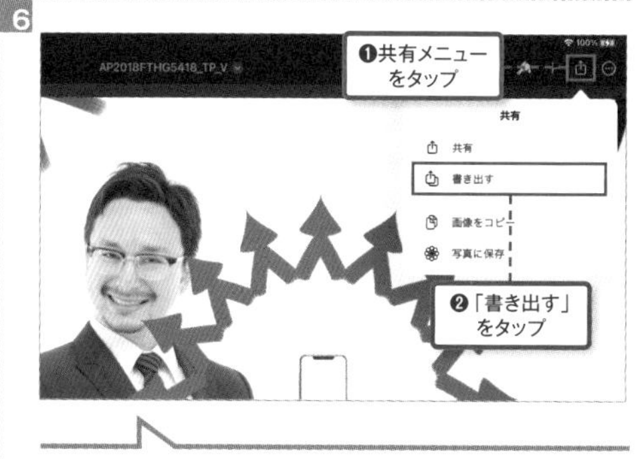

6 作成したファイルを保存する際は、右上の共有メニューをタップして「書き出す」をタップしよう。

4 フィルタを使って色調を調節する

画面下には多数のフィルタが用意されており、フィルタ適用後の写真がサムネイル表示される。目的のフィルタを探しやすいのが特徴だ。

5 写真全体をAIで自動修正する

登録した写真の修正を完全にAIに任せたい場合は、右上の写真全体の自動修正ボタンをタップしよう。

6 修正前と修正後の色調を比較する

修正後と修正前の色調を比較したい場合は、左上の修正比較ボタンをタップ。中央に白い縦筋が表示されたら左右にドラッグすると、修正前と修正後の色調を同時に表示してくれる。

こんな用途に便利！

デザイン性の高いグラフィックを作成したい
テンプレートを選択するだけで簡単に作成できる

ビジネスシーンで使えるグラフィックを作成したい
名刺、チラシ、ロゴ、SNS投稿画像など多彩なサイズと素材が用意されている

高度なグラフィック処理がしたい
アニメーション機能やエフェクトなど高度な装飾メニューも搭載している

美しいグラフィックを簡単に作成できる「Canva」

初心者でも高度なデザインが簡単に作成できる

SNSのプロフィール写真やプレゼン資料、自社サイトのバナーなどを作る上で重要となるのがデザイン性。新規の取引先と仕事をする上で、内容もさることながら見た目の印象は非常に影響力を持つ。そのため、プロのデザイナーにグラフィック作成を依頼する人は多いだろう。しかし、「Canva」を使えば、無料で簡単にプロ並みのグラフィックを作成することが可能だ。

Canvaはデザイン性の高いグラフィックを素人でも簡単に作成できるアプリ。作成できるグラフィックは、名刺、チラシ、ロゴ、SNS投稿画像、ポスター、カードなどビジネスと関わりのありそうなものであればほとんどカバーしている。

何百種類という膨大なテンプレートやフォントが用意されており、そこから好きなものを選択し、必要な情報を入力するだけで作成できる。手持ちの画像を挿入することもできるので、自身のプロフィール写真や会社のロゴなどを組み合わせることも可能だ。

有料プランを選択すれば利用できるテンプレートやフォントは増えるが、無料でも相当な数を利用できる。必要に応じて有料プランに変更すればよいだろう。

作者／Canva
価格／無料
有料プランは月/1,500円

Canva

Canvaのインターフェース

オプションバー
作成したグラフィックを保存したり、共有したり、SNSに投稿できる。「戻る」「進む」の操作やホーム画面に戻ることもできる。

素材バー
テンプレート、素材、テキスト、写真など利用する素材のカテゴリが表示される。

素材の詳細
素材バーから選択した素材の内容が表示される。好きな素材をタップすると右隣りのキャンバスに配置される。

素材編集ツールバー
キャンバスで現在選択中の素材に関する編集ツールが表示される。素材によって表示内容は変化する。

キャンバス
ここに配置された素材はドラッグして位置やサイズを自由に変更できる。

Canvaの基本的な使い方をマスターしよう

1 起動とデザインの作成

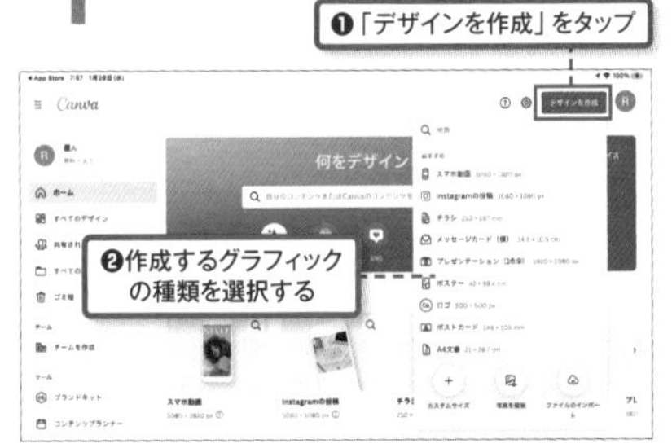

Canvaを起動するとこのような画面が表示される。右上の「デザインを作成」をタップし、作成するグラフィックの種類を選択しよう。無料版はあとからのサイズ変更はできないので、事前にきちんと決めておこう。

2 テンプレートを選択しよう

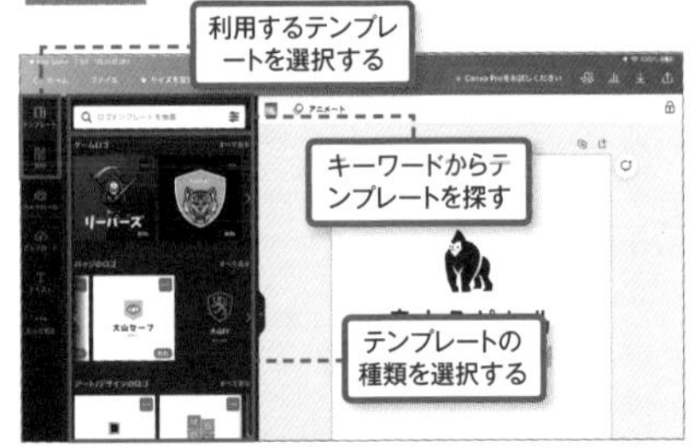

編集画面では画面の左から利用するテンプレートを選択しよう。素材が多すぎて悩む場合は、検索フォームでキーワードを入力すれば絞り込める。

3 テキストを追加、編集する

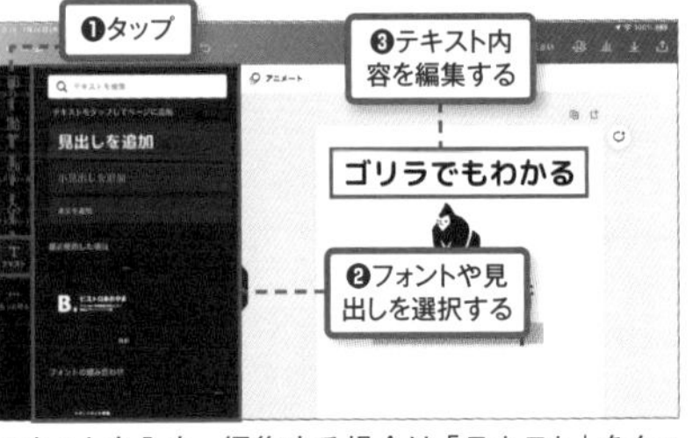

テキストを入力、編集する場合は「テキスト」をタップ。利用するフォントや見出しを選択するとキャンバスに追加される。タップしてテキスト内容を編集しよう。

仕上がりが レベルアップする 4つのテクニック

Canvaの基本的な使い方を理解したら、さらに美麗なグラフィックにするためのテクニックを身につけよう。キャンバスの上にある編集ツールバーを使いこなすのが鍵となる。ここでは、入力したテキストのフォントの種類、カラー、サイズをカスタマイズできる。また、ツールバー右端にある「…」をタップするとさらに編集メニューが表示され、シャドウや中抜き（縁だけの文字）などテキスト周囲の装飾効果を加えることができる。

テキストだけでなく、追加した素材や写真に対しても編集できる。おすすめは「アニメアート」で、有効にするとページ全体、またはテキストに対してインパクトの高いアニメーション効果を付与することができる。用意されたテンプレートだけで満足できない人は、編集ツールバーを使いこなそう。

テキスト入力時にフォントが気に入らない場合は、上部の編集ツールバーからフォントを変更しよう。カラーやサイズもカスタマイズできる。

テキストにシャドウや中抜きなどの装飾をかけるには、上部の編集ツールバーから「…」をタップして「エフェクト」を選択しよう。テキストを装飾できる。

1 2
3 4

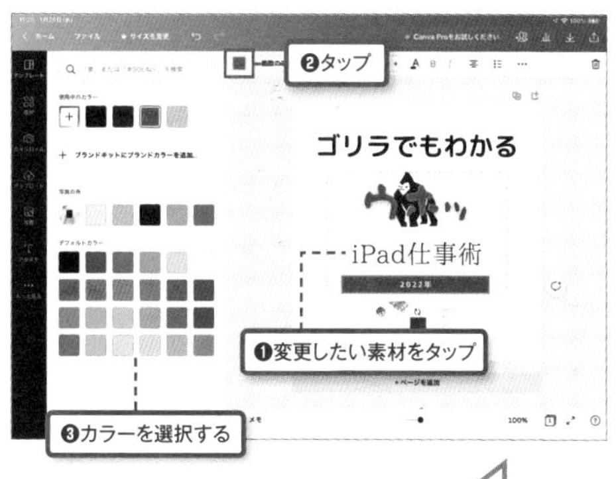

矢印や四角など素材の色を変更するには、素材を選択してツールバー左端にあるパレットをタップ。カラーパレットが表示されるので変更したいカラーを選択しよう。

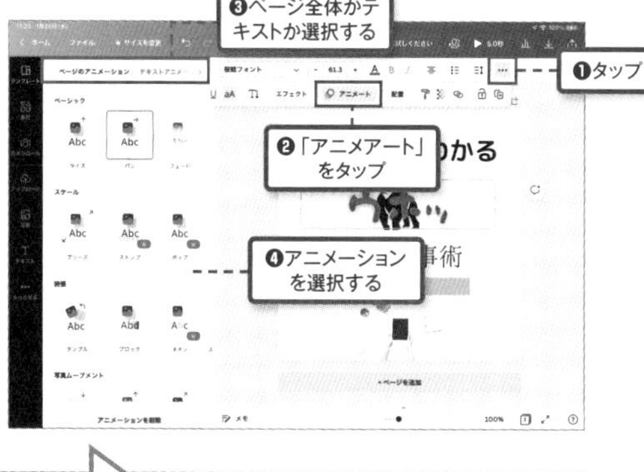

アニメーションをつければインパクトは大きい。ツールバーの「…」をタップして「アニメアート」を選択する。ページ全体にアニメーションをかけるか特定のテキストにアニメーションをかけるか選択できる。

ここがポイント

テキストは グループ化すると便利！

タイトルと本文など、異なるフォントやサイズで構成されるテキストを作るならグループ化されたテンプレートを利用しよう。グループ化されたテキストならレイアウトがずれることなくまとめて移動したり、回転できる。サイズを拡大縮小するときも異なるテキスト間で比率がずれてしまうこともない。グループ化されたテキストは、解除して個々に編集することもできる。

グループの解除は「…」の「グループ解除」を選択しよう。

4 画像を追加する

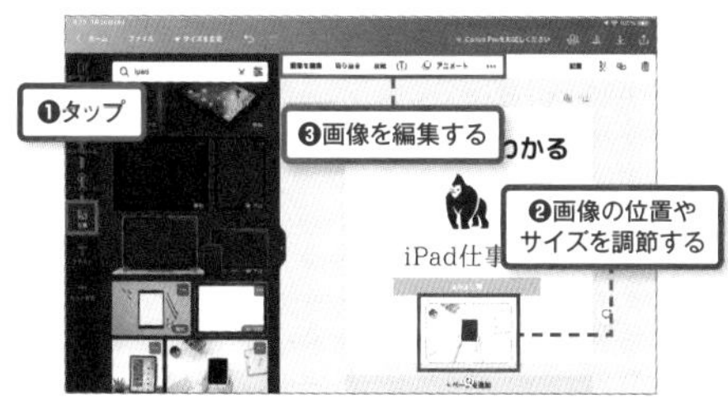

画像を追加する場合は、「もっと見る」の「写真」をタップして好きなものを選択しよう。取り込んだ写真は好きな位置に動かしたり、上部メニューから編集することができる。

5 素材の階層を調整する

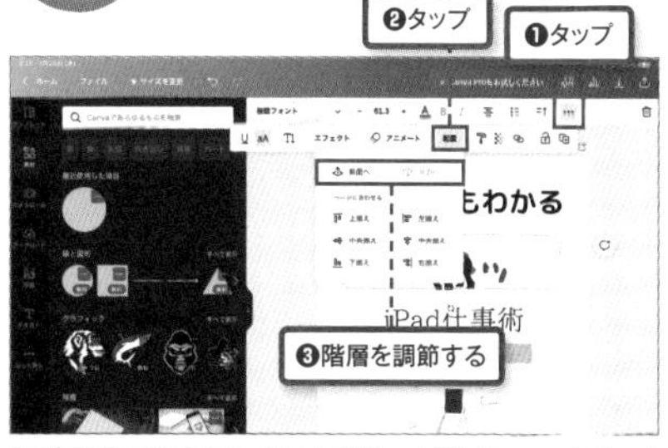

素材の階層を変更したいときは、上部メニューの「…」をタップして「配置」を選択。「前面へ」「背面へ」で重なりあった素材の階層を変更できる。

6 作成したグラフィックを書き出しする

作成したグラフィックをiPadに保存するには、右上の保存ボタンをタップして「保存」をタップ。「写真」アプリ内に作成したグラフィックが保存される。

こんな用途に便利！

これから動画編集を始めてみたい!
シンプルな操作とインターフェースで、簡単に動画を編集できる!

「映える」動画を作りたい
豊富なフィルターや特殊効果によって見栄えの良い動画が作成可能

慣れてきたら本格的な編集も試してみたい
サブスクプランで上級者向け機能も利用可能。ビギナーからステップアップできる

超手軽にPOPな動画編集ができる「VLLO」

この無料ツールの使い勝手の良さは見逃してはいけない

今や動画編集を求める声は、プロクリエイターだけではない。YouTubeにSNSに、さまざまなプラットフォームで動画を使ったコミュニケーションがメインとなっている昨今では、手軽で簡単で見栄えの良い動画編集ツールが求められている。

その声に応えられるアプリが、直感的に動画編集を楽しめるVLLO（ブロ）。動画編集のビギナーでもわかりやすいインターフェースと機能を備えており、無料版でも、動画の分割、字幕の追加、BGMやトランジション（切り替え効果）の挿入など、簡単にビデオ編集を楽しめる。同じくiPadで無料で利用できる動画編集アプリとしては、「iMovie」があるが、そちらよりも、「見栄えの良い動画」を作りやすいのが魅力となっている。

課金が必要だが、本格的で凝った動画を作りたいユーザに向けて、プロクリエイター向けの高度な機能も用意されているのもポイントだ。初めての動画編集アプリとしても、iPadを活用した本格的な動画編集ツールとしても、2Wayで活用することができる。まずは無料で使えるビギナー向け機能、基本的な動画編集の方法をマスターしていこう。

作者／vimosoft
価格／無料（※App内課金あり）

VLLO

無料版でも利用可能だが、サブスクリプションは、月額500円、年額1500円となっている。

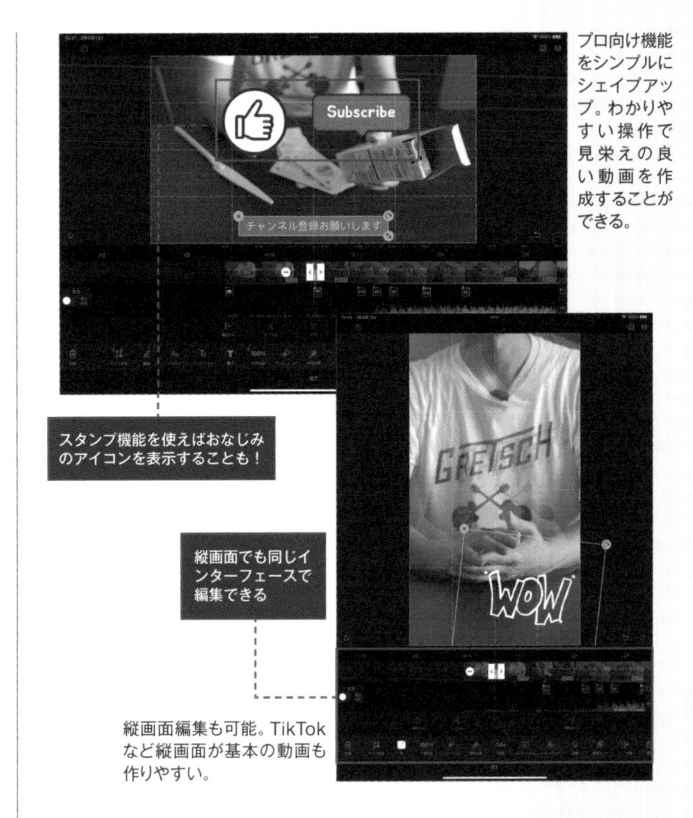

プロ向け機能をシンプルにシェイプアップ。わかりやすい操作で見栄えの良い動画を作成することができる。

スタンプ機能を使えばおなじみのアイコンを表示することも！

縦画面でも同じインターフェースで編集できる

縦画面編集も可能。TikTokなど縦画面が基本の動画も作りやすい。

VLLOを使った簡単動画編集

1 プロジェクトを作成する

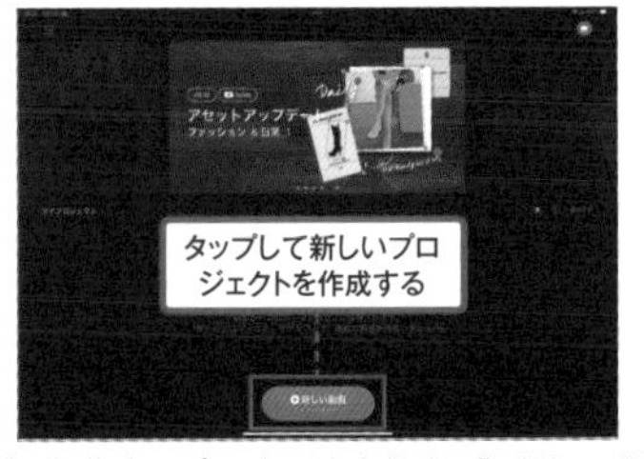

まずは編集するプロジェクトを作成。「+新しい動画」からプロジェクトを新規作成する。

2 動画素材を読み込む

編集する動画素材（動画・写真・GIFなど）をタップで選択していく。選択できたら「→」をタップする。

3 プロジェクト名と比率を設定

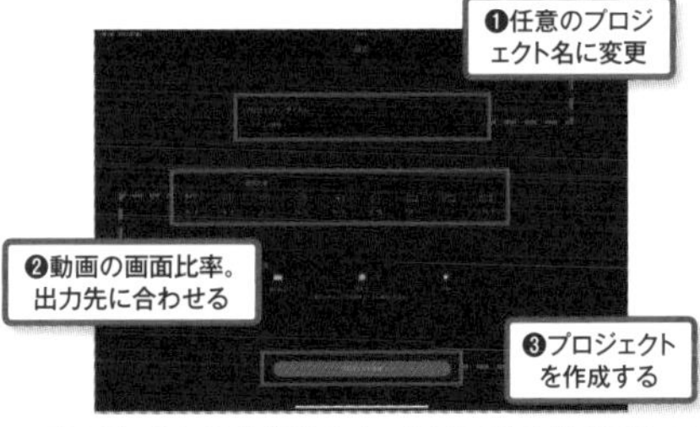

プロジェクトの名前を入力。画面の比率を指定して「プロジェクト作成」をタップしよう。

マスターしたい VLLOで多用する 4つの映える編集

動画を作る最短ルートは、下の手順で紹介しているが、「映える」映像を作るにはカット編集やBGM以外にも、映像に手を加えていく必要がある。おすすめの編集は、動画への「特殊効果」「ステッカー」「プラットフォームに合った比率」だ。

まず特殊効果だが、無料でも多彩なフィルターが用意されている。タップで選ぶだけで簡単にカラーフィルターを適用できるので、シーンに合ったものを選んでいこう。ステッカーもワンポイントで使えるシンボルや、フォローを促すアニメーションなども無料でOKだ。

動画をどこで公開するか？も意識したい。例えばTikTokで公開するなら縦画面比率へ変更しておこう。iPadを縦持ちすれば、縦インターフェースへと切り替わるので自分の見やすい画面で編集することができる。

1 特殊効果を加える

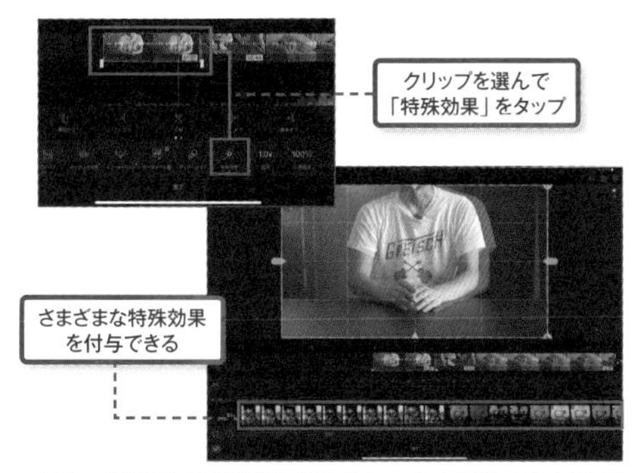

クリップを選んで「特殊効果」をタップ。付与したい特殊効果を選ぶだけで、動画のカラー調整やエフェクトを加えることができる。

2 ステッカーでワンポイント

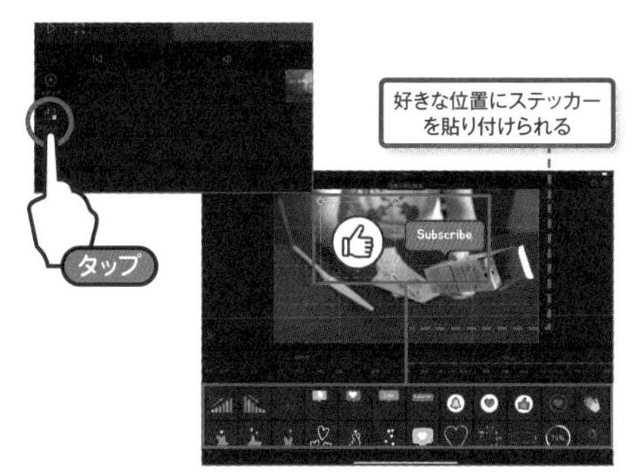

動画にワンポイントを加えられるのが「ステッカー」。シンボルやアニメーションステッカーが大量に用意されており、動画をにぎやかにできる。

3 TikTok向け 縦動画&縦編集に変更

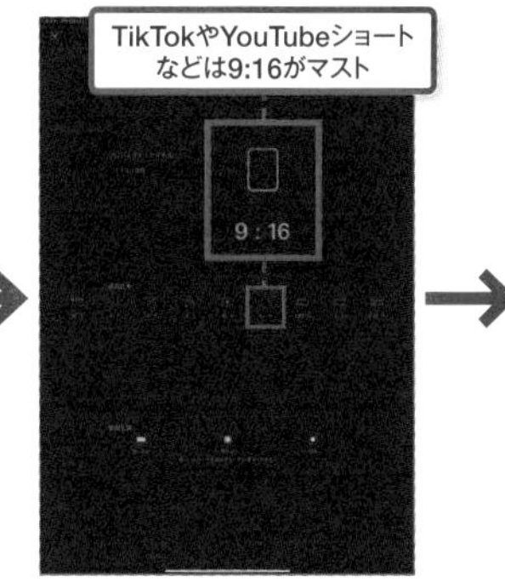

プラットフォームに合った比率への変更も大事。プロジェクトは作成後でも比率を変えられるので、掲出先に合わせて比率を変更していこう。

ここがポイント

動画を重ねたり一部エフェクトは有料機能

複数の動画を重ねるような編集や、一部の特殊効果、高度な編集機能に関しては、有料のPremium機能。動画に適用はできるものの、書き出しの際にPremium権利の購入を求められる。とはいえ、無料版の機能だけでも十分に編集を楽しめるので、まずは無料の機能を使い倒してみよう。

有料の編集機能は、編集段階では適用できるが書き出しのフェーズでPremium加入が求められてしまう。

4 動画を編集していく

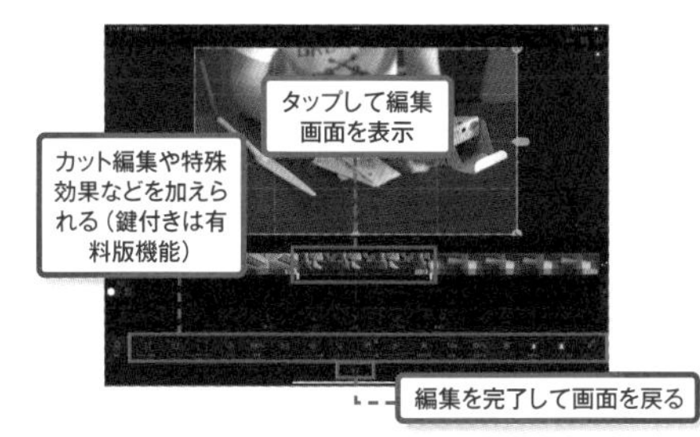

動画がタイムラインに読み込まれたら動画をタップ。カット編集や、効果を加えていく

5 音楽（BGM）を追加する

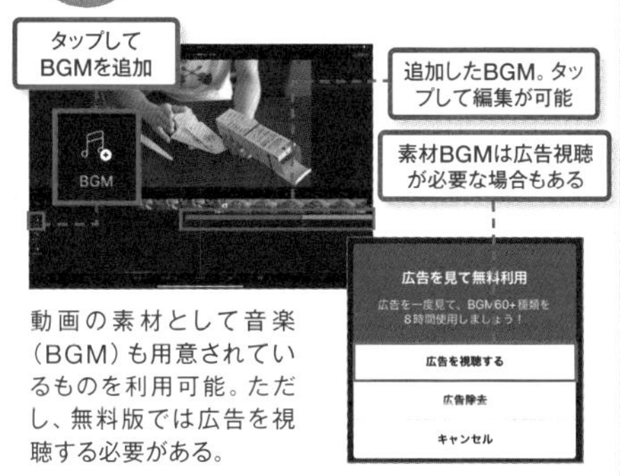

動画の素材として音楽（BGM）も用意されているものを利用可能。ただし、無料版では広告を視聴する必要がある。

6 動画を出力する

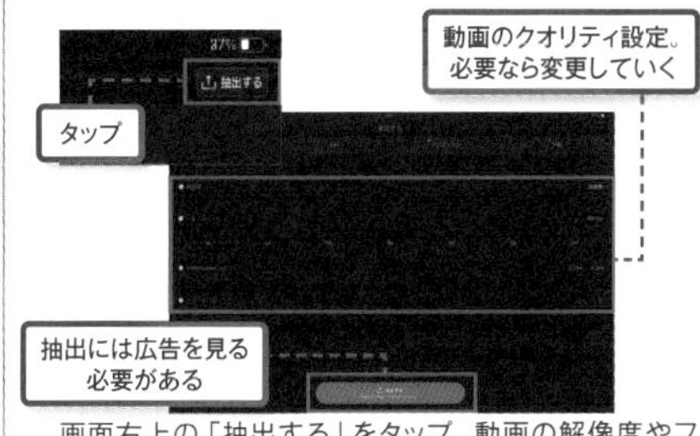

画面右上の「抽出する」をタップ。動画の解像度やフレームレートなどを指定して、「抽出する」をタップしよう。

こんな用途に便利！

顔を隠して自撮り動画を作成したい
ミー文字とClipsで簡単に顔を隠して自撮り作成ができる

顔を隠してビデオ会議をしたい
ミー文字とFaceTimeで顔を隠して会議ができる

人格を改造したい
マスクをすることで人格を改造してポジティブになれる

ミー文字で顔を隠して YouTube動画を撮影しよう

顔出しNGな人は ミー文字でうまく 顔を隠そう

YouTubeで自撮りした動画をアップロードする機会が増えている。しかし、匿名で仕事をしている人やプライバシーを大事にしたい人にとっては、公衆の場に顔を出すことに抵抗がある人が多いだろう。そんなときは、iPadのミー文字機能を使おう。

ミー文字は、iPhoneやiPadのフロントカメラで映し出されたユーザーの表情を読み取り、リアルタイムで自分で作成した似顔絵キャラクターに変換してくれるツールだ。覆面やただの画像と異なり、細かく顔の動きを読み取り、実際の表情に合わせてキャラクターの表情も変えてくれるのが最大の特徴。そのため、コミュニケーションするときに意思疎通がとりやすい。

ミー文字は「メッセージ」アプリから作成することができ、メッセージの送受信に利用するだけでなく、FaceTimeビデオで通話中に利用することができる。なお、ミー文字作成機能はFace IDに対応しているiPad Proしか対応していないが、Face ID対応のiPhoneがあれば作成できる。

また、作成したミー文字は、ほかのApple製アプリと連携できることが多い。たとえば、Face ID対応モデルを使っているiPhoneユーザーなら、メッセージアプリ内のカメラで自撮り動画を作成できる。iPad Proで自撮りしたい場合は、次のページで紹介する「Clips」を使うことで自撮り動画を作成することが可能だ。

Face IDに対応しているiPadのモデル

- iPad Pro 12.9インチ（第4世代）
- iPad Pro 11インチ（第2世代）
- iPad Pro 12.9インチ（第3世代）
- iPad Pro 11インチ

ミー文字の活用手順

メッセージアプリでミー文字を作成
→ ミー文字を使って動画作成 → メッセージアプリ内のカメラ / Clips
→ ミー文字でビデオ会議 → Face Time

作成したミー文字はメッセージアプリのカメラから直接利用できる。対応していないiPadモデルの場合はClipsアプリを利用する。

FaceTimeでミー文字を使ってリアルタイムで顔を隠してビデオ会議することもできる。

メッセージアプリでミー文字を作成してFaceTimeで使ってみよう

1 メッセージアプリでミー文字を作成する

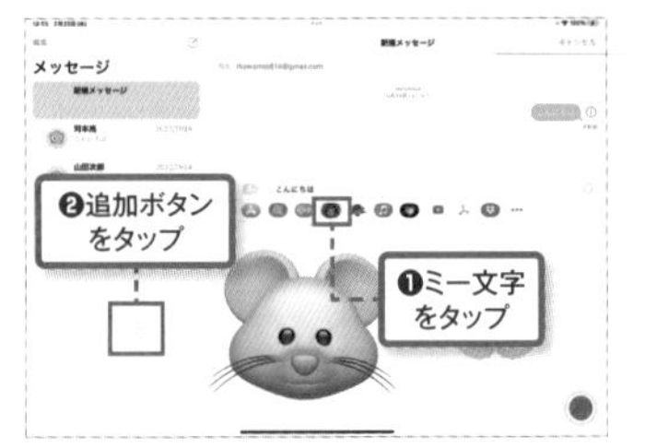

ミー文字を作成するには、メッセージアプリを起動してメニューからミー文字をタップ。左側の新規追加ボタンをタップする。画面はiPadだが、Face ID対応のiPhoneでも手順は同じだ。

2 顔のパーツを選択して「完了」をタップ

ミー文字作成画面が表示される。目、鼻、口などの顔を選択してオリジナルのミー文字を作成しよう。設定したら「完了」をタップする。

3 ミー文字の作成完了

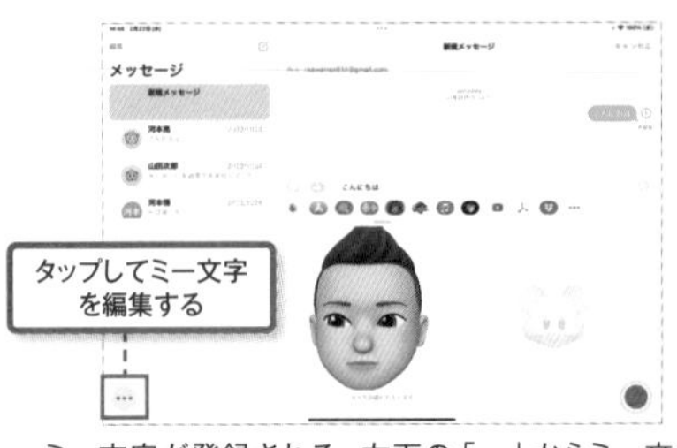

ミー文字が登録される。左下の「…」からミー文字の編集や削除ができる。

作成したミー文字とClipsで動画を作成してみよう

ClipsはiPadやiPhoneのカメラと異なり、作成したミー文字で顔を隠して動画を撮影する特殊な機能を搭載している。録画時に自動で顔を隠してくれるので、録画後に自分で顔を隠す編集をする必要がない。インターフェースはカメラアプリにそっくりなので、初めてでも使いやすい。録画ボタンを一度タップで写真撮影、長押しすることで録画することが可能だ。録画ボタンはロックできるので、指を離した状態で撮影することもできる。Clipsで撮影した写真や動画は画面下に自動的に追加されていく。

Clipsはもともと動画編集アプリなので撮りためた写真や動画をそのまま編集することが可能だ。iPadはもちろんのことiPhone版もあるので、使いやすい方を利用しよう。ここではiPad版で解説する。

作者/Apple
価格/無料

Clips

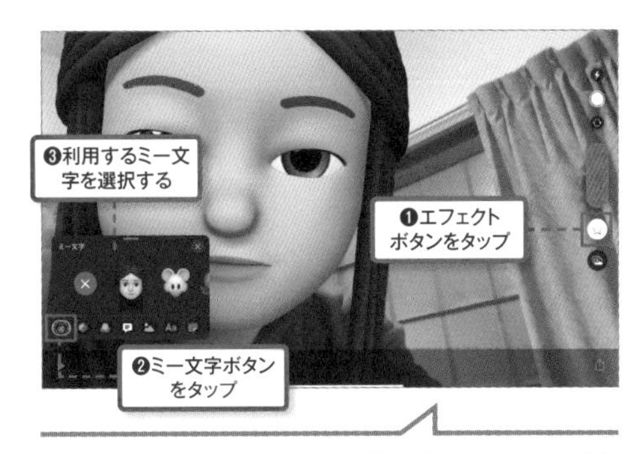

Clipsを起動したら撮影ボタン横にあるエフェクトボタンをタップ。左下にメニューが表示されるのでミー文字ボタンをタップして、利用するミー文字を選択しよう。

1

撮影ボタンを一度タップすると写真撮影。長押しすると録画撮影になる。録画撮影時にボタンを左にスワイプすると録画ボタンをロックでき、指を離した状態で撮影できる。

2

3

撮影するたびに画面下にクリップとして保存されている。各クリップをタップすると編集メニューが表示され、トリミングや分割など簡単な動画編集ができる。

4

編集メニュー左端にある「エフェクト」から利用するミー文字を変更することもできる。また、ミー文字のほかにステッカーやアニメーションなどで顔を隠すこともできる。

5

ミー文字で顔を隠して作成した動画を保存する場合は、右下の共有メニューをタップして保存先を指定しよう。

6

あとはYouTubeアプリを使って、作成した動画をアップロードしたり、iMovieなどほかの動画編集アプリでさらに編集するとよいだろう。

4 FaceTimeでミー文字を利用する

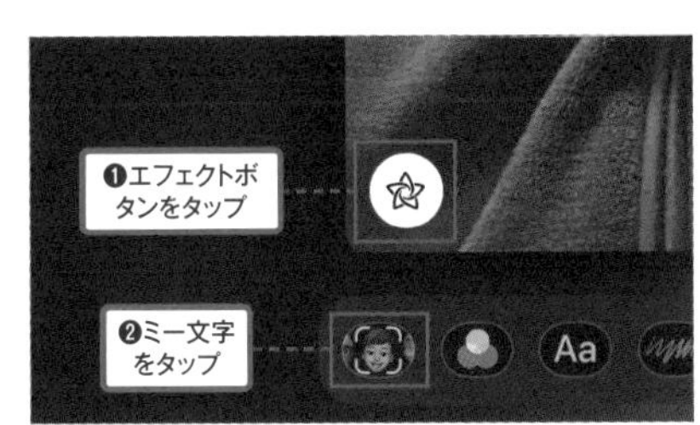

FaceTimeでミー文字を利用するには、自分の画面左下にあるエフェクトボタンをタップして、ミー文字ボタンをタップする。

5 作成したミー文字を選択する

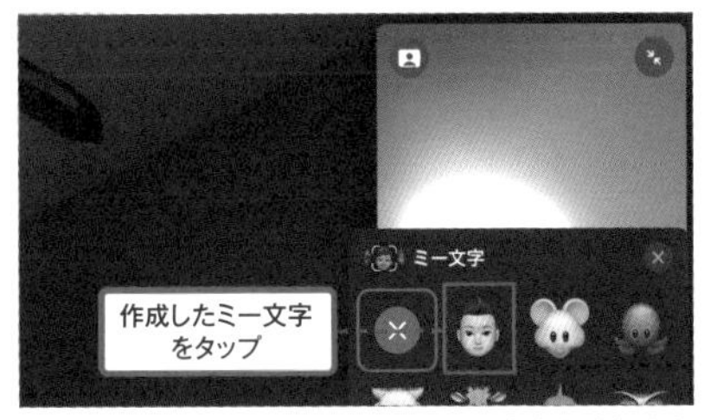

ミー文字が表示される。作成したミー文字も登録されているので、それをタップしよう。ほかにあらかじめ用意されているミー文字も利用できる。

6 自分の顔がミー文字になる

自分の顔の部分だけにミー文字が適用される。顔の表情の変化に合わせてミー文字の表情も変化する。

こんな用途に便利！

無料でPDFに注釈を入力したい
基本的な注釈機能だけであれば無料で高機能なアプリがたくさんある

入力された注釈を一覧表示できる
注釈のつけられたPDFをチェックする際、確認を漏らすことがない

Adobe製と互換性が高いので安心
Adobe純正アプリと互換性の高いPDFアプリなので表示エラーが発生しづらい

無料で使えるPDF注釈ツールはどれがおすすめ?

安定性で選ぶならAdobe純正のPDF注釈アプリがおすすめ

PDF注釈アプリといえばPDF Expertが有名だが無料で利用できる機能は限られている。ほかにも無料で使えるPDF注釈アプリはたくさんある。動作の安定性や注釈エラーが起こりづらいものを選択するならAdobe純正の「Adobe Acroboat Reader」を使おう。

Adobe Acrobat Readerは、PDFファイルにApple Pencilを使って手書きのドローイングで修正指示を入れることができるアプリ。ハイライト、アンダーライン、取り消し線、メモの追加などの定番と呼べる注釈機能はすべて利用することができる。

Adobe純正なのでデスクトップPCで注釈を入れたPDFを開いた場合でも、エラーになることがなく、きちんと注釈リストを表示してくれる。大事なクライアントとPDF修正のやり取りをする際には欠かせない信頼性の高いアプリといえるだろう。DropboxやGoogleドライブなどのクラウドストレージに接続してファイルを直接読み込むことも可能だ。

また、有料版（7,500円/年額）では、PDF内容の直接編集、PDF形式での書き出し、ファイル結合、圧縮、ページの並び替えなども行える。

作者／Adobe Inc.
価格／無料

Adobe Acrobat Reader

●PDFへの基本的な注釈

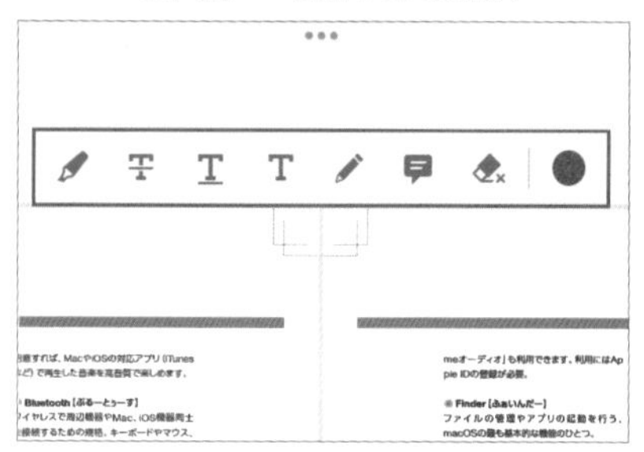

ハイライト、アンダーライン、取り消し線、メモ、アンダーラインや取り消し線へのメモ、ドローイングなど。

●注釈一覧表示

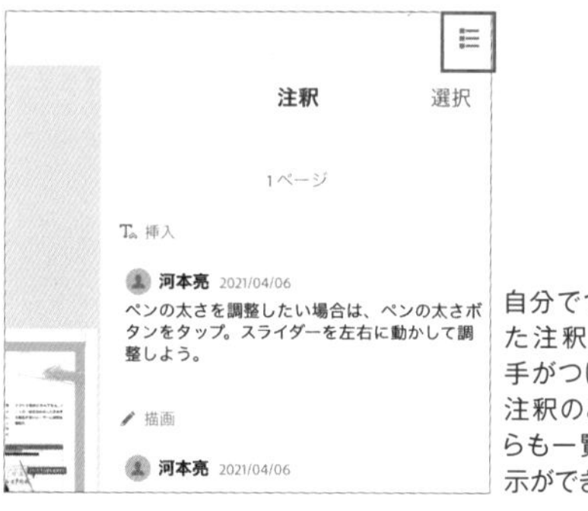

自分でつけた注釈、相手がつけた注釈のどちらも一覧表示ができる。

●クラウドストレージとの連携

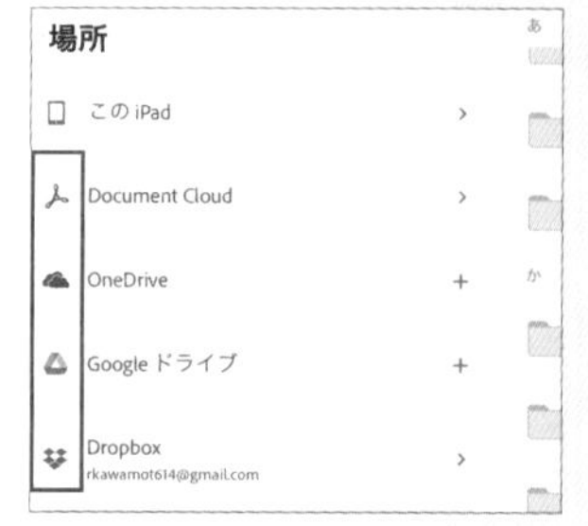

Dropbox、Googleドライブ、OneDrive、Document Cloudなどのサービスと連携できる。

Adobe Acroboat Readerを使ってみよう

1 PDFファイルを開く

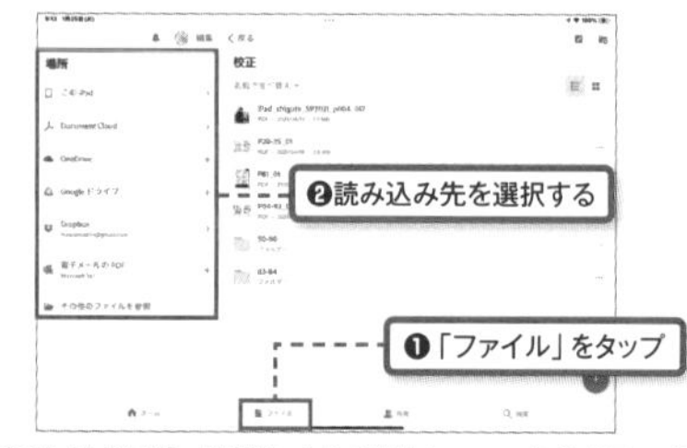

PDFを開くには、起動したら下部メニューから「ファイル」を選択する。左の「場所」画面から読み込み先を選択しよう。DropboxやGoogleドライブのほか「その他のファイルの参照」からiCloud Driveにアクセスできる。

2 PDFを開いたら注釈メニューを表示する

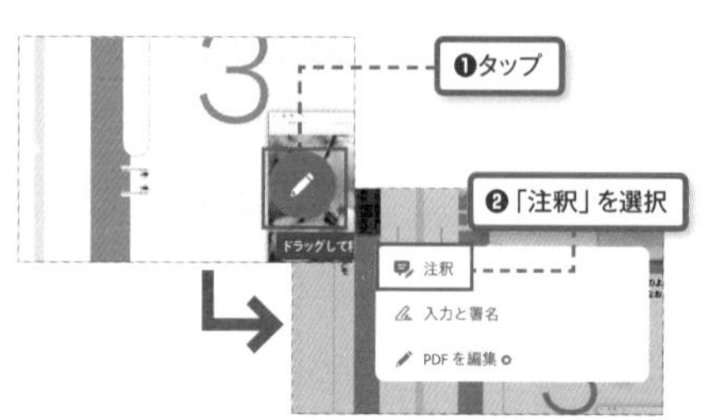

Adobe Acrobat ReaderでPDFを開いたら、右下にある編集ボタンをタップする。メニューが表示されたら、「注釈」を選択しよう。

3 注釈ツールを使って注釈を入力する

画面上部に注釈ツールが表示される。利用する注釈ツールを選択して、注釈を入力していこう。

無料でページの並び替え追加、抽出ができるPDF Viewer Pro

PDF ExpertやAdobe Acrobat Readerは、安定性が高いものの、注釈以外の機能の多くは有料で値段も決して安いものではない。無料でPDFのさまざまな編集をするなら「PDF Viewer Pro」を使おう。ハイライト、アンダーライン、取り消し線など基本的な注釈入力機能が利用できるほか、入力された注釈を一覧表示できる。

ほかのアプリと異なるのは、無料でページをサムネイル表示してページの並び替え、指定したページの抽出、回転、コピー、削除などが行えることだろう。編集機能など高度な機能が必要ないユーザーにおすすめだ。

作者/PSPDFKit GmbH
価格/無料
有料版は3ヶ月/800円より

PDF Viewer Pro by PSPDFKit

PDF Viewer ProでPDFを読み込んだら、右上の注釈ボタンをタップ。左にツールバーが表示されるので、利用するツールを選択して注釈を行おう。

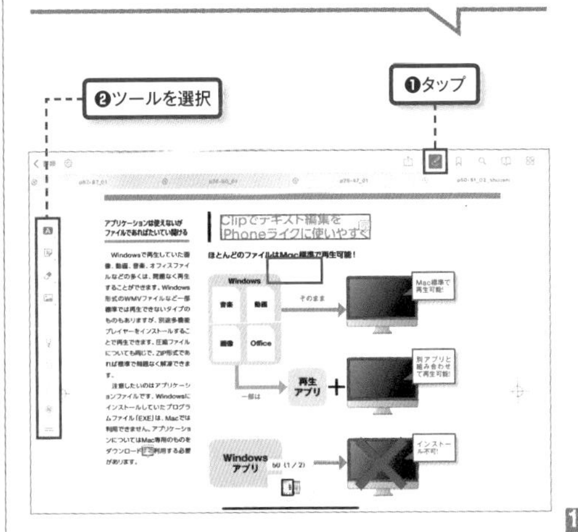

アンダーラインや取り消し線を入力する場合は、マーカーボタンをタップして、対象部分をマーカーで塗ったあとタップしてメニューから「入力」を選択しよう。

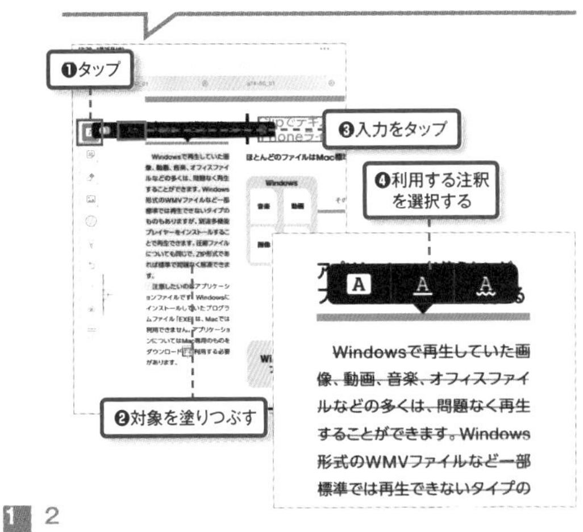

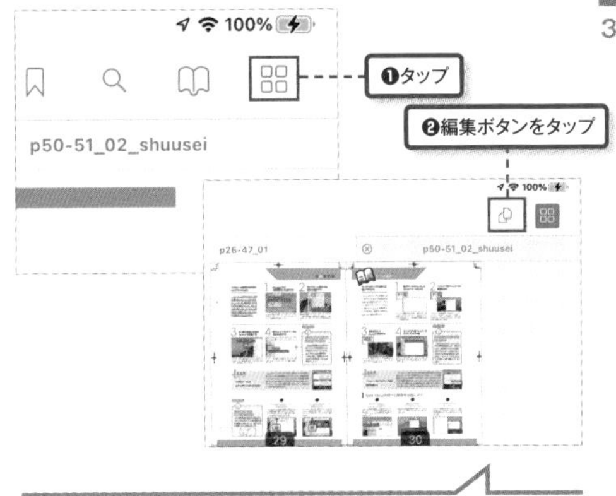

PDFのページを一覧表示するには右上のサムネイルボタンをタップ。ページが一覧表示される。続いてページを編集するには編集ボタンをタップする。

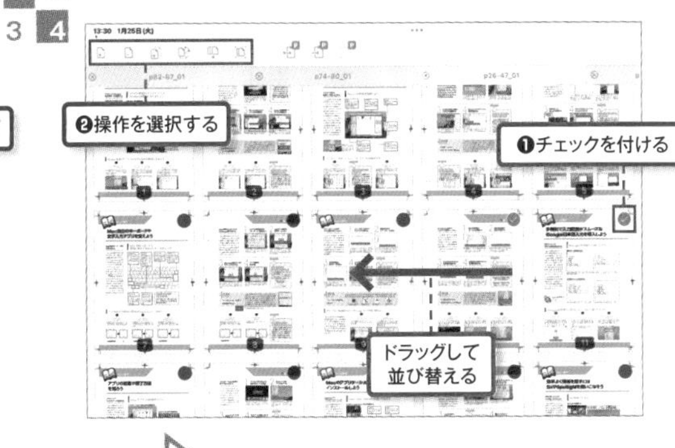

編集画面になる。ページを並び替えしたい場合はページをドラッグしよう。抽出、回転、コピー、削除をする場合は、対象のページにチェックをつけて左上のツールボタンで操作しよう。

ここがポイント

注釈入りのPDFを確認するのに便利なPDF Viewer Pro

PDF Viewer Proは、注釈を入力するよりむしろ注釈の入ったPDFを確認するのに便利。ページ一覧画面で「注釈済み」タブに切り替えると注釈の入ったページだけをフィルタリング表示してくれる。また、注釈一覧画面も機能が豊富で、注釈を長押しすると内容をコピーすることができる。

4 注釈一覧を表示する

入力した注釈を一覧表示するには、右上の「…」をタップして「注釈」をタップ。PDF内につけられた注釈が一覧表示される。

5 注釈にメモを挿入する

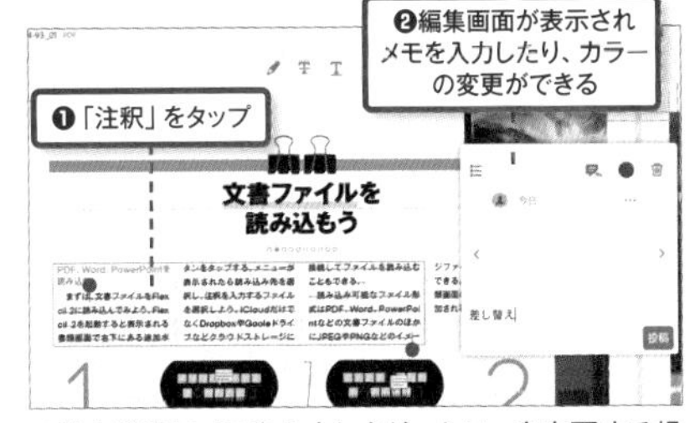

つけた注釈にメモを入力したり、カラーを変更する場合は注釈をタップする。ポップアップ画面が表示され、編集ができる。

6 入力と署名ができる

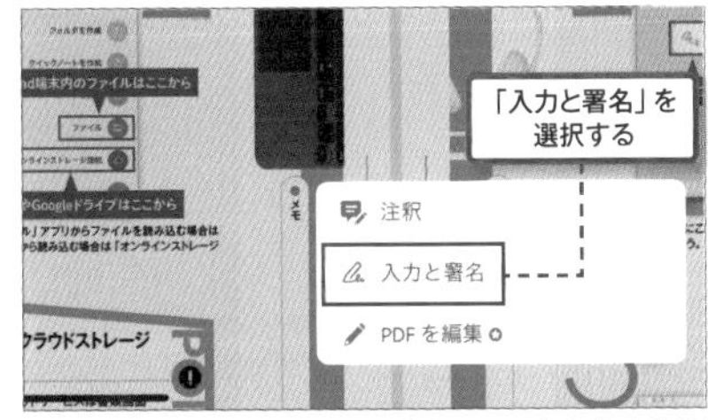

Adobe Acroboat Readerならフォームの入力や署名入力が無料で行える。注釈画面を閉じ、右下のメニューボタンをタップして「入力と署名」をタップしよう。

こんな用途に便利！

Evernoteと同等の機能を備えた手書きノートアプリといえる
テキスト入力にこだわらなければGoodNotes 5は手帳アプリとしても使える

さまざまなデバイスで接続して同期できる
GoodNotes 5はiPhoneやMac版も配布されており、作成したメモを同期できる

書類を取り込んでPDF化できる
GoodNotes 5のスキャン書類機能を使ってiPadのカメラで書類をPDFとしてまとめられる

GoodNotes 5をEvernoteのように使おう

あらゆるメモをiPadで取るならEvernoteは必要ない

手帳アプリの定番アプリといえばEvernoteだが、無料版は接続台数が2台しかなかったり月間のアップロード容量が60MBしかなく、高額な有料版（675円/月額）を使わないと、あまり役に立たず不満に感じている人は多いだろう。もし、あらゆる記録をiPad中心で使用しているなら、1,500円で買い切りのリーズナブルな値段のGoodNotes 5に思いきって乗り換えてみてはどうだろうか。

手書きによるメモが中心のGoodNote 5は、テキスト入力による手帳アプリのEvernoteと仕様感がまったく異なる。しかし、実際に記録する内容の多くは重なることが多い。具体的には、セミナーや講義の記録、買い物リスト、タスクリスト、重要なウェブページの保存、読書記録、レシピ、ヘルスケア記録などが挙げられるだろう。

また、カレンダーやスケジュールなどテンプレートが利用できたり、手書き文字、テキスト、PDF内のテキストを横断検索できる。カメラ機能を使って書類をスキャンして保存することも現在のGoodNotes 5では可能だ。

さらに、GoodNotes 5はiPadだけでなく、iOS版やMac版も存在しており、作成したメモはiCloudを通じてデバイス間で同期できる。接続台数に制限がなく、Evernoteのようにアップロード制限もない。テキスト入力によるメモにこだわらないのであれば、思い切って試しに使ってみてもよいだろう。

作者／Time Base Technology Limited
価格／1,500円

GoodNotes 5

Evernoteは便利だが、無料版は頻繁に有料版へのアップグレードを促され煩わしい。

	GoodNotes 5	Evernote無料版
価格	1,500円	無料、有料版は月額675円
接続台数	制限なし	2台
アップロードサイズ	制限なし（iCloudの容量）	月間60MB、1ノート25MB
Webページクリップ	○	○
カメラによる書類スキャン	○	○
画像添付	○	○
検索機能	手書き、テキスト、PDF	手書き、テキスト、PDF
共有	○	○
カスタムテンプレートの作成	○	○
テキスト入力	○	○

EvernoteでもGoodNotes 5でもできることを確認

1 同期設定を有効にしてiPad版GoodNotes 5でメモをとる

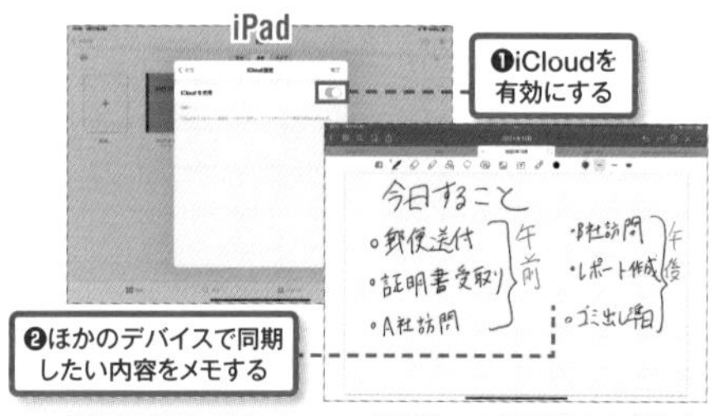

書類画面の設定メニューでiCloudの同期を有効にしておく。あとはノートを開いてiPhoneやMacでも確認したいメモをとっておこう。

2 iPhone版GoodNotes 5でiPadのメモを確認する

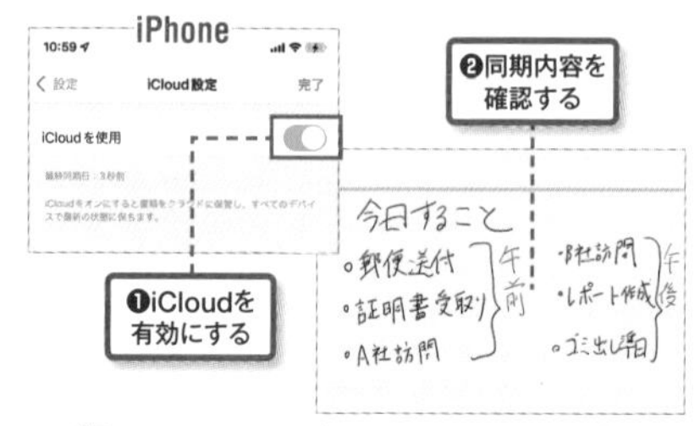

iOS版GoodNotes 5をインストールして、書類画面の設定メニューでiCloudの同期を有効にする。するとiPadでメモした内容を同期して表示できる。

3 iOS版GoodNotes 5で素早くメモを取る

iOS版GoodNotes 5でメモを取るときも基本は手書き入力。このとき、ズームツールを使えば小さな画面でもきれいにメモを取れる。メモした内容はすぐにiPad版にも同期される。

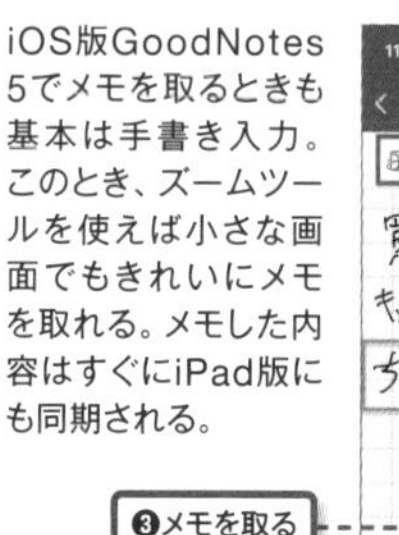

スキャン機能を使って紙の書類を取り込もう

GoodNotes 5は、Evernoteと同じように紙の書類をiPadのカメラでスキャンしてアプリ内に取り込む「スキャン書類」機能を搭載している。書類画面の新規追加画面で「スキャン書類」をタップすると起動するカメラに、用意した書類をかざそう。紙の四隅を自動的に判別してトリミングしながらスキャンしてくれる。複数のページにまたがる書類を連続して撮影して、1つのノートにおさめることも可能だ。

専用のノートを作らなくても、既存のノートにスキャンした書類を組み入れることもできる。開いているページの「前」「後」「最後のページ」から選択することで、指定した場所にスキャンした書類を挿入できる。

なお、iOS版GoodNotes 5でもスキャン書類機能は使えるので、iPadが大きくて撮影しづらいという人はiPhoneで撮影して同期するといいだろう。

1 書類画面で新規追加ボタンをタップして「スキャン書類」を選択。カメラが起動したら書類に向けると自動的に撮影してくれる。

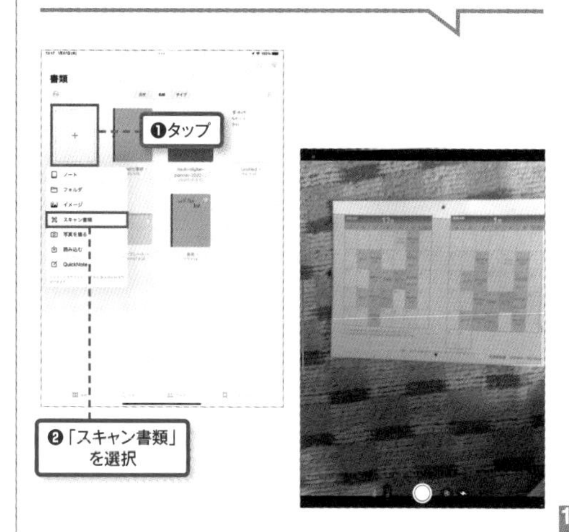

2 撮影するとレタッチ画面が表示される。下部メニューでカラーの調整、トリミング、回転などが行える。保存する場合は「完了」をタップする。

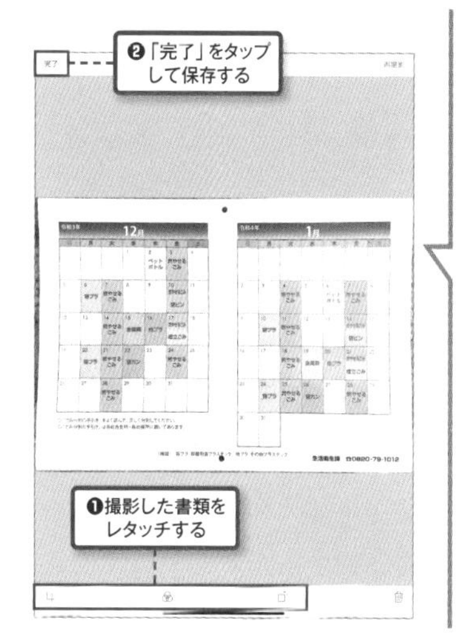

3

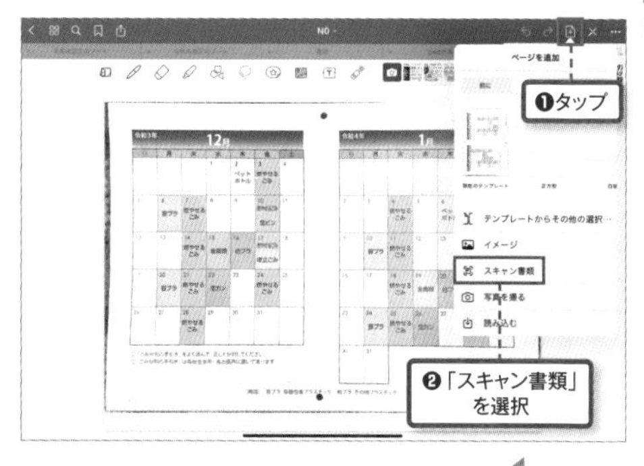

既存のノート内に書類をスキャンする場合は、ノートを開き、「ページを追加」から「スキャン書類」を選択しよう。

4

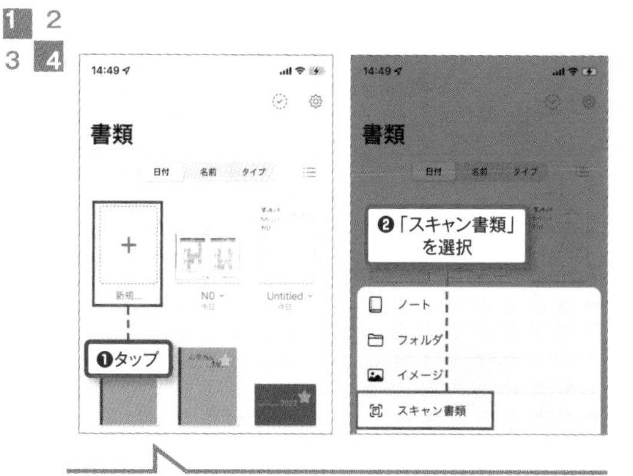

iOS版GoodNotes 5でもスキャン書類機能が利用できる。規追加ボタンをタップして「スキャン書類」を選択して書類を撮影しよう。

ここがポイント

GoodNotes 5にメールを送信する

設定メニューにある「GoodNotesにメールする」を有効にすると表示されるメールアドレスにPDFファイルをメールに添付して送信すると、メール経由でGoodNotes 5に追加できる。添付できるファイルはPDF形式だけだが、Windowsで作成したメモやテキストをGoodNotes 5で読み込みたいときなどに利用すると便利。なお、2023年にGoodNotes 5のWindows版がリリースされる予定だ。

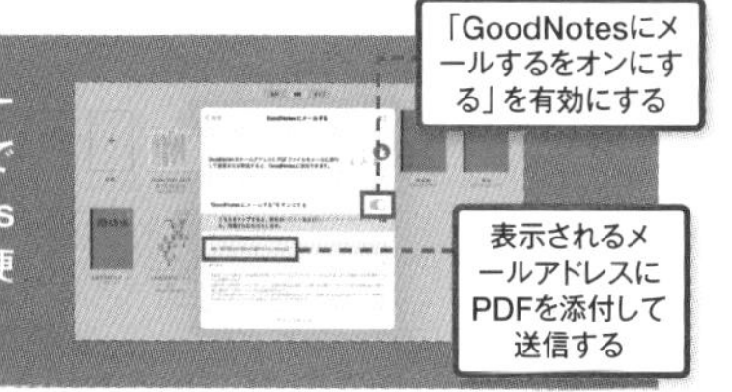

4 iOS版GoodNotes 5でウェブをスクラップする

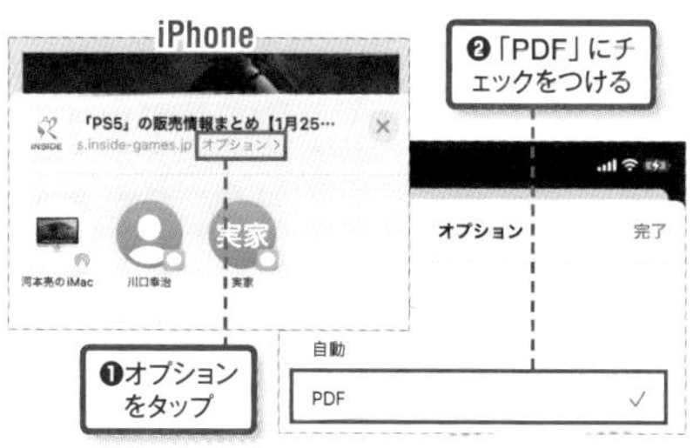

iOS版GoodNotes 5でウェブページを保存する場合は、ブラウザの共有メニューをタップしたら「オプション」をタップし、「PDF」にチェックを入れる。

5 もう一度共有メニューを開いてGoodNotesでスクラップ

もう一度共有メニューを開くと「GoodNotesで開く」というメニューが追加されるので選択する。するとページをスクラップできる。

6 よく使う項目にすぐに開くページを追加する

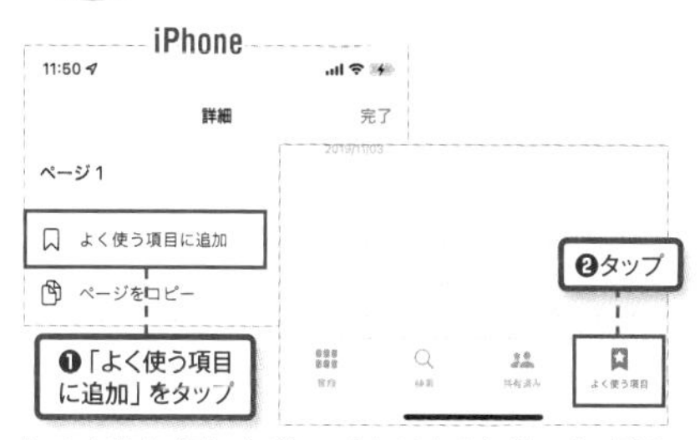

いつも開くメモにすぐにアクセスするには、ページの詳細設定画面で「よく使う項目に追加」をタップ。すると書類画面の「よく使う項目」からそのページにアクセスできる。

こんな用途に便利！

本格的な3D画像を手軽に始められる
無料アプリなのに機能は本格派

直観的な操作で高度な3D描画が可能
一般的なスケッチアプリ、メモアプリのような直観的な操作感

使い方をじっくり教えてくれる
アプリ初回起動時にチュートリアルで基本的な使い方をマスターできる

無料なのに本格的に制作ができる! 「Shapr3D」で始める3DCG

専門知識一切不要で本格的3DCG制作が始められる

3DCGというと、CADなどの専門知識が必要で、モデリングデータ（3Dで描かれた画像データ）の作成には高価なアプリケーションを使うというイメージだが、そんなイメージを覆してくれるのが、「Shapr3DのCADモデリング」（以降「Shapr3D」と表記）だ。Shapr3Dを使えばきめ細かいモデリングデータを簡単に作成できることはもちろん、ドラッグ操作でそれをグリグリ動かすことができる。プロのように工業部品のパーツを設計するような用途にも十分応えてくれるが、そうした知識がなくても自分が描いた平面図を立体化して、さまざまな視点からそれを眺めるという楽しみを味わえるのが魅力だ。

とはいえ、初めて3DCGアプリを使う人にとっては操作方法も敷居が高いが、Shapr3Dには多数のチュートリアルが用意されているため、それらをひと通りチェックすれば、すぐに使いこなせるようになる。こうしたアプリは一見さんお断りのUIが多いが、Shapr3Dのそれはシンプルそのもの。慣れるまでの時間はそうかからないだろう。

Shapr3Dで図形を描くには、Apple Pencilが必須。基本的にはフリーハンドで直線や四角形などの基本図形、円などを描くことができ、描いた図形はドラッグで立体化できる。操作のキモとなるのは、描いた図形の各要素の選択だ。図形全体、面、辺の選択方法を覚えておけば、きめ細かい立体図を自在に作成できるようになるだろう。

作者／Shapr3D Zrt
価格／無料（App内課金あり）

Shapr3DのCADモデリング

Shapr3Dはこんなアプリ

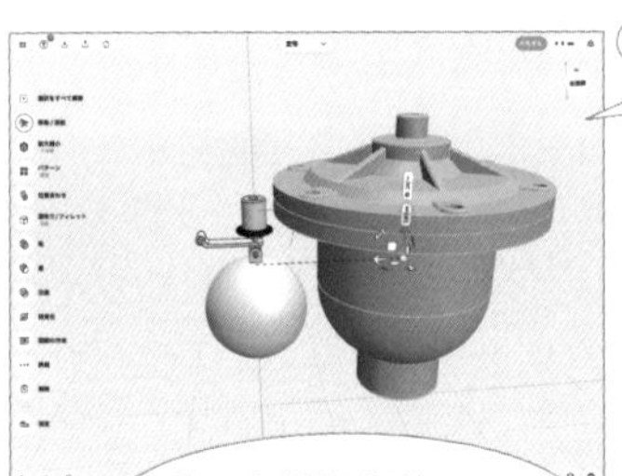

動かせるのが3DCGの魅力!

3DCGを簡単に描ける、動かせる

ペイントやスケッチ系のアプリを使ったことがあれば理解できる、シンプルさとわかりやすさで、誰でもすぐに3DCGを描くことができる。描いたものをグリグリ動かすことができるのは、3DCGならではの楽しみ方。

しっかり読めばちゃんと理解できる!

チュートリアルが充実、基本操作をすぐマスター

基本メニュー画面の「発見する」タブや「学ぶ」タブには、基本から応用編までカバーした、多彩なチュートリアルが用意されている。さらに、アプリの初回起動時には、基本操作をインタラクティブに解説する特別なチュートリアルが表示されるなど、至れり尽くせりだ。

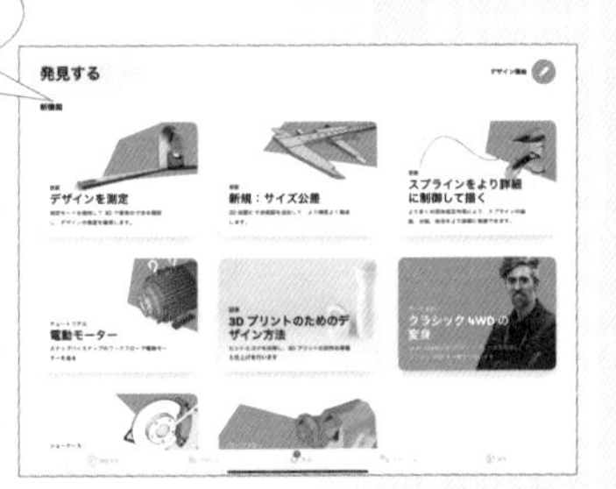

図形を描く、立体化する

1 「線／弧」を選択する

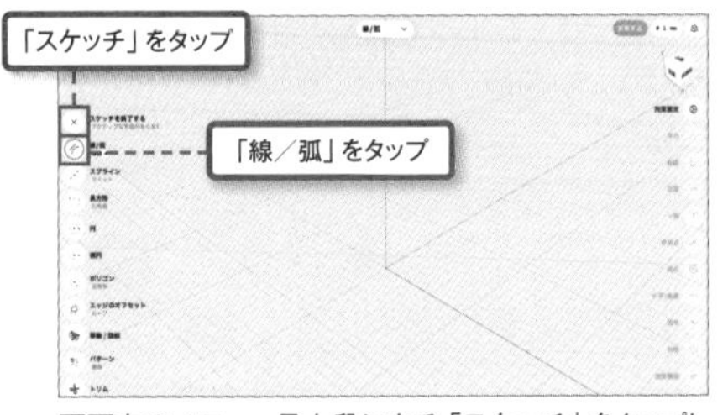

画面左のメニュー最上段にある「スケッチ」をタップして、「線／弧」をタップする。四角形や円などの図形を描く場合は、「スケッチ」をタップすると表示されるメニューから目的のものをタップする。

2 線を描く

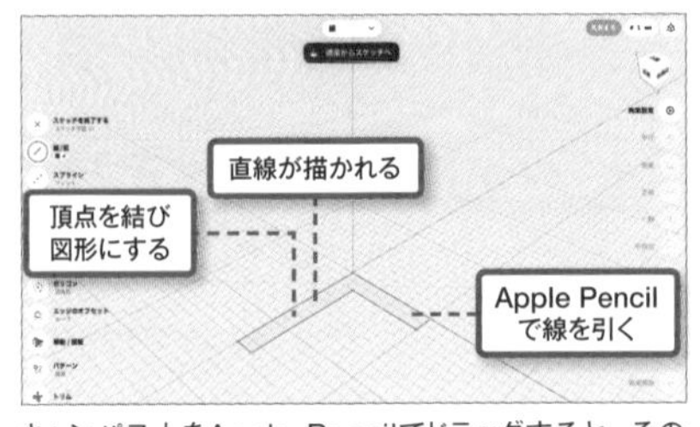

キャンバス上をApple Pencilでドラッグすると、その軌跡に併せて直線が描かれる。図形にする場合は直線の終端同士を結ぶように、1本ずつ線を引こう。

3 図を選択する

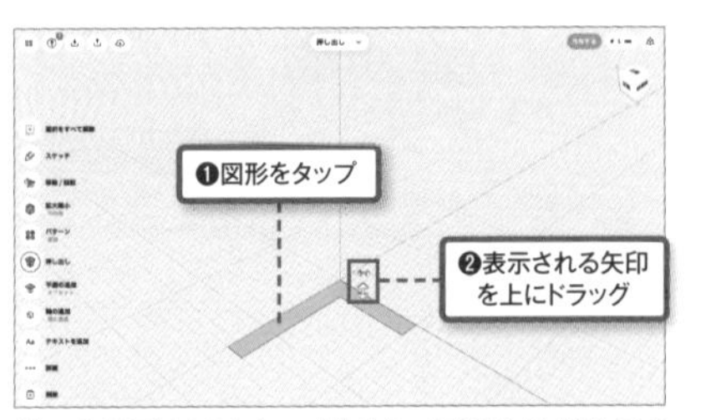

描いた図形の面をタップすると、図形全体が選択され、青い表示になる。その際に上下方向の矢印が表示されるので、これを上方向にドラッグする。

まずはマスターしたい、図形の各要素の選択方法

前述のように、Shapr3Dでは図形を構成する各要素の選択方法を覚えることが重要になる。図形のどの部分を選択するかによって、どのように図形を変形させるのか、加工するのかが決まってくるからだ。図形そのもののサイズを変更したり、移動したりしたい場合は図形全体を選択する。図形の辺（エッジ）に丸みを加えるといったような加工をしたい場合は、目的の辺だけを選択する必要がある。特定の面に別の図形を描くような場合は、その面をダブルタップすると、その面が平面図として表示されるので作業がしやすくなる。元の3D表示に戻すには、画面上をドラッグすればいい。

また、図形から1部だけをそぎ落としたい場合は、そぎ落とす部分を選択した状態で画面左のメニューにある「削除」をタップしよう。なお、連続して図形の各部をタップすれば、複数の箇所を同時選択できることも覚えておきたい。

1 図形の面、全体を選択する

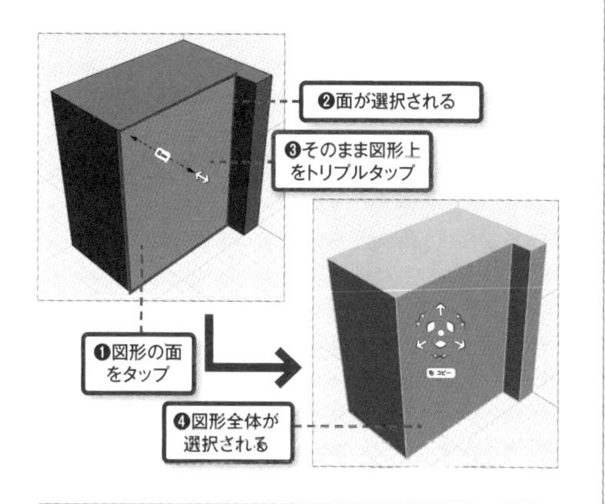

2 図形の辺を選択する

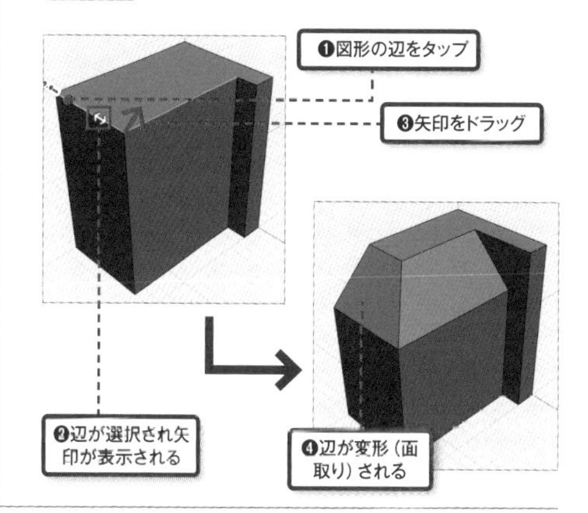

3 図形の一部を削除する

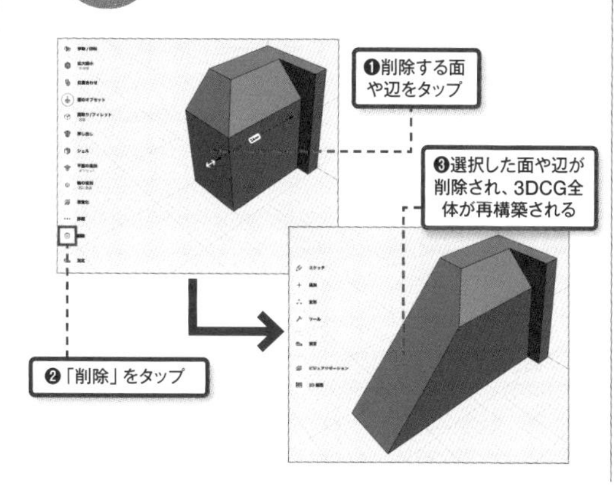

4 図形で3DCGの一部をくり抜く

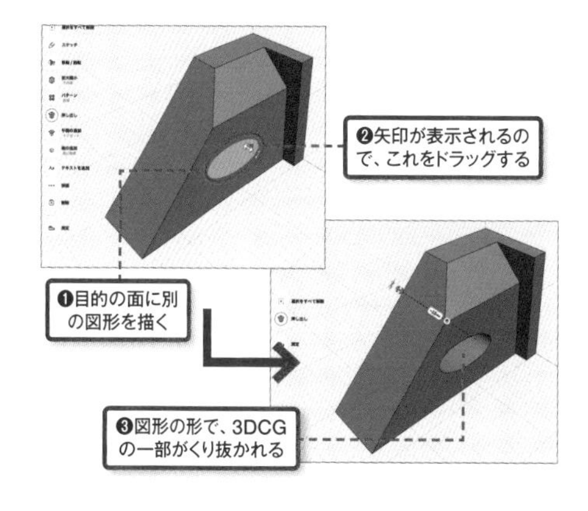

ここがポイント

3DCGをファイルとして書き出す

Shapr3Dで作った3DCG（モデリングデータ）は、ファイルとして書き出すことができる。より本格的な3DCGアプリできめ細かく製図したい場合などは、エクスポート機能を使ってモデリングデータを書き出し、それをパソコンなどにコピーして使うといいだろう。なお、Shapr3Dは多彩なファイル形式への書き出しに対応している。

編集画面右上の「共有する」→「書き出し」→「デザインを書き出す」をタップして、目的の用途、ファイル形式をタップする。

4 図形が立体化する

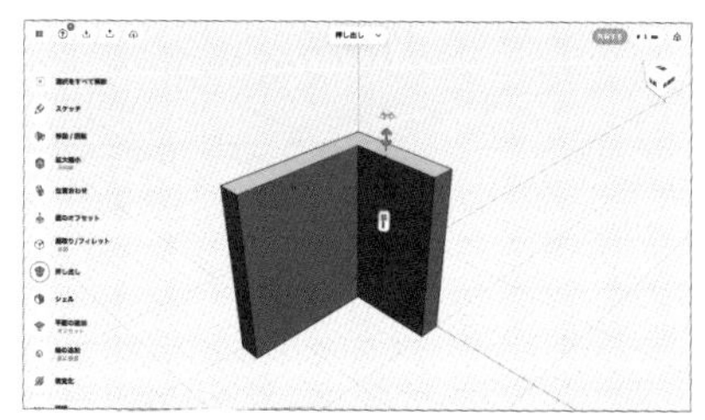

ドラッグした方向に図形が拡張され（押し出し効果）、立体化される。上下方向の矢印をドラッグした直後は図形の高さが数値で表示されるが、この数値をタップすると数値を直接入力することができる。

5 面を選択する

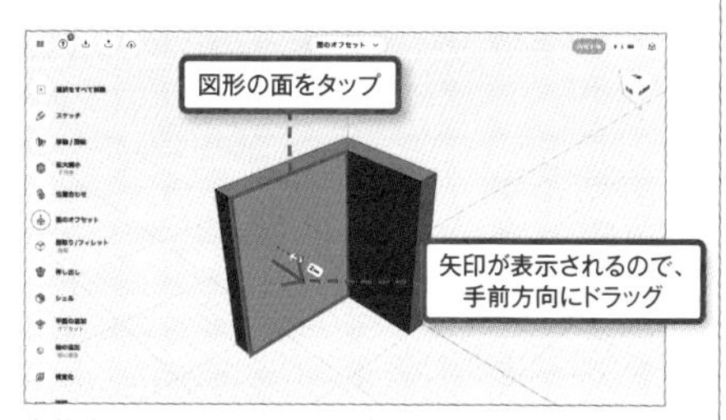

立体化した図形の面をタップして選択すると、奥と手前方向を指す矢印が表示される。これを手前方向にドラッグする。

6 図形が変形される

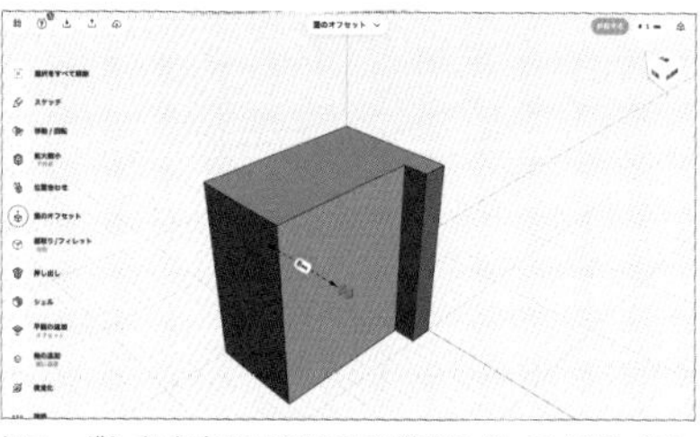

ドラッグした方向に図形の面が拡張される（押し出し効果）。図形や面の選択を解除するには、キャンバスの余白部分をタップする。

こんな用途に便利！

タブ周りがほかのブラウザより便利
タブグループ機能では複数のタブを1つのグループにまとめて管理することができる

長押しメニューが豊富
画像やリンクの上で長押しすると表示されるメニューからさまざまな操作ができる

翻訳機能が便利
ページ全体だけでなく、選択したテキストのみを翻訳することができる

Safariの便利機能を再確認し、有効に活用しよう！

実は非常に多機能！使えこなせてないテクニックを見直そう

Safariを使って多くのサイトを閲覧する場合は、タブの機能がとても重要。最新iPadOS 16では、iPadOS 15から導入された複数のタブを1つのグループにまとめて管理することができる「タブグループ」機能が強化されている。タブグループをしっかり活用していこう。

また、Safari上でぜひ使うべきテクニックが、「長押し」だ。画像やリンクの上で長押しすると表示されるメニューからさまざまな操作ができる。例えば、画像を保存したり、リンクを開いたりすることができるだけでなく、リンク先のページをプレビュー表示したり、ほかのアプリで開くことができる。

そして、翻訳機能搭載のブラウザといえばChromeが代表的だったが今ではSafariも翻訳機能が搭載されている。ページ全体だけでなく、選択したテキストのみを翻訳することもでき、これにより必要な部分だけを翻訳して、外国語の情報をより効率的に読み取ることができる。さらに、テキスト認識表示により、画像の中にあるテキストも翻訳することができるようになった。

ほかのアプリとの連携性が高かったり、表示しているページをPDFで保存したり、スクリーンショットで保存できるなどさまざまな機能がある。

作者／Apple
標準アプリ
Safari

Safariのここをチェック！

1 サイドバーとアドレスバー

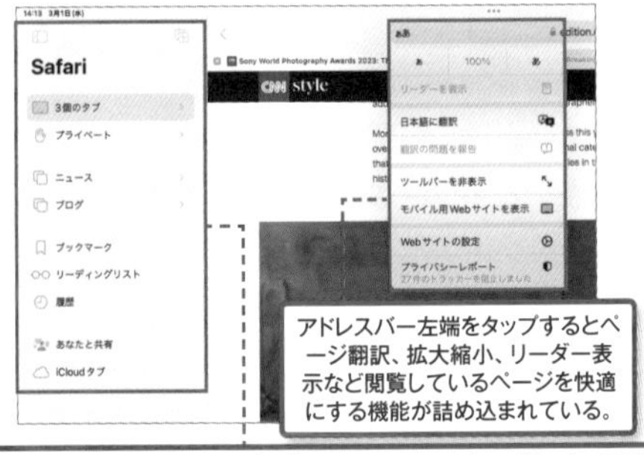

アドレスバー左端をタップするとページ翻訳、拡大縮小、リーダー表示など閲覧しているページを快適にする機能が詰め込まれている。

サイドバーには、タブグループ、ブックマーク、リーディングリスト、履歴、あなたと共有、iCloudタブなどのページ管理にを行う機能が詰め込まれている。

2 長押しメニュー

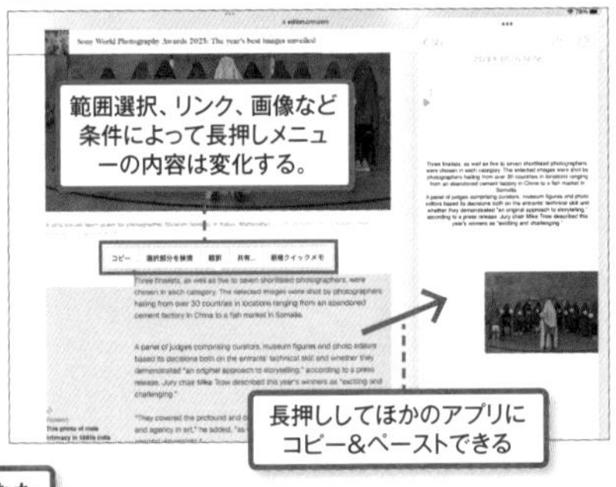

範囲選択、リンク、画像など条件によって長押しメニューの内容は変化する。

長押ししてほかのアプリにコピー＆ペーストできる

3 スクリーンショット活用

Safari使用時に画面左下から中央にスワイプするとページをスクリーンショット撮影できる。通常のスクリーンショットと異なりページ全体（縦長）を撮影できる。

タブグループを使ってテーマ別にタブを整理しよう

1 新しくタブグループを作成する

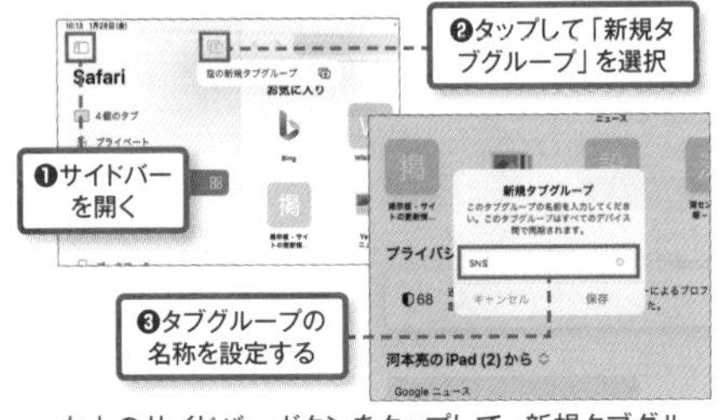

左上のサイドバーボタンをタップして、新規タブグループボタンをタップ。「空の新規タブグループ」をタップして、タブグループの名前を付けよう。

2 タブグループを開く

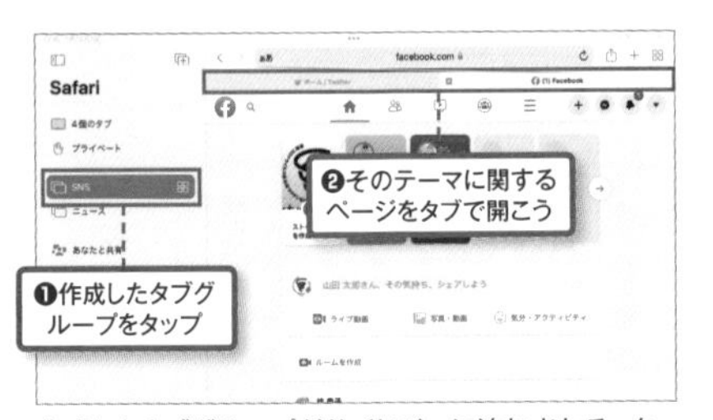

作成したタブグループがサイドバーに追加される。タップしてそのタブのテーマに関するページを開こう。

3 開いているページを特定のタブグループに追加する

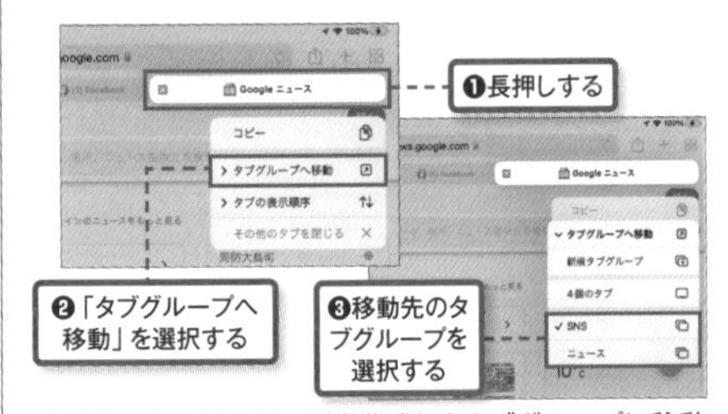

現在開いているページを作成したタブグループに移動したい場合は、タブを長押しして「タブグループへ移動」をタップし、移動先のタブグループ名を選択する。

タブ操作の便利ワザをもっと活用しよう!

Safariを使い続けると、タブの数がどんどん増えてくる。タブグループを使って整理するのも、膨大なタブを管理するための1つの手段だが、グループ化することそのものが面倒だと感じることもある。

開いているタブのURLをすべてバックアップしたい場合は、サイドバーに表示されている「○○個のタブ」を長押しすると表示されるメニューから「リンクをコピー」をタップしよう。クリップボードにタブのURLをまとめてコピーすることができる。また、タブを長押しして「タブの表示順序」をタップすると、タイトル順やURL順に自動で並び替えることができる。手動でドラッグ&ドロップする手間が省ける。

ほかのユーザーと共同作業していて開いているページのURLを相手と共有したい場合は、タブグループを共有しよう。

1

開いているタブのURLをコピーするには、タブ一覧画面で右上の「○個のタブ」を長押しし、「リンクをコピー」をタップしよう。クリップボードに開いているタブのURLをまとめてコピーできる。

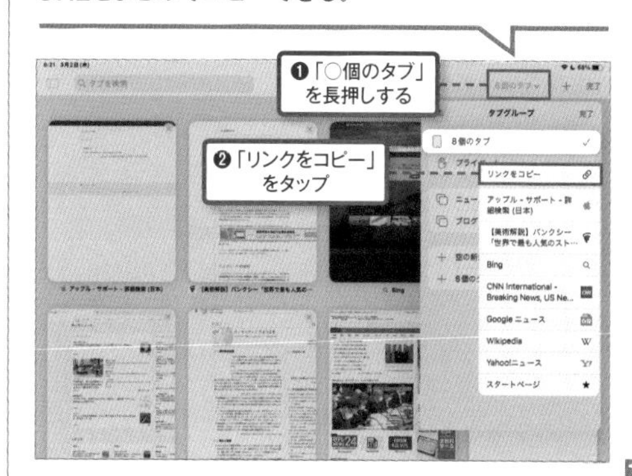

2

タブを長押しすると表示されるメニューから「タブの表示順序」を選択すると、タブをタイトル順やURLページ順に並び替えることができる。

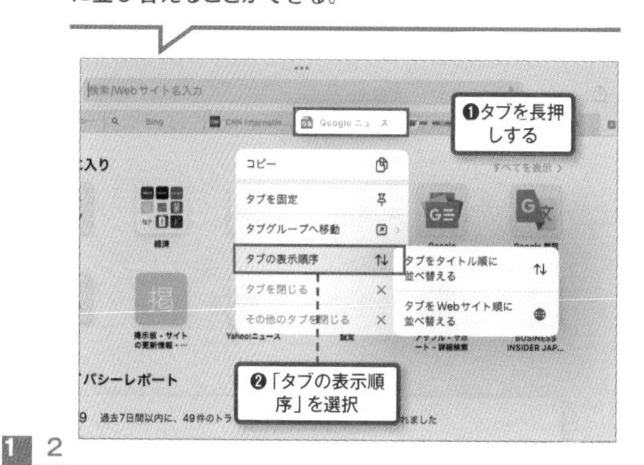

3

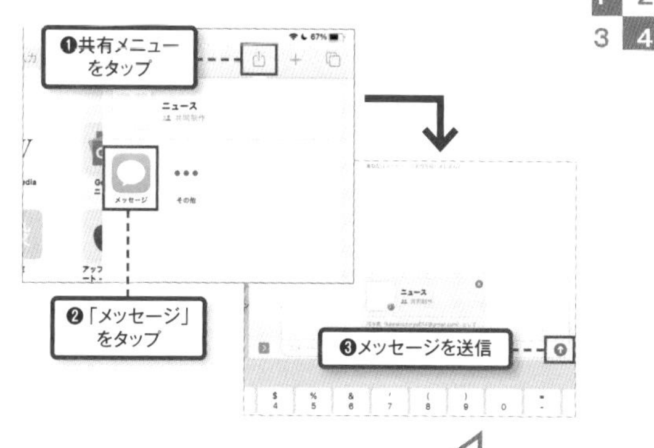

タブグループはほかのユーザーと共同できる。タブグループを開き右上の共有メニューをタップして「メッセージ」を選択する。メッセージ画面が開くので送信する相手を選択してメッセージを送信しよう。

4

共有しているユーザーのアイコンが追加される。アイコンをタップするとメニューが表示され、Safariからメッセージ、FaceTimeなども利用できる。

ここがポイント

ほかのデバイスで開いているタブを表示する

同じApple IDでiPhoneやMacのiCloudにサインインしておくと、ほかのデバイスのSafariで開いているタブをiPadのSafariに表示させることができる。ほかのデバイスで開いているタブを確認するにはサイドバー一番下にある「iCloudタブ」をタップしよう。デバイス別に開いているタブを一覧表示してくれる。また、表示されているタブを長押しするとメニューが表示され、タブグループに追加したり、リーディングリストに追加することもできる。

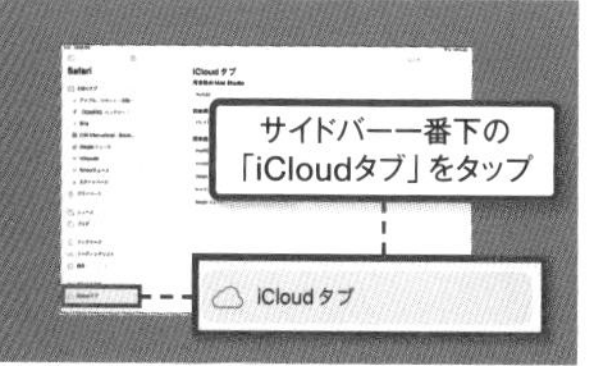

4 ドラッグ&ドロップでもタブグループに追加できる

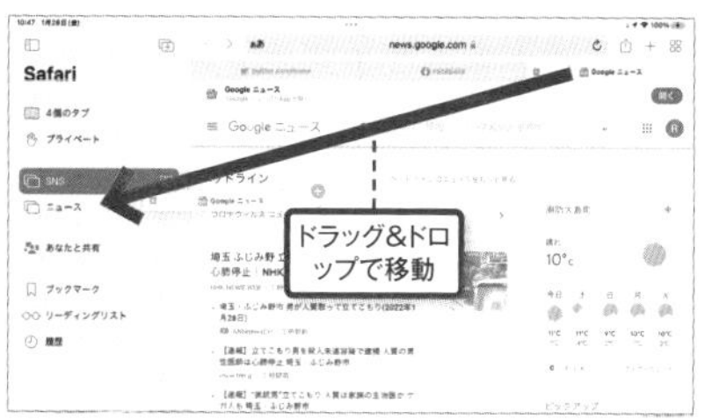

タブをサイドバーにあるタブグループ名にドラッグ&ドロップして移動することもできる。

5 タブの名称変更や削除をする

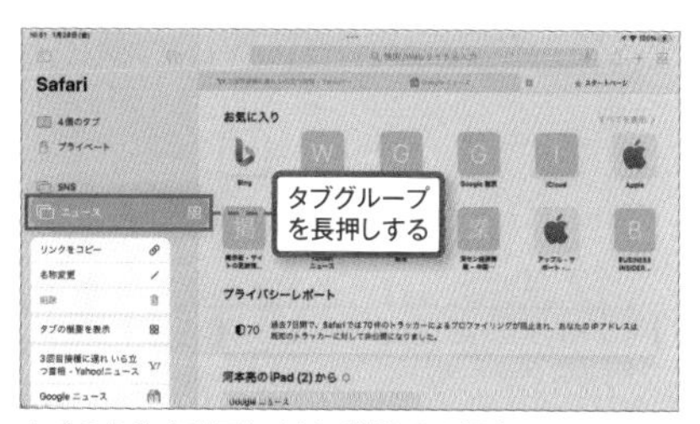

タブの名称を変更したり、削除する場合はサイドバーのタブグループを長押しする。メニューが表示され名称変更や削除などの操作ができる。

6 現在タブで開いているページをまとめてタブグループに追加する

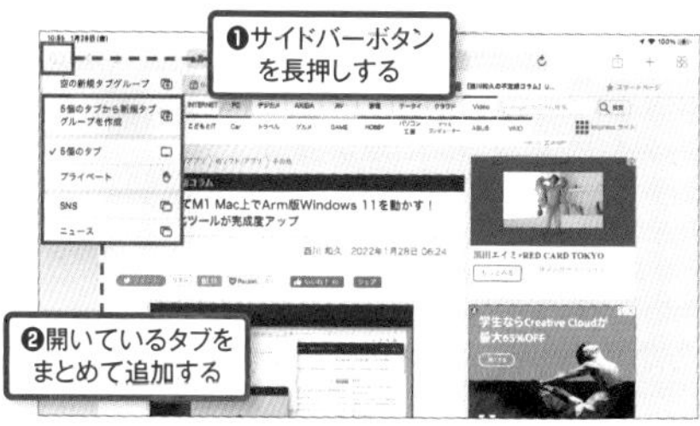

現在タブで開いているページをまとめてタブグループに追加したり、新たにタブグループを作成する場合は、サイドバーボタンを長押しして表示されるメニューから行おう。

新しくなった長押しメニューで効率的にウェブサーフィンをする

「バックグランドで開く」や「タブグループで開く」が追加された

ページに貼られたリンクを長押ししたときに表示される長押しメニューは、Safariでは非常に豊富で便利だがあまり知られていない。

長押しするとリンク先のページがプレビュー表示される。ページを開かなくてもページ内容をチラ見できるようになる。

また、プレビューと同時に長押ししたときに表示されるメニューで「バックグラウンドで開く」という機能があり、タップすると、現在のページを閉じずに新規タブで開いてくれる。「新規タブで開く」と異なるのは、新しいタブに自動的に切り替わらず、現在のページをアクティブにしたまま別のページを開けることだ。なお、リンクを新しいタブで開いたときに、新しいタブに自動的に切り替わるようにするには、「設定」アプリの「Safari」の設定で変更できる。

ほかにはリンク先をタブグループで開いたり、リーディングリストに登録したりもできる。地道に改善された長押しメニューをうまく使いこなそう。

リンクを長押ししたときのメニュー

リンク先を指定したタブグループで開く。新規タブグループを作成することもできる。

リンクを長押しするとリンク先がプレビュー表示される

現在開いているタブとは別に新規でタブを開いてくれる。

新規タブをバックグラウンドではなくこれまで通りアクティブで開きたい場合は、「設定」アプリの「Safari」の「新規タブをバックグランドで開く」をオフにしよう。

リンク先のページと関連のある専用アプリがiPadにインストールされている場合、「アプリで開く」というメニューが表示され、そのアプリに切り替わる。

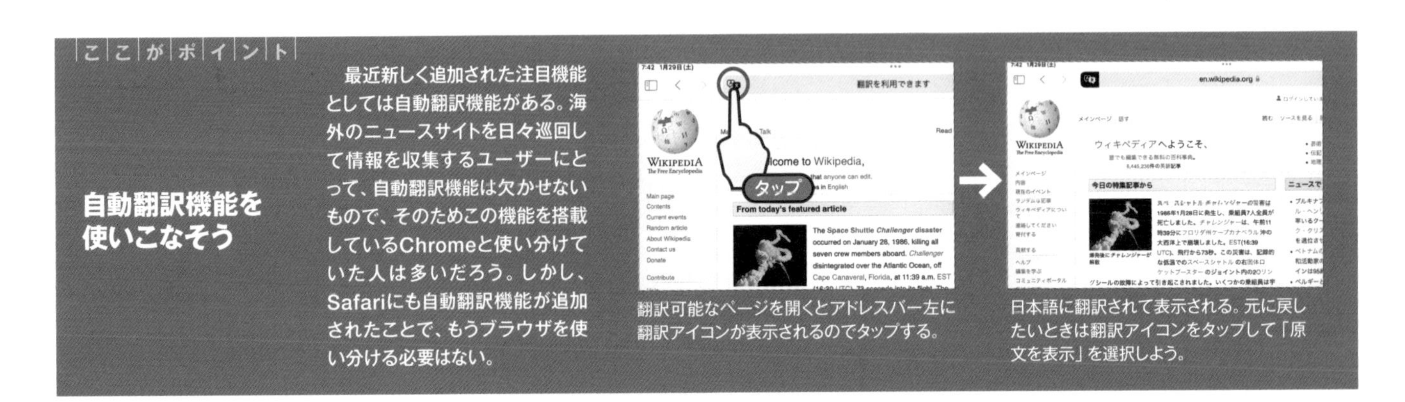

自動翻訳機能を使いこなそう

最近新しく追加された注目機能としては自動翻訳機能がある。海外のニュースサイトを日々巡回して情報を収集するユーザーにとって、自動翻訳機能は欠かせないもので、そのためこの機能を搭載しているChromeと使い分けていた人は多いだろう。しかし、Safariにも自動翻訳機能が追加されたことで、もうブラウザを使い分ける必要はない。

翻訳可能なページを開くとアドレスバー左に翻訳アイコンが表示されるのでタップする。

日本語に翻訳されて表示される。元に戻したいときは翻訳アイコンをタップして「原文を表示」を選択しよう。

ドラッグ&ドロップでSafariからほかのアプリに情報をコピーする

Slide OverやSplit Viewでデータを受け渡しする

現在のiPadOSではPC操作ではおなじみのアプリ間での「ドラッグ&ドロップ」が利用できるようになったが、Safari上のデータもドラッグ&ドロップで簡単にほかのアプリにコピーできるようになっている。長押しメニューや共有メニューから、何度もタップ操作をする手間を大幅に省くことができる。

ドラッグ&ドロップを活用するには、Split ViewやSlide Overを起動してSafariとデータの受け渡しをするアプリを並列表示させておく必要がある。「ファイル」アプリにSafariで表示しているテキストや画像などのデータを保存する場合は、片側にSafari、もう片側に「ファイル」アプリを開いておこう。あとはコピーしたいファイルを範囲選択してひたすらドラッグ&ドロップすればよい。

逆にほかのアプリからSafariにデータをドラッグ&ドロップで送信することもできる。Dropbox.comなどブラウザ上にファイルを登録してアップロードするサイトで利用しよう。

1 Safariで表示しているページのURLをメモに記録するには、Safariのアドレスバーをメモアプリにドラッグ&ドロップしよう。ページ内容をサムネイル形式にしてリンクを作成してくれる。

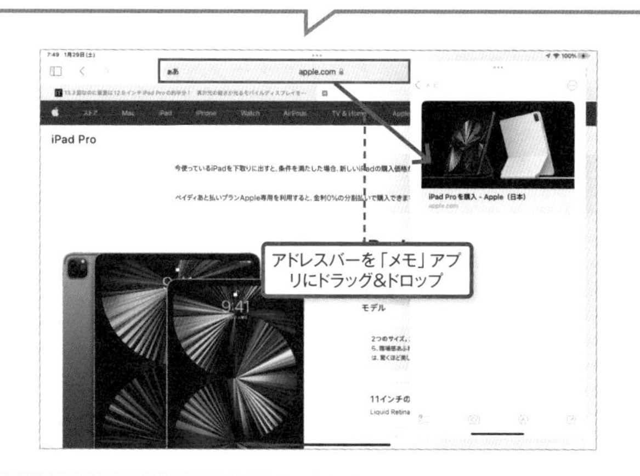

2 Safariで表示している画像を保存する場合は、「ファイル」アプリを表示させ、画像を直接「ファイル」アプリ内にドラッグ&ドロップすれば保存できる。

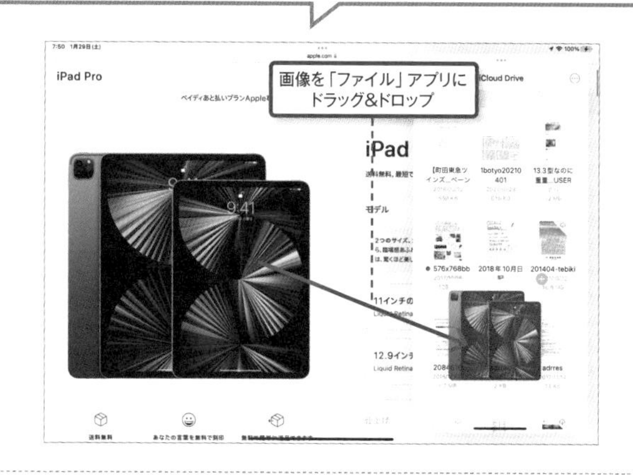

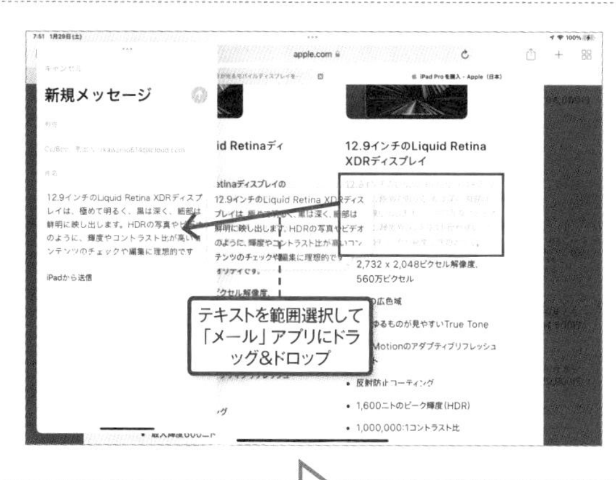

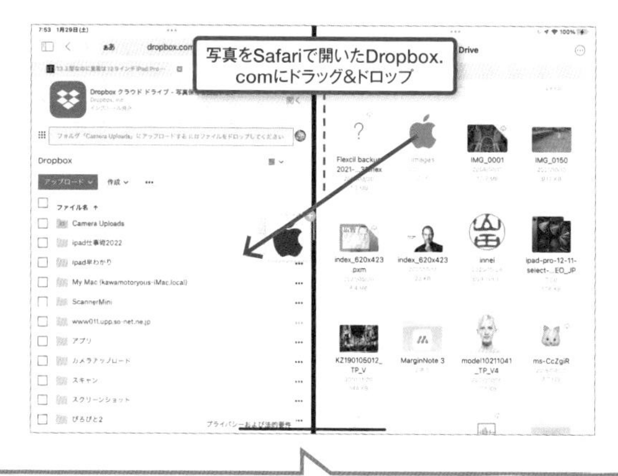

3 Safariで表示しているテキストをメール本文にコピー&ペーストしたい場合は、コピーしたい箇所を範囲選択して、メール本文にドラッグ&ドロップしよう。

4 SafariでDropbox.comを開き、「写真」アプリから写真をSafariにドラッグ&ドロップするとファイルのアップロードができる。

ここがポイント

ページ全体をスクリーンショットで撮影するには?

iPadOSのSafariでは、ウェブページ1画面ぶんだけでなく縦長のページ全体を1つのスクリーンショットとして撮影できる。ページ全体を撮影した場合、PDF形式のファイルとして保存するため、オフラインで後からじっくり記事を呼んだり、資料としてページをアーカイブしておきたいときなどに便利だ。

スクリーンショット撮影後、左下に一時的に表示されるサムネイルをタップ。「フルページ」を開き、左上の「完了」から「PDFをファイルに保存」を選択しよう。

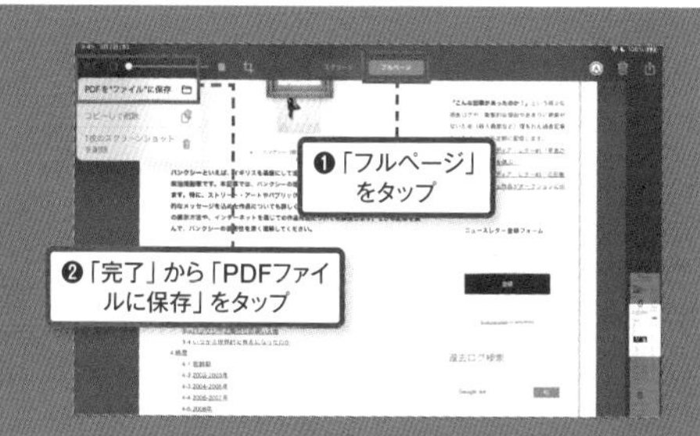

こんな用途に便利！

ホームボタンのないiPadユーザーには必須!
ジェスチャ操作でホームボタン同様の操作ができるようになる

効率的にアプリ操作をしたいユーザー
ジェスチャ操作でアプリの切り替えが素早く行える

効率的にファイル移動をしたいユーザー
ジェスチャ操作でファイル操作も素早く行える

増えすぎたiPadのジェスチャ操作を再確認しておこう

ホームボタンのないiPadはホームボタン廃止後に増えたジェスチャ操作に注目しよう

iOSのバージョンがアップするたびに、画面を呼び出すジェスチャ機能は改良されているが、多くのユーザーはどんなジェスチャ操作が追加されたか知らないまま使い続けているはずだ。そこで、一度現在のiPadのジェスチャ操作を再確認しよう。特にホームボタンがないProや最新のAir、miniユーザーはジェスチャ操作を知っておかないと困るだろう。

現在のジェスチャ操作は、ホームボタンを取り除いたiPad ProやiPhone Xシリーズに対応した仕様となっている。ホームボタン廃止後に代表的なジェスチャとなったのは画面下から上方向にフリックすると実行される「ホーム画面に戻る」操作だろう。また、ホームボタンを2回押せばAppスイッチャーが起動したが、ホームボタンのないiPad Proでは画面下から上方向に指を離さずゆっくりスワイプするとAppスイッチャーが起動する。この操作は標準iPadでも利用することが可能だ。

ほかにも、バージョンがアップするたびに増えたジェスチャ操作はたくさんある。画面下から虹を描くようにジェスチャ操作をすると「前に使っていたアプリに戻る、進む」が行える。また、右端下から中央へスワイプするとクイックメモを表示することができる。

新しくなったiPadの基本ジェスチャを確認しよう

1 画面下から上にスワイプしてホーム画面に戻る

ホーム画面に戻るには、画面下から上へ弾くようにフリックしよう。ホームボタンのない新しいiPad Proや最新のAir、miniでは必須の操作となる。

2 画面下から上へスワイプして中ほどで止める

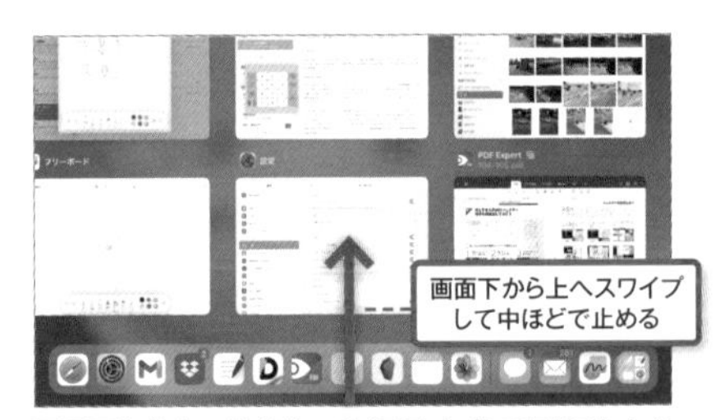

画面下から上へ指をゆっくりスワイプして画面中央あたりで止めるとAppスイッチャーが表示される。

3 コントロールセンターを表示させる

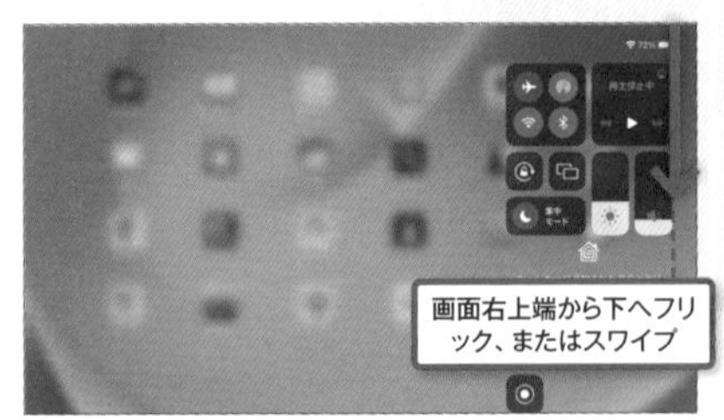

コントロールセンターを表示させるには、画面右上端から下へフリック、またはスワイプしよう。

4 1つ前に使ったアプリに戻る

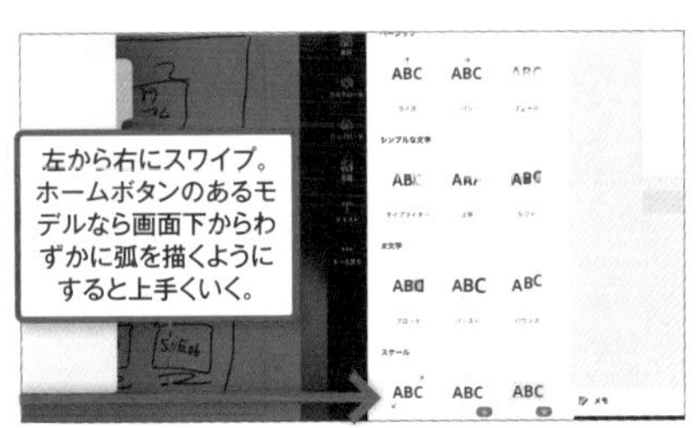

画面下端を左から右へスワイプすると1つ前に使ったアプリが表示される。バックグラウンドで起動した状態になっていれば、さらに前のアプリを表示させることができる。

5 1つ前に使ったアプリに進む

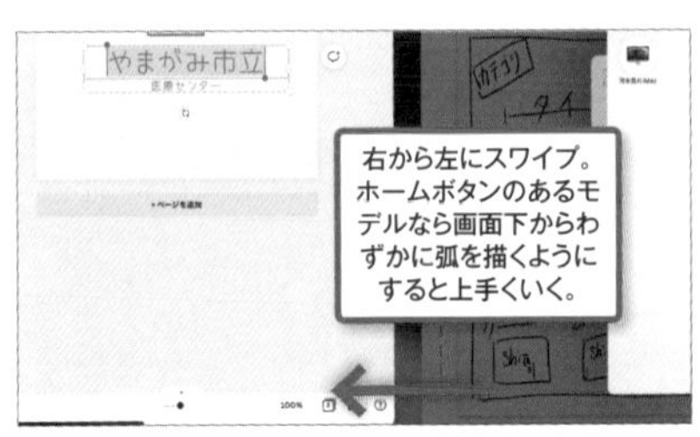

「戻る」ジェスチャのあと、画面下端を右から左へスワイプすると前のアプリに進む。ブラウザやアプリ操作の「戻る」「進む」と同じだ。

6 クイックメモを表示させる

画面右端下から中央へスワイプするとクイックメモが表示される。ホーム画面だけでなくアプリ起動中でも表示してメモを取ることができる。

複雑なSlide Overのジェスチャを復習しよう

わかりづらいSlide Overの操作を完全に理解しよう

iPadにはSlide Overというマルチタスク機能が搭載されている。2つのアプリを同時に表示して利用できる便利な機能だ。ただ、利用しているときに気になる問題として、ホーム画面に戻る操作をすると、Slide Overが消えてしまうことがある。しかし、実際は画面外へ隠れているだけで、Appスイッチャーを起動するか、ほかのアプリを起動中に画面端から内側へスワイプすれば引き出すことができる。知らないと何度もSlide Overを立ち上げてしまうので注意しよう。

なお画面中央上部のマルチタスクボタンでさまざまな操作ができる。なお、Slide Overの基本は107ページで解説している。

1 ホーム画面に戻り、ほかのアプリを起動後、通常は右端から左へスワイプすると隠れたSlide Overが表示される。

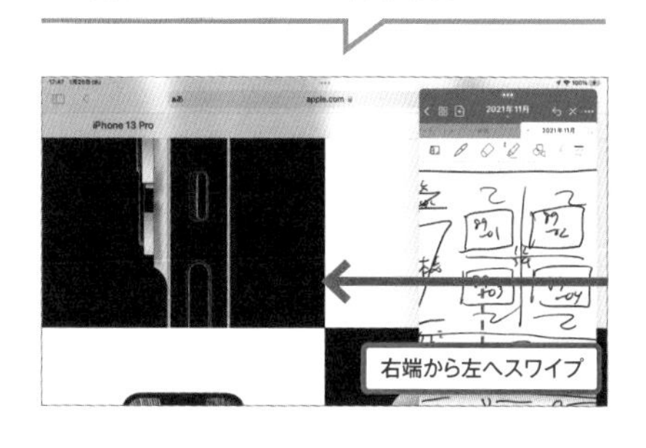

2 マルチタスクボタンを左右にフリックすると隠れる。表示されるつまみを引き出すと現れる。

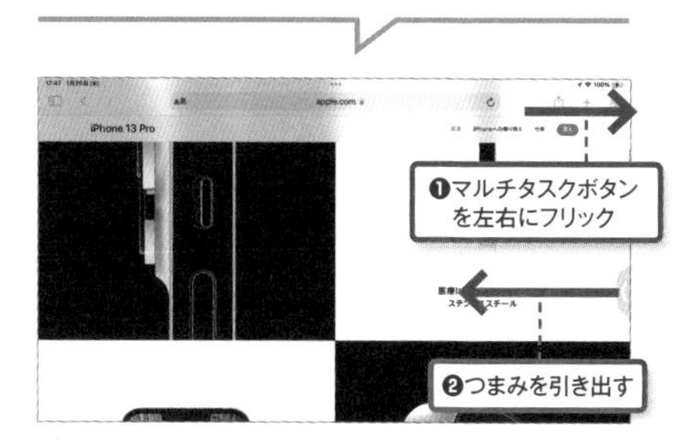

3 隠れたSlide OverはAppスイッチャーからも確認できる。右端に隠れているのがSlide Overだ。タップすると引き出せる。

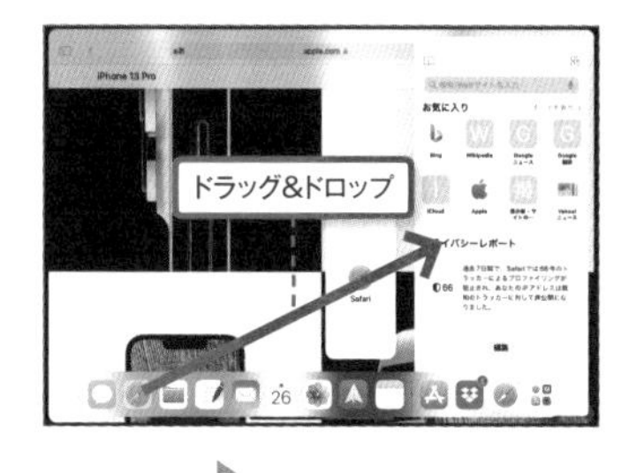

4 DockからSlide Over上にアプリを追加すると、そのアプリに切り替えることができる。なお、切り替え前のアプリはバックグラウンドで起動している。

5 Slide Over上で下から上へスワイプするとバックグラウンドで起動しているほかのSlide Overアプリが表示され、切り替えることができる。

6 Slide Over上のマルチタスクボタンを画面上部中央へスライドすると、全画面表示に切り替えることができる。

「写真」や「ファイル」アプリで使うと便利なジェスチャ

複数のファイルをまとめて素早く移動する

「写真」や「ファイル」内に保存されているファイルをほかのアプリにコピーする場合、覚えておくと便利なのが次のテクニック。ファイルを長押しして浮かした状態にしたままホーム画面に戻るとファイルが消えず、ほかのアプリにコピーすることが可能。あまり知られていない方法だが、知っておくと効率的にファイル移動ができるだろう。

1 ファイルを長押しして浮かした状態にする

移動したいファイルを選択、長押しして浮かせた状態にしよう。複数のファイルを選択することもできる。

2 ホーム画面に戻りほかのアプリにコピーする

画面下から上へスワイプしてホーム画面に戻る。すると選択したファイルが残ったままになる。ほかのアプリを起動してペーストしよう。

こんな用途に便利！

2つのアプリを並べて使える
複数のアプリを見比べながら作業するときに便利

アプリの上に重ねるように別のアプリを使う
メインアプリを全画面にしながらほかのアプリを使いたいときに便利

複数のアプリを素早く切り替える
新しいマルチタスキング操作でアプリ切り替えがスムーズに行える

改良され進化し続ける iPadのマルチタスク機能を使いこなそう

マルチタスキングの基本 Split Viewで複数の アプリを同時に利用する

複数のウインドウを開いて並列作業が行えるPCと異なり、iPadは1画面1ウインドウのシングルタスクが基本仕様となっている。しかし、2015年にマルチタスキング機能が追加されて以降、毎年iPadのマルチタスキング機能は少しずつ改良され使いやすくなっている。一度、マルチタスキング機能を見直してみよう。

代表的なのが、iPadの画面を分割して2つのアプリを並べて使う「Split View」と、アプリの上に重ねるように別のアプリを使う「Slide Over」だ。

また、最新のiPadOS 16では一部の機種限定となるが、非常に多機能で便利な「ステージマネージャ」機能が使えるようになったが、そちらについては、20ページで解説しているので、ここではほかの方法を紹介する。iPadアプリを起動するとiPad画面最上部に3つのマルチタスキングボタンが表示され、このボタンをタップするとSplit ViewやSlide Overが起動できる。以前のドラッグ操作よりもスムーズに操作できるようになっている。

また、Dockの右端にAppライブラリが追加され、ここからiPadにインストールしているアプリを素早く呼び出し、Split ViewやSlide Overにすることができるようになった。

マルチタスキングメニュー

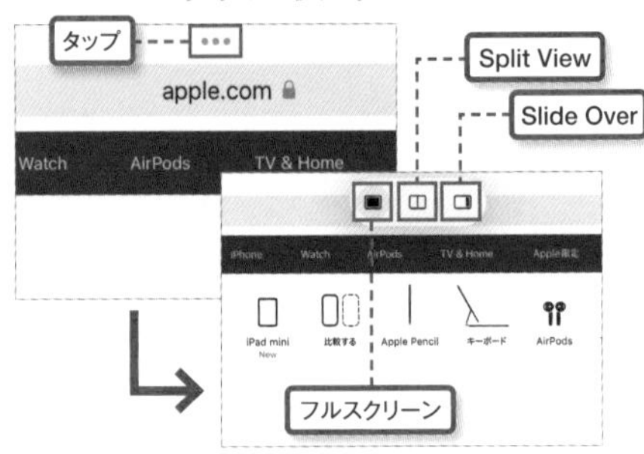

アプリを起動すると画面上部に「…」というボタンが表示される。これをタップするとマルチタスキングメニューに変化する。

Split View

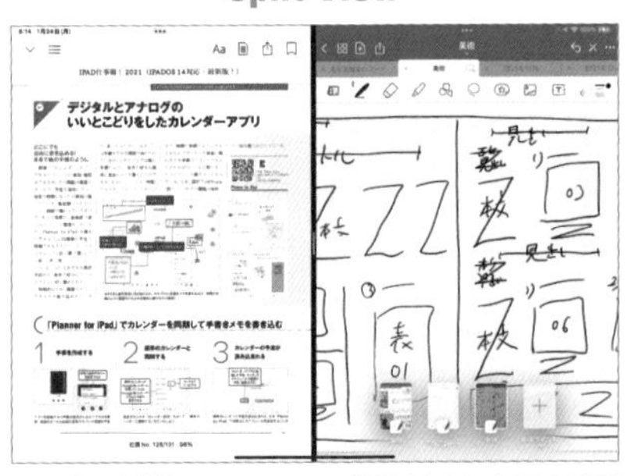

画面を2分割して、2つのアプリを同時に表示する形式。分割の比率も変更できる。

Slide Over

アプリの上に重ねるように別のアプリを使う。縦長のフローティング表示で、画面の左右に自由に動かせる。

新旧のSplit Viewの使い方を知っておこう

1 よく使うアプリを Dockに登録しておく

まずは、Dockから行う方法だ。Split Viewでアプリを起動するにはDockに登録しておこう。なお、Dock右端にアプリ「Appライブラリ」が追加されているので、ここから呼び出すこともできる。

2 DockからSplit Viewで 利用するアプリをドラッグ

アプリ起動中に画面下にある白いバーを上へスワイプする。Dockが表示されたら、Split Viewで表示させたいアプリを画面端までドラッグ&ドロップしよう。

3 Split Viewが起動して アプリが並列表示される

Split Viewに対応したアプリならSplit Viewが起動してアプリが並列表示される。分割線中央のハンドルを左右にスライドすると画面比率を変更することができる。

新着メールのチェックやSNSのチェックに便利なSlide Over

Slide Overは、現在開いているアプリに重ねるように2つ目のアプリを表示させるiPadのマルチタスク機能だ。1つ目のアプリをフルスクリーン状態にしたまま2つ目のアプリを利用できるのがSplit Viewとの大きな違いで、また、Slide Overで表示しているアプリは左右に自由に移動させることができる。フルスクリーン状態にしたSafariでブラウジングをしながら、Slide Over上でSNSやメールなどのメッセージをチェックするときなどに便利だ。なお、画面上部中央のマルチタスキングメニューの右端のボタンをタップして起動することもできる。

Slide Over上で下から上へスワイプするとAppスイッチャーが表示され、前に開いていたアプリに素早く簡単に切り替えることができる。

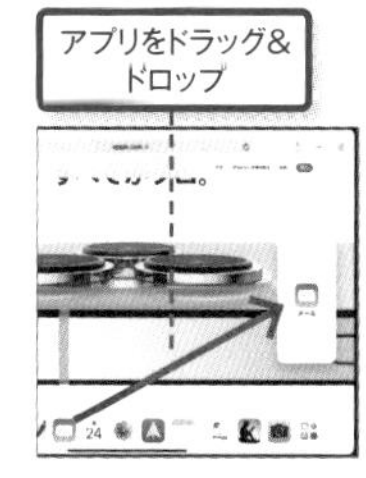

アプリ起動中に画面下の白いバー（iPad Proなどの場合）を上へスワイプしてDockを引き出し、2つ目のアプリを少しだけ長押しして1つ目のアプリ上にドラッグ&ドロップしよう。

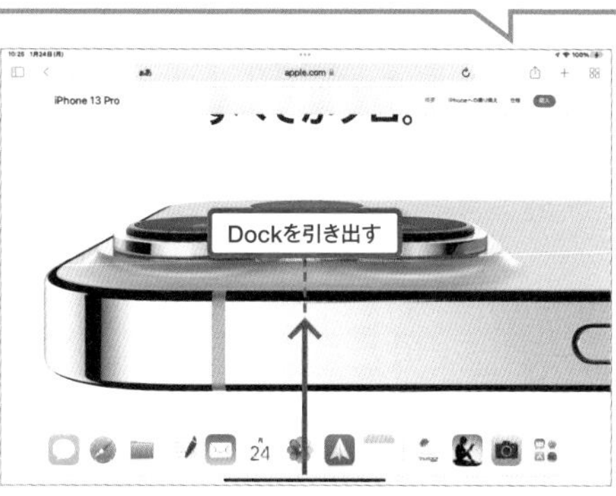

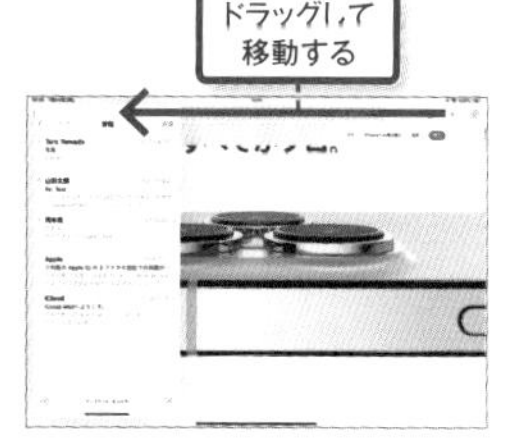

Split Viewのように画面が分割されず、アプリ上に浮いたように2つ目のアプリが表示される。上部を左右にドラッグして位置を移動できるのも特徴だ。

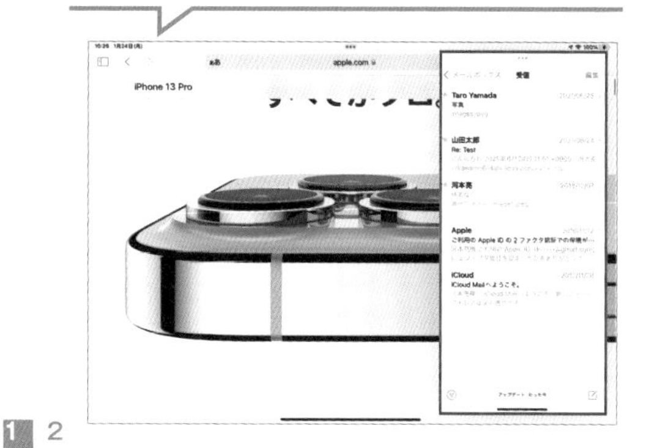

1 2
3 4

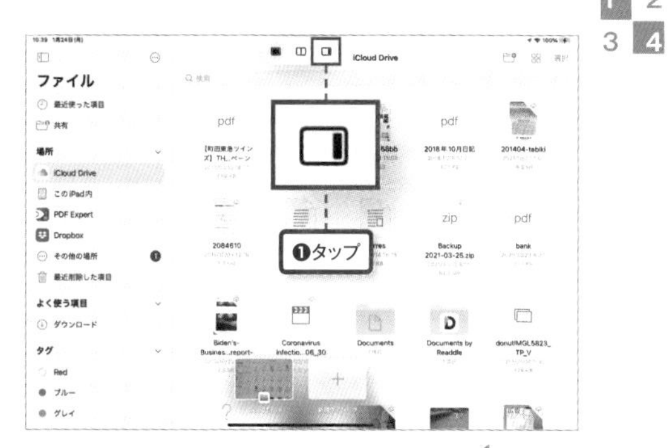

マルチタスキングメニュー右端のボタンをタップするとアプリが右端に隠れる。ホーム画面から2つ目のアプリを選択すると隠れていたアプリがフローティング上になって表示される。

Slide Over上で下から上へスワイプするとAppスイッチャーが表示される。Slide Over上で表示するアプリを選択しよう。

ここがポイント

Appスイッチャー上でSplit Viewを作成する

便利な方法として、Appスイッチャー上にあるアプリをドラッグして、ほかのアプリに重ねるとSplit Viewを作成できるようになっている。逆にSplit Viewの片方のウインドウをドラッグすると解除することもできる。

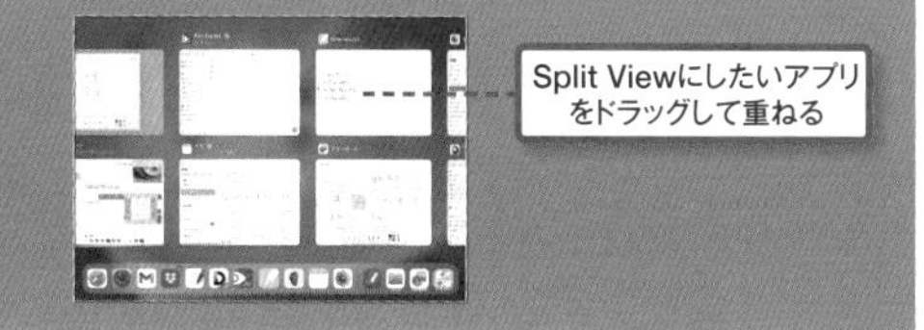

4 マルチタスクメニューからSplit Viewを起動する

こちらは新しい方法。マルチタスクメニューからSplit Viewを起動する場合は、アプリ起動中に画面上部の「…」をタップして中央のSplit Viewボタンをタップする。

5 2つ目に起動するアプリをホーム画面でタップ

1つ目のアプリのウインドウが左端に移動し、ホーム画面が表示される。ここから2つ目のアプリを起動する。なお、画面端に隠れたアプリをタップすると1つ目のアプリの表示に戻すことができる。

6 Split Viewが起動する

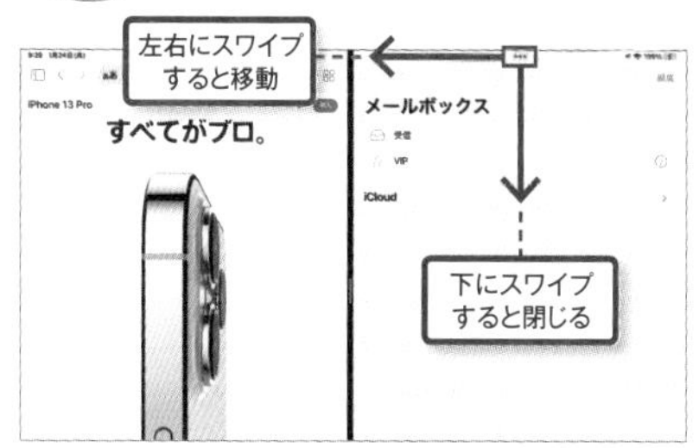

2つ目のアプリが起動して分割表示される。画面上の「…」を下にスワイプするとアプリを閉じることができ、左右にスワイプするとアプリの表示位置を切り替えることができる。

こんな用途に便利！

MacのキーボードやマウスをiPadで使いたい
付け替えることなく、シームレスにMacの入力デバイスを使える

iPadをMacのサブディスプレイとして使いたい
サイドカーを使えばMacのデスクトップがiPadの画面に表示される

MacとiPad間でスムーズにファイルをやり取りしたい
ユニバーサルコントロールならドラッグ&ドロップでやり取りできる

Macとの連携技でiPadのさまざまな操作を高速化!

2大連携機能を使いこなそう

iPadをパソコンライクに使いたいことはあるものの、そのために重くて厚い純正キーボードカバーを着けたり、マウスを常備したりするのはちょっと……、という人におすすめなのが、「ユニバーサルコントロール」だ。これは、Macに接続されているキーボード、マウス、トラックパッドなどの入力機器を、つなぎ直すことなく、iPadとシームレスに共有できるという機能だ。

これにより、iPadのそばにMacがあればいつでも、Macのキーボードを使ってiPadでスムーズに文字入力ができるようになり、マウスによるきめ細かい操作も可能になるので、あたかもMacからiPadをリモート操作しているような感覚で使えるようになる。

もう1つおすすめの機能が「サイドカー」だ。これはMacのサブディスプレイとしてiPadを使えるようにするという機能で、Macのデスクトップなど作業中の画面をより広く表示させたい、MacとiPadそれぞれに別アプリのウインドウを表示して効率的に並行作業したいといった場合に役立つ。

ユニバーサルコントロール、サイドカーの機能を利用するには、MacとiPadそれぞれで同じApple IDでサインインした上で、設定を済ませておく必要がある。また、各デバイスが10m以内の距離にあり、すべてでBluetoothとWi-Fi、Handoffが有効になっている必要もある。

MacとiPadの連携機能でできること

Macの入力デバイスをiPadで使う

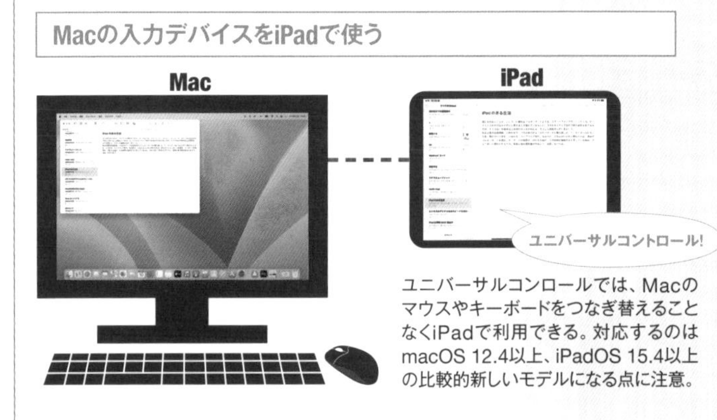

ユニバーサルコンロールでは、Macのマウスやキーボードをつなぎ替えることなくiPadで利用できる。対応するのはmacOS 12.4以上、iPadOS 15.4以上の比較的新しいモデルになる点に注意。

Macの画面をiPadの画面に表示

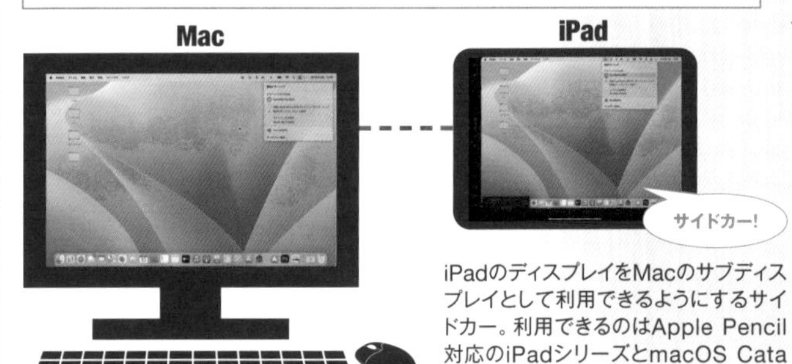

iPadのディスプレイをMacのサブディスプレイとして利用できるようにするサイドカー。利用できるのはApple Pencil対応のiPadシリーズとmacOS Catalina（10.15）以降搭載のMac。

初期設定をしてユニバーサルコントロールを使う

1 iPadで設定する

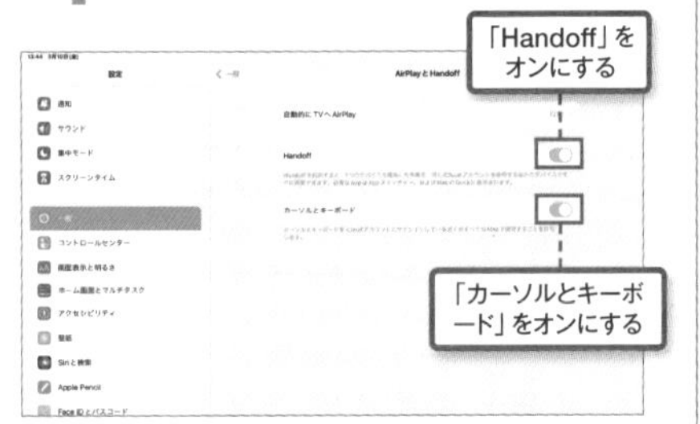

「設定」アプリで「一般」→「AirPlayとHandoff」をタップし、「Handoff」と「カーソルとキーボード」のスイッチをそれぞれオンにする。

2 Macで設定する

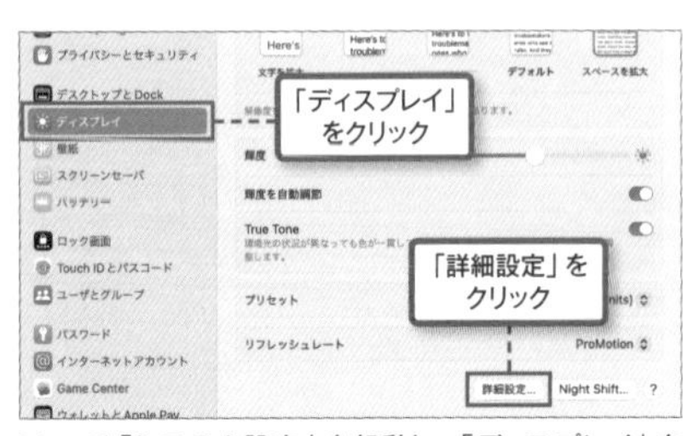

Macで「システム設定」を起動し、「ディスプレイ」をクリックして、「詳細設定」をクリックする。

3 機能を有効にする

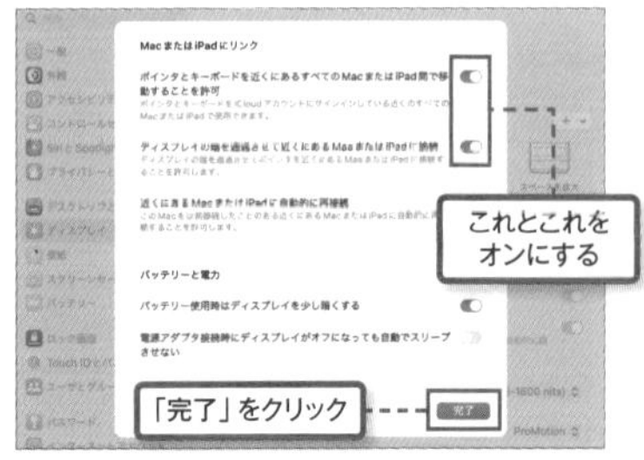

表示される画面で、上の2つの設定項目のスイッチをオンにして、「完了」をクリックする。

サイドカーも便利だ

サイドカーでは、2つの表示方式のいずれかを選択できる。1つがMacのデスクトップをiPadのディスプレイのぶん拡張し、MacとiPadの画面それぞれに別アプリのウインドウなどを表示して並行作業できる「個別のディスプレイ」で、もう1つがMacとiPadとで同じ画面を表示する「ミラーリング」だ。どちらもMacのメニューバーから切り替えられるので、自分の作業内容に合わせて好きな表示方式を選択するといいだろう。

サイドカーの便利な使い方としては、連携マークアップが有名だ。これはiPadとApple Pencilの組み合わせを、プロのデザイナーが使うペンタブレットのように利用するというもので、Macに保存されたPDFや画像などに、iPadから手書きのメモやイラスト、注釈を入れられるというもので、その際にiPadにファイルを転送する必要もない点が便利なので、その方法をぜひ覚えておきたい。

1 iPadに画面を出力する

Macのコンロールセンターで「画面ミラーリング」をクリックして、出力先となるiPadの名前をクリックする。

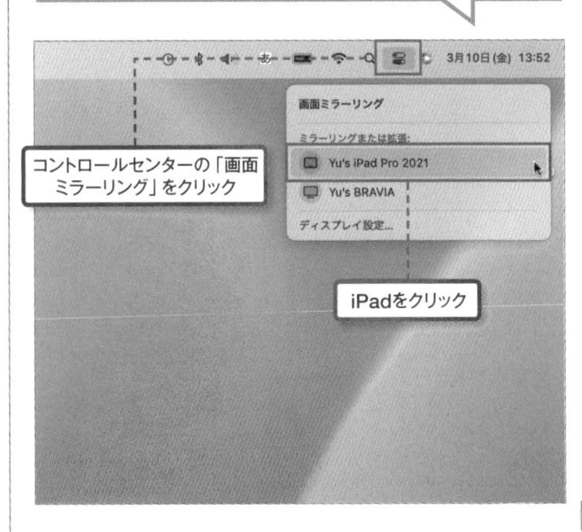

2 表示方式を切り替える

表示方式は、メニューバーの「画面ミラーリング」アイコンをクリックすると表示されるメニューで切り替える。またここでiPad名をクリックするか、iPadの画面から「接続解除」をタップするとサイドカーが終了する。

3 連携マークアップを利用する

Macに保存されたPDFや画像などのファイルを、選択してスペースキーを押すとクイックルックでその内容が表示される。iPadで手書きするには、上のように操作する。

4 iPadでPDFが開く

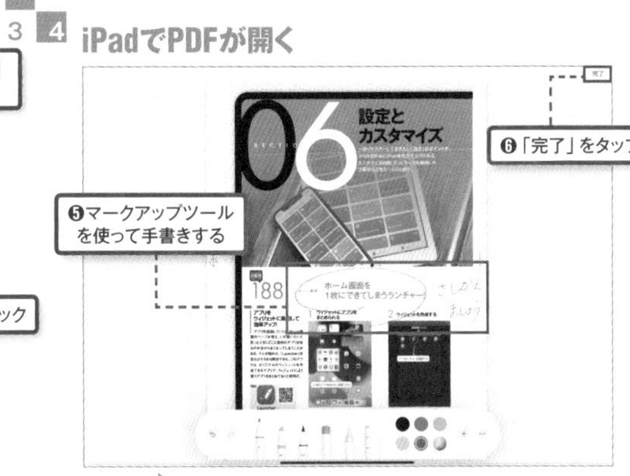

iPadでPDFが開き、マークアップツールが表示されるので、Apple Pencilを使ってPDF上に手書きする。作業が終わったら、「完了」をタップしてMacでの作業に戻る。

ここがポイント

ドラッグ&ドロップでファイルをやり取りする

ユニバーサルコントロールでは、マウスやキーボードの共有に加え、iPadとMac間でのドラッグ&ドロップによるファイルのやり取りが可能。入力デバイスの操作対象を切り替える際と同じ手順で、どちらかからもう一方にファイルをドラッグ&ドロップすればいい。その際、関連付けられたアプリアイコンにドラッグ&ドロップすると、そのアプリでファイルが開く。

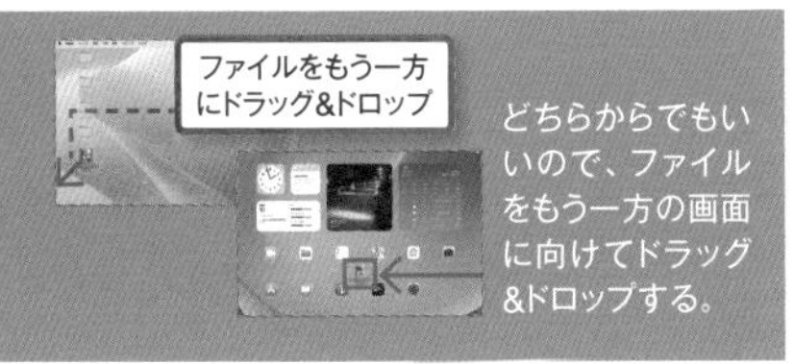

どちらからでもいいので、ファイルをもう一方の画面に向けてドラッグ&ドロップする。

4 MacからiPadに操作対象を切り替える

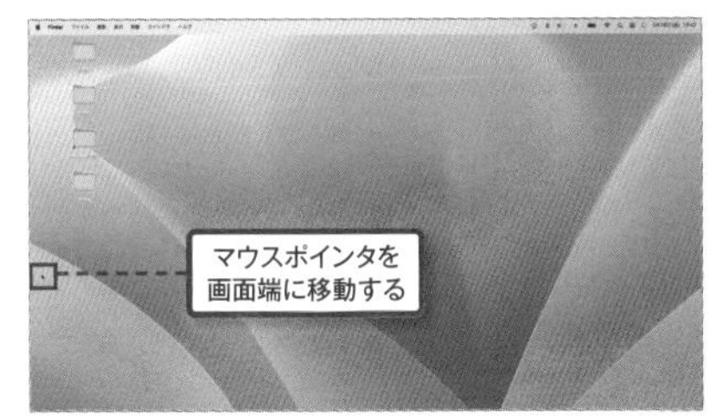

Macのマウスポインタを、iPadの画面が隣接する方向（ここでは画面左端、手順6参照）の端に移動する。

5 iPadにマウスポインタが移動する

iPadの画面、Macの画面が隣接する方向（ここでは画面右端、手順6参照）にマウスポインタ（カーソル）が現れる。そのままMacのマウスとキーボードを使ってiPadでの操作が可能になる。

6 MacとiPadの画面が隣接する位置を変える

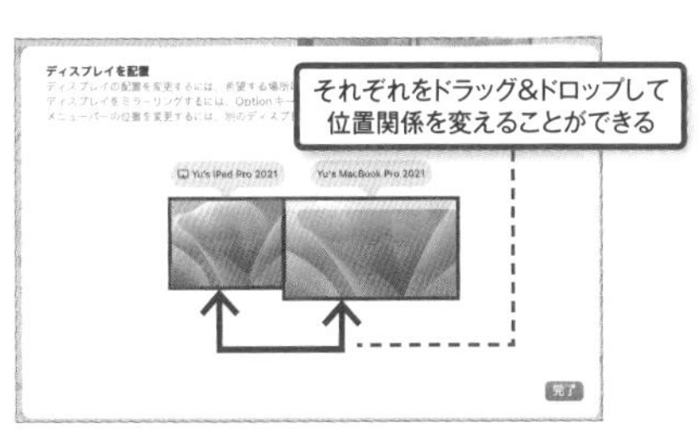

手順3の画面で「配置」をクリックすると表示される画面では、ユニバーサルコントロールでつながっているMacとiPadの画面の位置関係がイラストで表示される。位置関係はドラッグ&ドロップすることで変えることができる。

こんな用途に便利！

複数のタスクを見やすく管理したい
チャート式でタスクの繋がりが一目瞭然

複数のタスクを同時に進行したい
タスクの繋がり（リンク）が可視化されるので、タスク忘れなどのミスを減らすことができる

思考を整理しながらタスクを管理したい
タスクの洗い出しと、タスクの連携の2ステップで、思考整理が捗る

思考を整理しつつ タスク管理もできる「Taskheat」

フローチャートで管理できるタスク整理術

その日のやるべきタスクや、週・月の大きなタスクまで、ビジネスシーンでは大小さまざまなタスクの処理を求められる。これらは標準の「リマインダー」で管理することもできるが、複数のタスクが入り交じる状態で、それぞれのタスクの進行もまちまちとなれば、どれから手をつけていいのかわからなくなってしまう。そこで、タスク管理から一歩進んだ「タスク整理」へと手を伸ばしてみよう。

作者／Eyen
価格／無料(App内課金あり)
※フルバージョンは1,400円

Taskheat

「TaskHeat」は、タスクをフローチャートで管理できるグラフィカルなタスクツールだ。

多くのタスクツールが、タスクを「リスト」で列挙していくスタイルなのに対して「TaskHeat」では、タスクと関連するタスクとをドラッグでリンク。フローチャートのようにタスク同士が繋がり、タスクの全体像や進行度を効率よく可視化することができる。

また、関連するタスクを繋ぐという作業も、マインドの整理に役立つので、まずは14日間の試用期間で試してみるといい。1日の始まりを「TaskHeat」でのタスクの洗い出しと、関連タスクのリンクからスタートすれば、驚くほど思考がクリアになるはずだ。

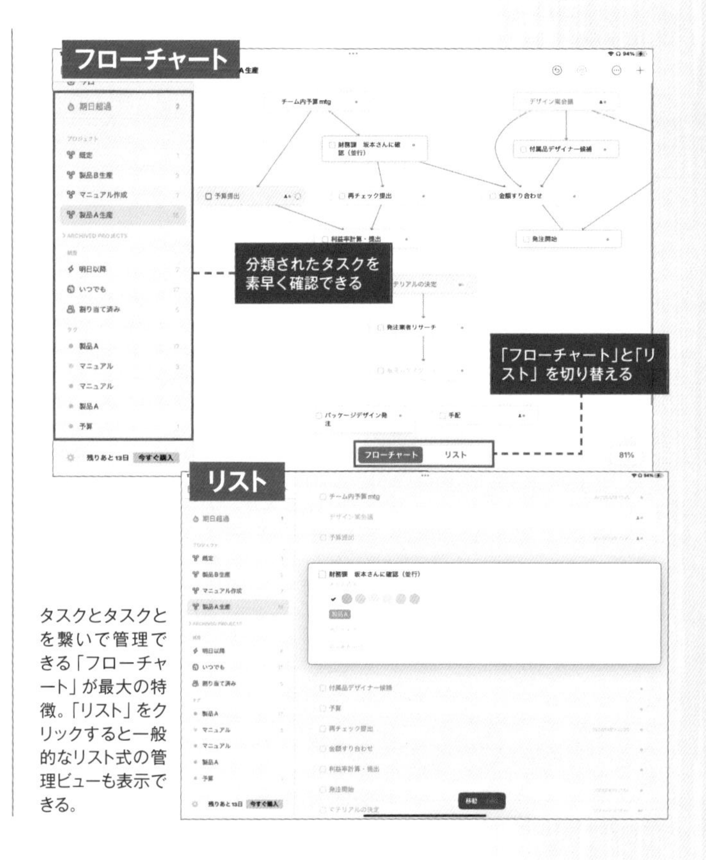

タスクとタスクとを繋いで管理できる「フローチャート」が最大の特徴。「リスト」をクリックすると一般的なリスト式の管理ビューも表示できる。

チャート形式のタスクを作成・完了させる

1 プロジェクトを作成する

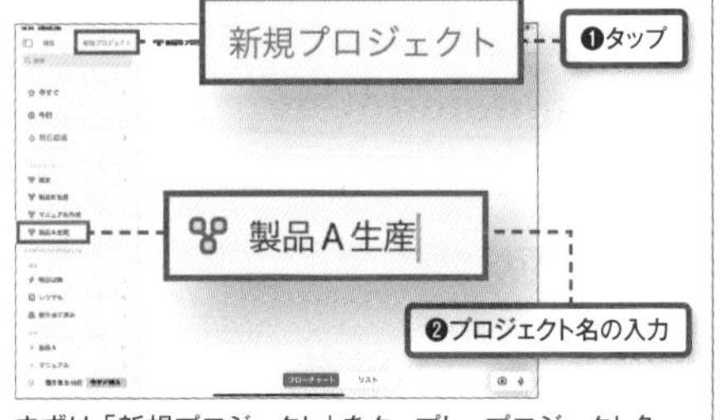

まずは「新規プロジェクト」をタップし、プロジェクト名を入力する。

2 タスクを作成する

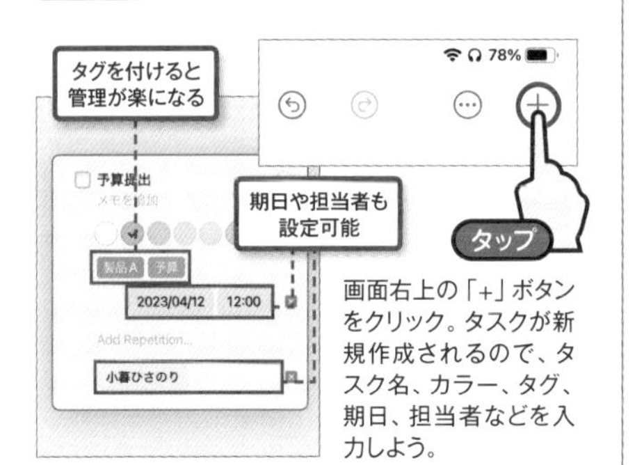

画面右上の「+」ボタンをクリック。タスクが新規作成されるので、タスク名、カラー、タグ、期日、担当者などを入力しよう。

3 関連するタスクを追加する

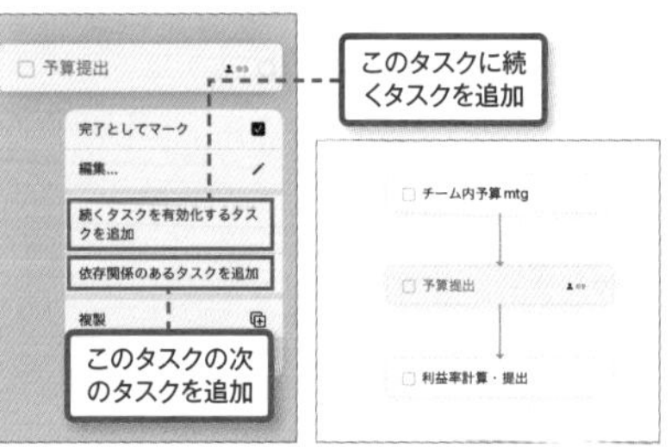

タスクを長押し。「依存関係のあるタスクを追加」から続くタスクを追加していこう。

関連するタスクを線で繋げてチャートを作成

「Taskheat」を効率良く使うのにオススメの方法は、まずは「+」ボタンからどんどんタスクを追加してしまおう。やるべきことを一通り洗い出したら、2ステップ目はタスクの右にある「○」ボタンをドラッグして、関連させたいタスクへと線を繋げていくのがいい。

この際、タスクは上下に繋げるだけではない。1つのタスクから複数のタスクへとチャートを延ばすことができるので、並行タスクも見やすく管理可能。この際は自動的にチャートがレイアウトされ、複雑に入り組んだ工程も見やすく整理される。

この2段階方式で散らばったタスクをまとめて(繋げて)いくことで、思考の整理と、効率の良いタスク管理・進行が狙えるはずだ。

1

追加したタスクの中で、関連するタスク。もしくは連続したタスクなどはチャートを繋げていこう。「○」をドラッグして繋げたいタスクまで線をつなげればOKだ。

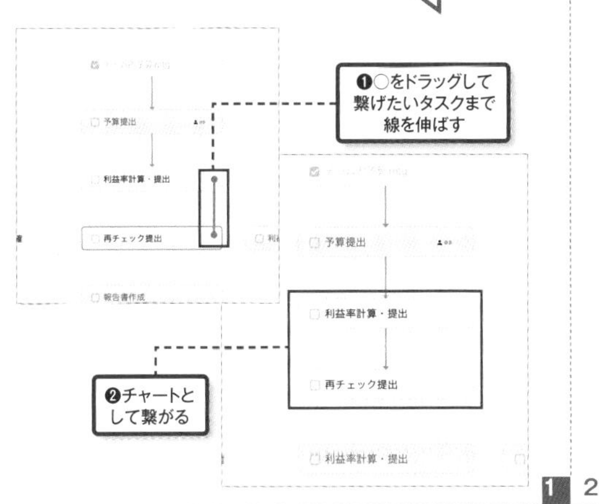

2

チャートの繋げ方によっては、接続に合わせて見やすい形に自動でレイアウトが変わっていく。1つのタスクから複数のタスクに接続することも可能だ。

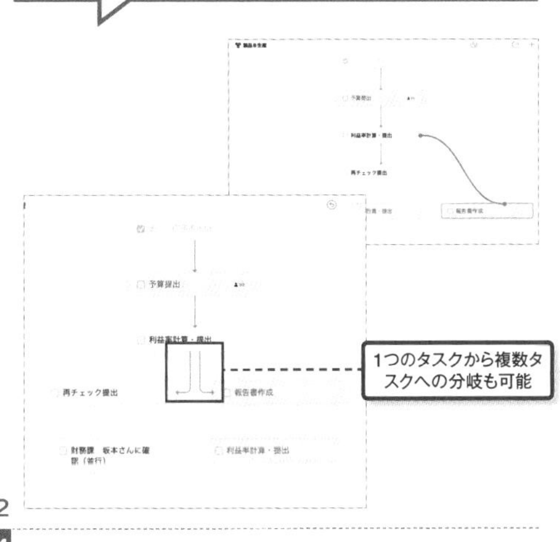

3

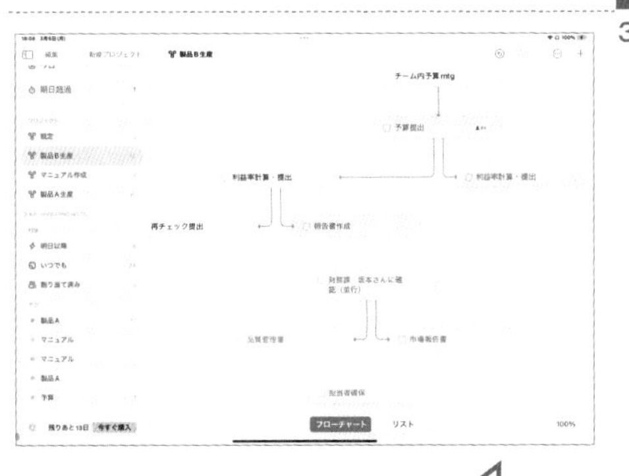

こうして、1つのプロジェクトの中で、関連するタスクと別のフェーズで進むタスクとを、グラフィカルに整理することができる。

4

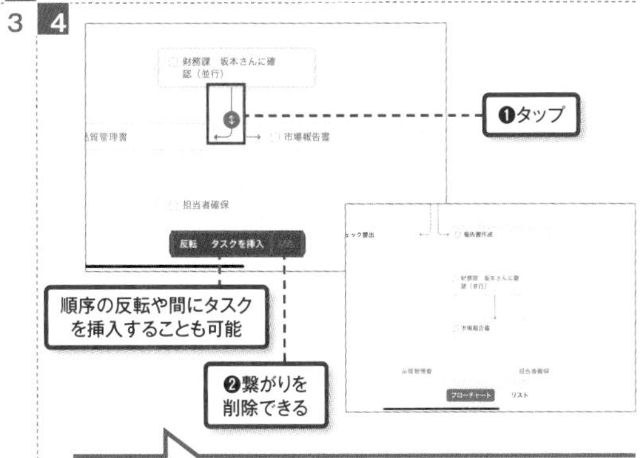

タスク繋がりを解除したい場合は、チャートの線をタップして「削除」をタップすればいい。反転や間にタスクを挿入することもできる。

ここがポイント

タスクの洗い出しはリスト表示も便利

画面下部の「リスト」をタップすると、画面がリスト表示に変化する。このリスト表示ではタスク同士の関連性は見えないが、やるべきタスクの洗い出しには視認性が良い。膨大なタスクがある場合は、まずはこのリスト画面を使ってタスクを登録し、上で紹介した手順に従って、後ほど関連タスクを「フローチャート」画面で接続していくのも便利だ。

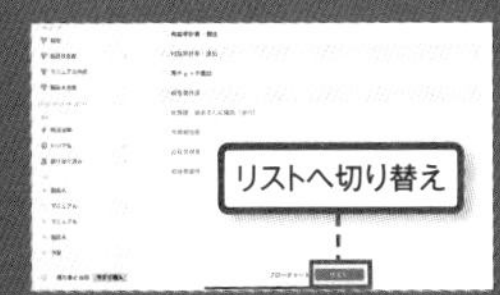

リスト表示はタスクを大量に追加したい場合に便利。整理は後ほど行おう。

4 「+」ボタンでタスク追加も可能

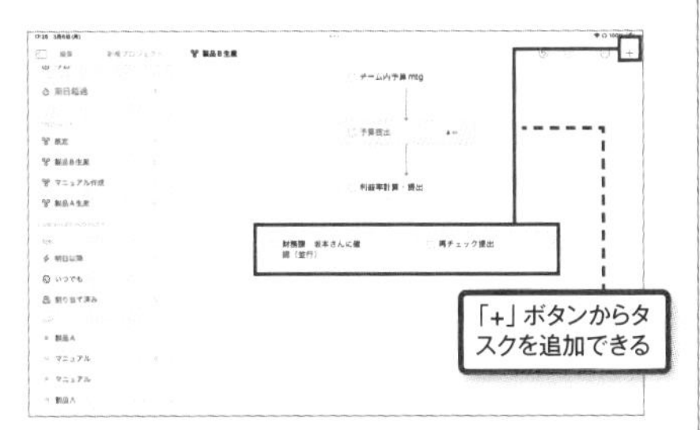

「+」ボタンから連続的にタスクを追加できる。フローチャート化を後ほど行なう場合はこの方法が便利だ。

5 済んだタスクを完了させる

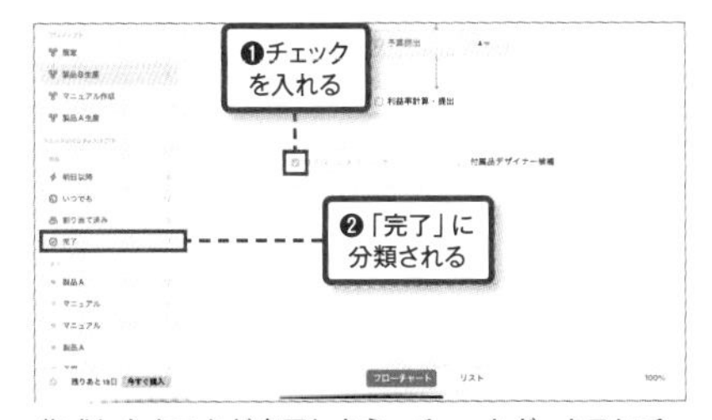

作成したタスクが完了したら、チェックボックスにチェックを入れる。完了したタスクは、「完了」に分類される。

6 完了したタスクを非表示にして整理する

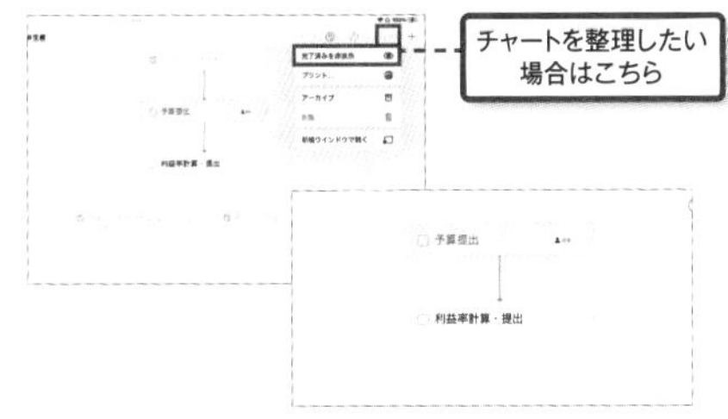

「完了タスクを表示」をオフにすると、完了したタスクが消え、残ったチャートだけが整理されて見やすくなる。

管理
MANAGEMENT

こんな用途に便利！

スケジュール管理をデジタル化したい
iPadを高性能なデジタルステーショナリとして活用できる！

カレンダーアプリの予定もチェックしたい
AppleやGoogleカレンダーと同期が可能

手書きカレンダーのベストを知りたい！
2大手書きカレンダーアプリのメリット・デメリットをチェック

手書きカレンダーアプリはこの2強が凄い。どちらを選ぶ？

これらはチェック必須！「Pencil Planner」「Planner For iPad」

最近はタブレットをステーショナリー的に利用するユーザーも多く、手書きカレンダーアプリが注目されている。中でも人気なのは、「Pencil Planner」と「Planner For iPad」だ。

「Pencil Planner」は、手書きしたメモが日、週、月の複数の表示にまたがって表示されるのがとにかく便利。手書きで追加した情報が散らばらないため、効率的に手書きメモを活用できる。さらに、AppleやGoogleカレンダーへ予定を追加できたり、メモを日付や予定とリンクさせて残せたりと、デジタルノートとしての使い勝手の良さが光る。

「Planner For iPad」は、手書きの自由度や情報の整理力に富んだ手書きカレンダー。画面のどこにでも、リフィルやマスキングテープ、写真を貼り付けてメモを書けるなど、自分の思うがままに書き込める。

どちらも無料でもベーシックな機能は享受できる。まずは機能を確認しつつ実際に触れてみて、どちらを選ぶのか？をジャッジしてほしい。

作者／Wasdesign, LLC
価格／無料(App内課金あり)
カテゴリ／仕事効率化

Pencil Planner

作者／Takeya Hikage
価格／無料(App内課金あり)
カテゴリ／仕事効率化

Planner For iPad

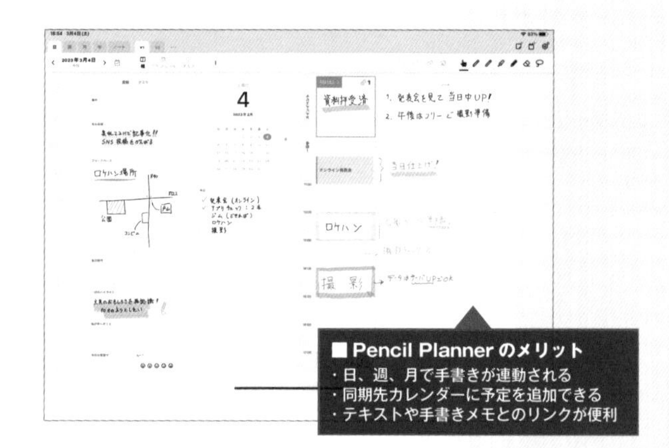

■ Pencil Planner のメリット
・日、週、月で手書きが連動される
・同期先カレンダーに予定を追加できる
・テキストや手書きメモとのリンクが便利

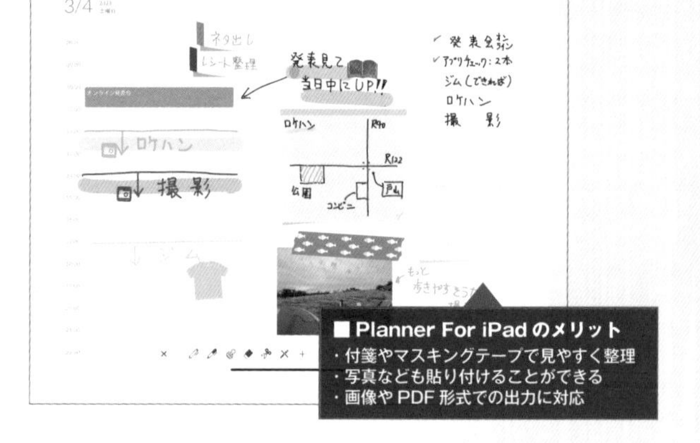

■ Planner For iPad のメリット
・付箋やマスキングテープで見やすく整理
・写真なども貼り付けることができる
・画像や PDF 形式での出力に対応

Pencil Plannerで押さえたいマスト機能

1 デジタルとアナログを融合

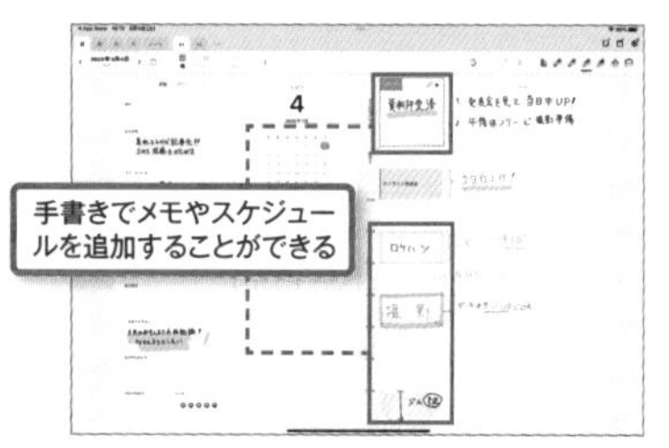

iOSカレンダーやGoogleカレンダーと同期でき、デジタルカレンダーに手書きで予定やメモを加えることができる。

2 日、週、月で手書きが連動する

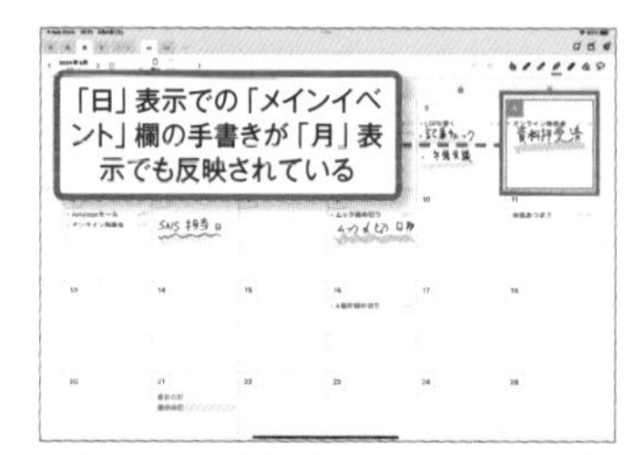

手書きメモは、表示単位を変えても確認できる。表示ごとに別々のメモを作らなくても良いので、メモした情報が散らばらずに効率よく管理できる。

3 同期先カレンダーに予定を追加

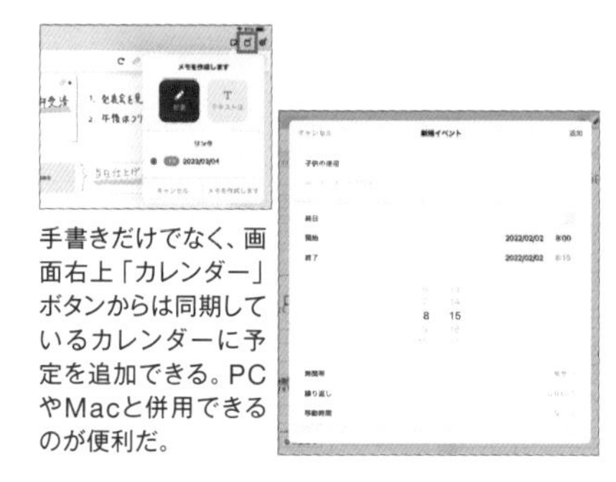

手書きだけでなく、画面右上「カレンダー」ボタンからは同期しているカレンダーに予定を追加できる。PCやMacと併用できるのが便利だ。

組み換えパズル的な思考整理が行えるPlanner For iPad

手書きという特徴に加えて「リフィル」という唯一無二の武器を備えているのが「Planner For iPad」。紙の手帳と同じように、ペタペタとページ内に付箋やシートを貼り付けて予定やメモを書き込むことができる。このリフィルは文字を記入できる上、自由に移動可能。これにより、リフィルにタスクを書き出して、タスク内容に応じてまとめたり、進行度に応じて移動させるなど、パズル的なタスク整理も利用できる。

ほかにも、画像をスクラップしたり、マスキングテープでデコレーションしたり、スタンプを押したりと、手書きだけでなくさまざまな装飾が可能なのもこのアプリのメリットだ。これらのグラフィカルさを活用し、情報を見やすく整理することで、タスクと思考を整理し、効率よくスケジュールを進行できるようになるのが、このアプリ最大のメリットだと言える。

Planner For iPadで押さえたいマスト機能

1 「+」ボタンからリフィル(付箋)の追加と情報整理

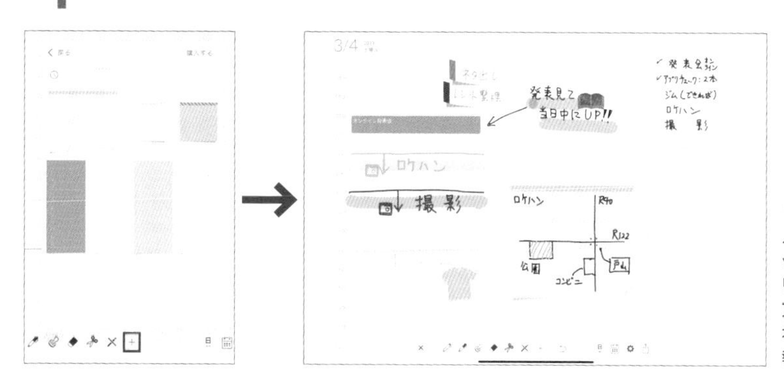

「+」ボタンから「リフィル」を選べば、付箋やチェックシートなど、さまざまなリフィルを貼り付け可能。文字を記入でき、好きな場所へ移動することで情報整理に活躍する。

2 写真の貼り付けでビジュアルメモ

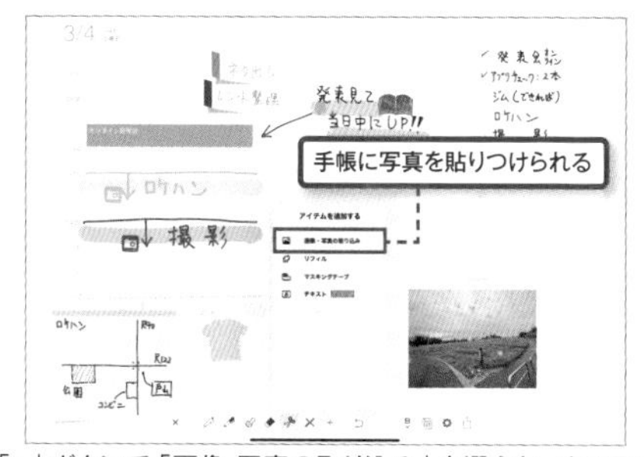

「+」ボタンで「画像・写真の取り込み」を選ぶと、カメラロールの写真を貼りつけられる。

3 手帳並の自由自在な書き込み力!

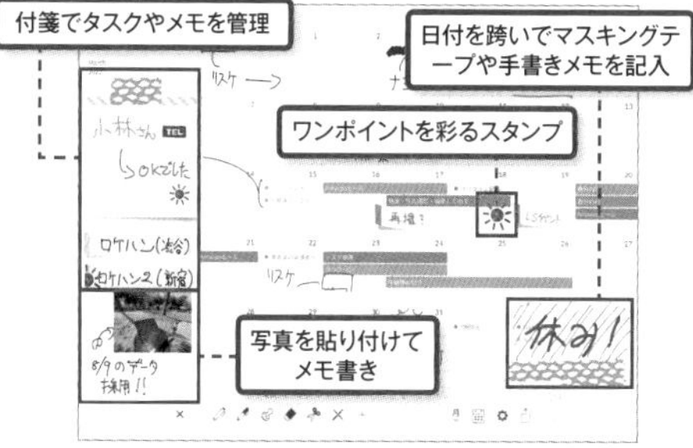

日付の枠を超えて書き込み可能。付箋や写真も好きな場所に貼れるので、実際の手帳を上回るほどの自由なスタイルで何でも書き込んでメモできる。

ここがポイント

2つの手帳アプリのデメリットも知っておこう

2つとも便利なアプリだが完璧ではない。「Pencil Planner」はデコレーション機能がなく、写真の貼りつけも不可。PDF形式などでの出力も非対応だ。「Planner For iPad」は、日、週、月の連携がないため、メモの手間が増えてしまうのがネックとなる。理想の手帳と出会うには、これらデメリットも熟知しておこう。

	Pencil Planner	Planner For iPad
月額	550円	360円/600円
年額	2100円	−

フル機能を利用する際の価格も気になる要素。月額料金は「Planner For iPad」の方が安いが、1年間で見ると、年払いがある「Penil Planner」の方が安くなる。

4 カレンダーにリンクしたメモを作成

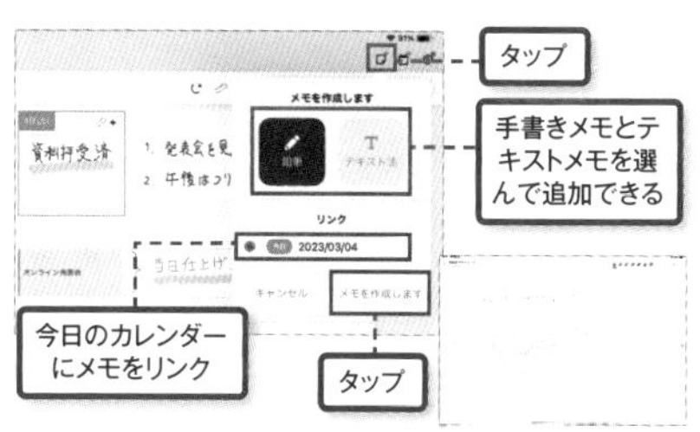

「リンク」からは、日付や予定とリンクさせたメモを追加できる。リンクすることで、メモと予定を結び付けられるという仕組みだ。

5 日付やカレンダーの予定とリンク

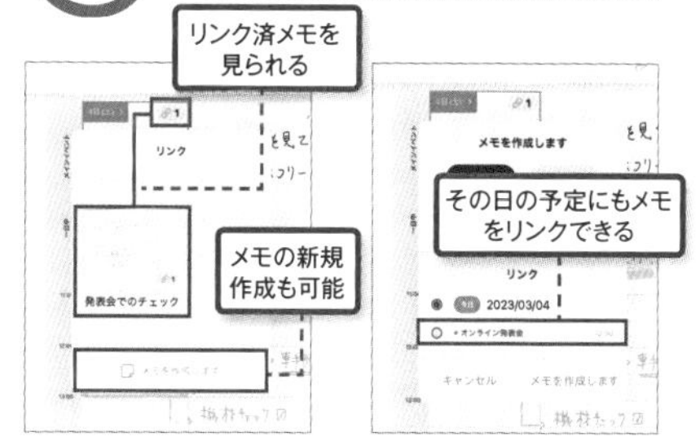

リンクボタンからメモを追加する時は、日付やその日の予定を指定しておこう。メモから該当する予定を素早く呼び出せる。

6 開始・終了時間や週始まりを変更できる

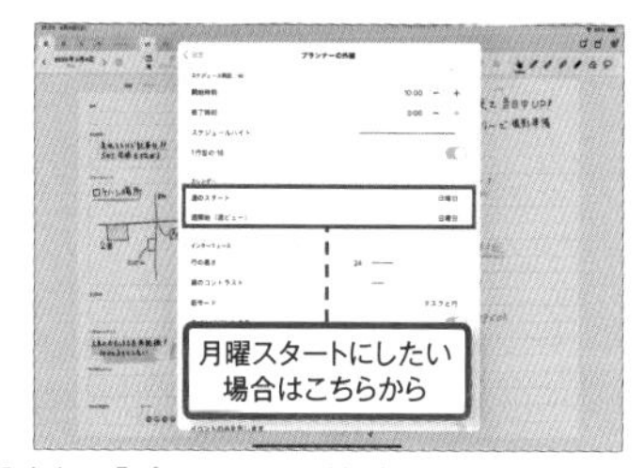

「設定」の「プランナーの外観」からは日表示カレンダーの開始・終了時刻、週のスタート曜日をはじめ、さまざまな表示を柔軟に変更できる。

こんな用途に便利！

クラウドと同期フォルダを作成できる

Dropboxなどのクラウドに接続できるだけでなく、同期させて使うことができる

Dropboxの接続台数制限を回避できる

無料プランのDropboxは接続台数が制限されるがDocumentsならばカウントされない

標準ファイルアプリより多機能

ファイルアプリより便利に使える機能が多いのでぜひ試してみよう

ファイルアプリよりも多機能で便利なDocumentsでファイルを管理！

ファイルアプリよりはるかに便利な機能がたっぷり!

iPadの中にあるファイルを管理する意味では、標準のファイルアプリもそこそこに便利ではあるが、「Documents」アプリの方がはるかに効率的にファイルを操作できる。メインのファイル管理アプリにはDocumentsを使うのがおすすめだ。

もっとも便利な機能は、Dropboxなどのクラウドとのフォルダ同期機能だ。クラウドに接続できるだけでなく、好きなフォルダをPCとiPadで同期させて使うことができる。Dropboxの場合は、無料版での同期台数の制限も回避できてしまう。同期フォルダ内にあるPDFや画像には、Documentsアプリ内だけで注釈をつけることもでき、無料なのが信じられない高機能ぶりだ。

それ以外にも、Zip以外の圧縮ファイルの解凍や、FTP、WiFi Transferでの外部との便利な接続、写真フォルダへの直接アクセス、内蔵ブラウザでのダウンロードやWebページのPDF保存など、ファイルアプリより便利な点が非常にたくさん存在している。

作者／Readdle Inc.
カテゴリ／仕事効率化

Documents

Documentsの基本画面

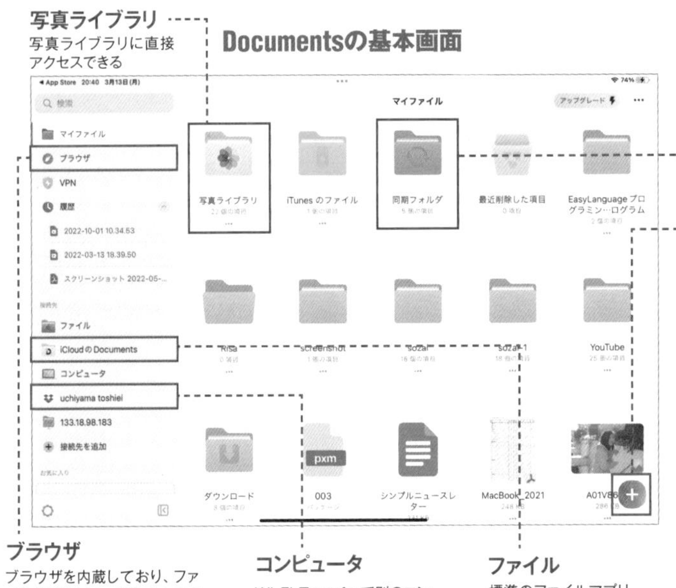

写真ライブラリ 写真ライブラリに直接アクセスできる

同期フォルダ クラウドで同期したフォルダにアクセスできる。オフラインでもファイルを扱えるのがポイント

新規ファイルの作成・取り込み

ブラウザ ブラウザを内蔵しており、ファイルのダウンロードやWebサイトのPDF化→保存などが可能

コンピュータ Wi-Fi Transferで別のコンピュータに接続できる

ファイル 標準のファイルアプリにアクセスできる

PDFへの注釈機能もある!

PDFを開くと、PDF Expertとまったく同じ画面が開き、注釈などを行える。

Documentsの便利な使い方はこれ!

1 使いやすいファイル管理機能

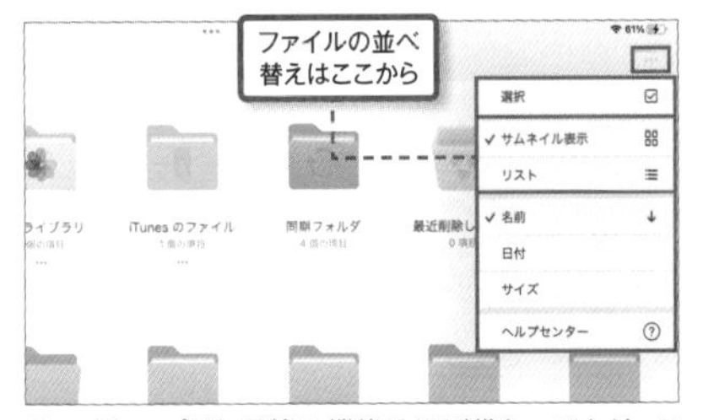

ファイルアプリと同等の機能はほぼ備わっており、ファイルの並べ替え、移動、削除などは同じように行える。カラム表示がない点だけが悔やまれる。

2 写真ライブラリに直接アクセスできる

サイドメニューの「マイファイル」からは直接、写真ライブラリにアクセスでき、写真ファイルを扱える。なぜ標準ファイルアプリにこれができないのか不明だ。

3 動画の再生がとっても快適に行える!

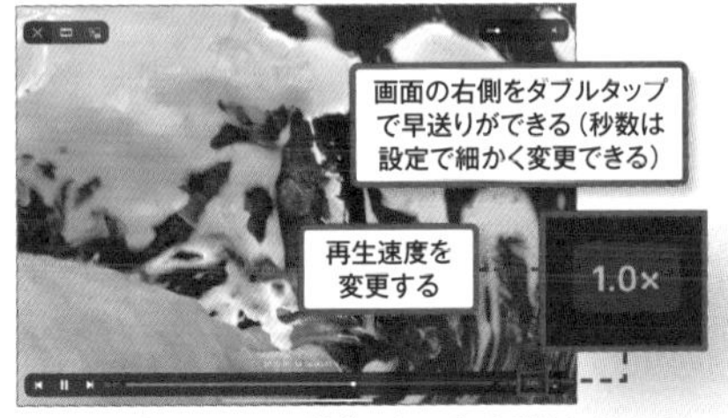

動画の再生は、画面のダブルタップで早送り、巻き戻し（スキップ時間も変更可能）ができ、再生速度も変更可能だ。ピクチャインピクチャにも対応している。

もっとも便利な「同期フォルダ」機能を利用する

標準のファイルアプリも、Dropboxをはじめ各種クラウドに接続できるが、オンラインでしかアクセスできない。しかしDocumentsならフォルダを同期させることでオフラインでのアクセスも可能になる。つまり、自宅で必要なフォルダを同期させておいて、電車内でチェックやマークアップをして会社で修正を入れたファイルを再度同期させる……というようなことが可能になるのだ。

クラウドにアクセスして、必要なファイルをダウンロードして、修正を入れてから再度アップ……のような面倒なことがなくなるので、本当に便利だ。日常の作業をクラウド上で行っている人には、ぜひとも試して欲しい。

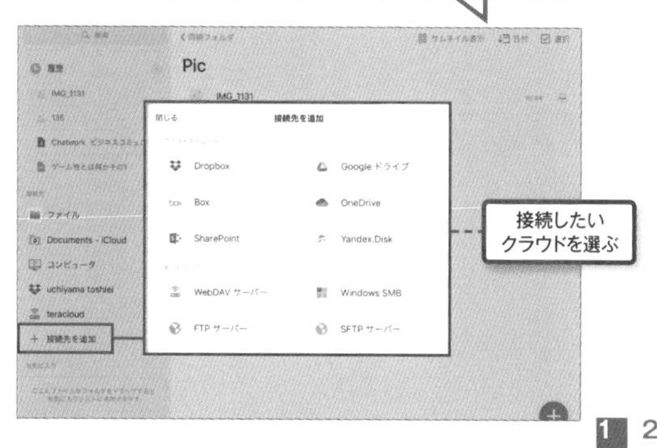

1 左側メニューの「+接続先の追加」をタップして接続したいクラウドを選ぼう。WebDAVやFTPにも接続可能だ。タップしたら、IDとパスワードを入力する。

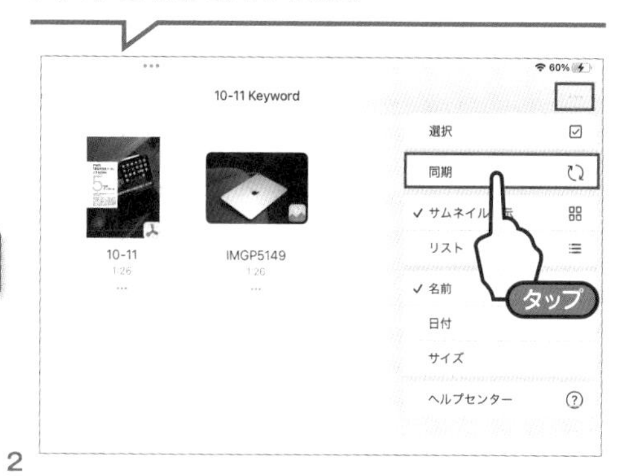

2 クラウドに接続できたら、同期したいフォルダを開いて、右上の「…」から「同期」をタップして、次に「このフォルダを同期」をタップしよう。

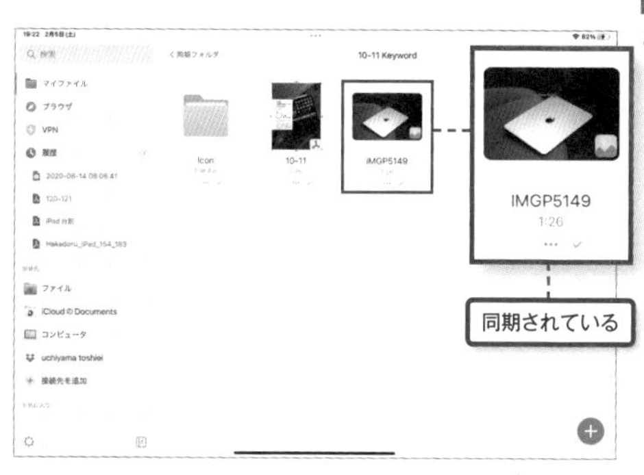

3 同期が完了すると「マイファイル」→「同期フォルダ」の中に、同期させたフォルダが現れる。このあとはオフラインでも作業をすることができる。

4 同期フォルダの中のファイルに、マークアップして同期させれば、元のフォルダも最新のファイルに更新される。PDFだけでなく、Jpgにもマークアップは可能だ。

ここがポイント

重いファイルを同期させたときは、一度接続を切る手もあり!

同期フォルダ内のファイルに変更を加えると、その都度Documentsはネットに接続してファイルを更新しようとするので、その影響で操作が重くなったり、一部の操作が受け付けられない場合がある。そのような場合は、最初に同期フォルダを作成後、オフラインにして作業し、作業が終わったらネットに接続して更新する方法も覚えておこう。

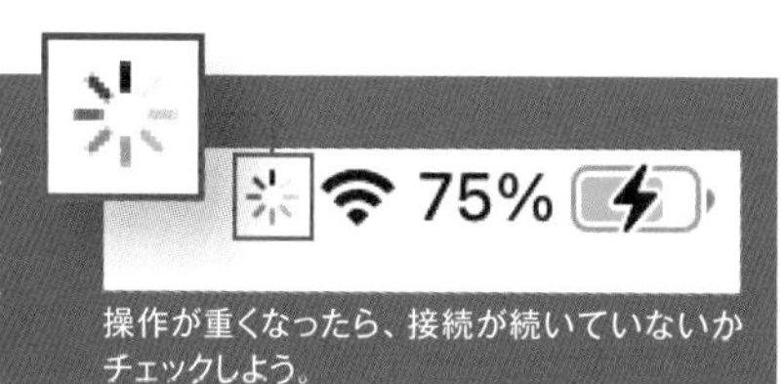

操作が重くなったら、接続が続いていないかチェックしよう。

4 さまざまなファイル形式に対応

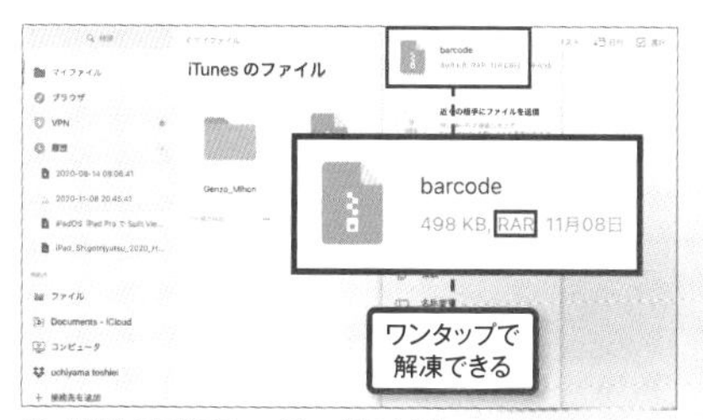

Zip以外の圧縮ファイル、例えば「.rar」のファイルでもワンタップで解凍できる。音楽ファイルではFlacファイルも扱えて便利だ。

5 PDFの閲覧が快適! 見開き表示もOK

PDF Expertが人気のReaddle社のアプリだけあって、PDFの閲覧性は高い。右上の表示設定から「2ページ」を選べば見開き表示も可能だ。

6 複数ファイルやフォルダをiPhoneやMacに送信できる

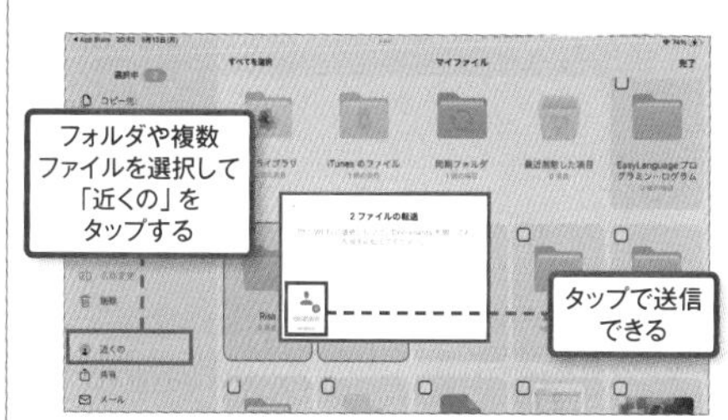

iPhoneやMacへのフォルダ単位や種類の異なるファイルの複数送信もDocumentsなら可能だ。iPhoneやMacでDocumentsを起動しておけばOKだ。

緊急特集!
iPadでも使いたい!
今、目が話せない最新AIサービス

仕事の効率化を図る上で避けられないAIサービス

仕事の効率を最適化するために、人工知能(AI)サービスはますます欠かせない存在になっている。AIがこれまでの機械と異なる点は、「学習」することで、使い続けるほど学習し、自動的に人間が使いやすいように進化することだ。さまざまな分野でAIが導入されているが、特に音声認識、画像認識、文章作成などの分野で急速に発展している。

iPadでもAIは以前から利用されている。最も著名なiPadのAI機能はSiriで、Apple公式のデジタルアシスタントツールだ。単に「ヘイ、Siri ○○して」と話しかけるだけでiPadを操作できる。また、iPadの使用状況を分析して、ユーザーがこれから使うであろうアプリを提案してくれる。

Siriだけじゃない!ほかにもあるさまざまなAIサービス

最近では、テキスト入力で質問して回答や提案をしてくれる「チャットボット」サービスが大変人気となっている。チャットボットとは、「チャット」と「ボット」を組み合わせた言葉で、人工知能を活用した「自動会話プログラム」のこと。企業サイトにアクセスするとよく見かけるツールで、質問したいことを入力フォームに入力すると自動で返信してくれる。

チャットボット以外で、よく使われるAIサービスは翻訳サービスだろう。日本語または外国語に翻訳したい文章を入力すると自動で別の言語に翻訳してくれる。かつてはGoogle翻訳が代表的だったが、最近ではDeepLが主流になりつつある。

出力した音声を聞き取って自動でテキスト化してくれる文字起こしサービスもAIサービスだ。iPadの音声入力や文字起こしサービスの「Notta」が代表的なサービスとして挙げられる。

さらに、最小限のキーワード入力から自動でリアルな画像を生成することができるAI画像作成ツールなども現れ始めている。いずれは、キーワード入力から自動でYouTube動画を作成したり、文学を作成するなどのAIサービスも登場するだろう。

このように、AIツールにはさまざまな用途があり、それぞれが生産性と効率性の向上に役立っている。この章では、iPadでAIを活用することで、単純な仕事の効率を上げ、より重要な仕事に時間を割けるようになる記事を解説していこう。

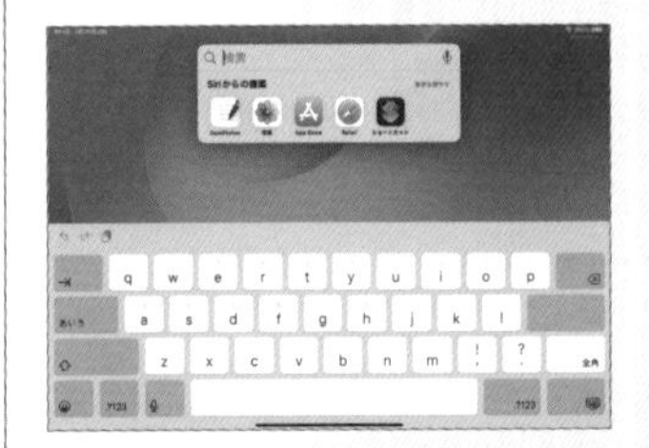

iPadのホーム画面で下にスワイプすると利用するアプリを提案してくれるSiriはiPad標準のAIツールの1つだ。

最新AIツール

対話
ChatGPT
OpenAIが開発した人工知能チャットボット。テキストで問いかけると人間と会話するように回答してくれる今話題のチャットサービス。

検索、データ分析、文章作成、提案などあらゆるビジネスシーンで活用できる!

翻訳
DeepL
言語翻訳に特化した人工知能を利用した翻訳サービス。入力したテキストを指定した言語に瞬時に翻訳してくれる。

英語、ドイツ語、フランス語、スペイン語、イタリア語、オランダ語、ポーランド語、ロシア語、日本語など、主要な言語に翻訳サービスを提供!

文字起こし
Notta
日本のスタートアップ企業が提供する、音声認識技術を用いたリアルタイム自動字幕生成サービス。テレビ番組やライブ配信、会議などの音声を自動で文字に変換し、画面上に表示してくれる。

YouTube動画やインタビュー音源の文字起こしに便利!

画像生成
Midjourney
Discordアプリ上で利用できる人工知能を利用した画像生成サービス。作成したいイメージのキーワードを入力するだけでプロ並のイラストを瞬時に作成してくれる。

作成されたイラストはクレジット表記など条件付きで商用利用もできる!

こんな用途に便利！

OpenAIが開発した話題の人工知能チャットボット

ユーザーが入力したテキストに基づいて独自の応答を生成して返答してくれる

キーワードや条件を指定するだけで文章を自動作成

小説の自動作成や文章の自動校正、要点の箇条書き作成などの記事やドキュメントの自動作成ができる

ブラウザでアクセスして利用できる

ブラウザでメールアドレスを登録するだけで無料で利用可能

今話題のサービス「ChatGPT」とは？

入力したテキストに基づいて会話するように返答してくれる

数あるAIツールの中で今最も注目を浴びているのは「ChatGPT」だ。ChatGPTとは、OpenAIが開発した人工知能チャットボットで、入力したテキストに対してまるで生身の人間のようにリアルな会話文で答えてくれるサービス。

具体的には「東京駅周辺でおすすめの居酒屋はどこ？」「京都の観光名所を教えて」などテキストで問いかけると、流暢な日本語で回答してくれる。事前にプログラミングされた応答を使用していたこれまでのチャットサービスと異なり、ユーザーが入力したテキストに基づいて、ChatGPTはそのユーザーに対して独自の応答を生成して、返答してくれる。そのため、人間との対話に非常に近い応答をするのが特徴だ。

さらに、ChatGPTではキーワードや条件を指定するだけで、何百字もある文章や小説を自動で作成したり、入力した文章を正しい日本語に自動で校正してくれたり、要点と思われることを箇条書きで書き出してくれる。また、自然な対話を生成するため、顧客からの問い合わせ対応時間を短縮し、顧客対応の時間を効率化することもできる。

ChatGPTは、OpenAI.comにブラウザでアクセスしてメールアドレスを登録さえすれば誰でも無料で利用できる。なお、月額20ドルの有料会員プラン「ChatGPT Plus」を利用すれば、アクセスがスムーズになり、応答時間が短縮されたり新機能の使用が可能になるといったメリットもある。

ChatGPTとGoogleとの違い

1: チャット形式で質問に対して回答する

ChatGPTは、Googleのように膨大な検索結果から自分で探す必要がなく、はっきりと1つの回答を提示してくれる。

2: 条件を指定するだけでテキストを自動生成

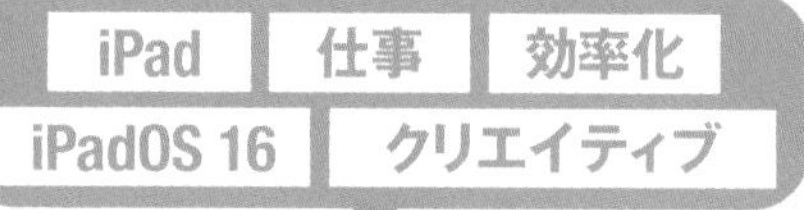

生身の人間が作成した文章のように自然な日本語で長い文章を作成してくれる。

iPadは仕事において非常に効率的な[illegible]ールです。特に、最新のiPadOS16には、クリエイティブな仕事をサポートする多数の機能が搭載されています。例えば、Apple Pencilによる手書き入力や、複数のアプリを同時に表示するSplit View機能などがあります。これらの機能を活用することで、よりクリエイティブなアイデアを生み出し、仕事の効率化に繋げることができます。iPadは、ビジネスマンやクリエイターにとって必須のツールとなっています。

3: 入力内容に対する分析

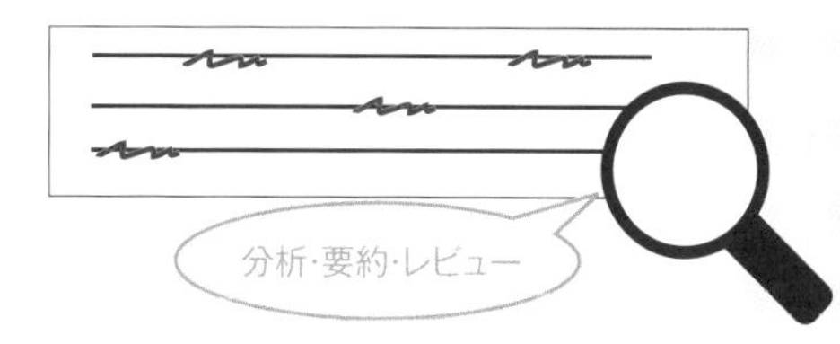

長い文章を入力すると内容を分析して、要約・改善・レビュー・危険性などを提案してくれる。

ChatGPTを使うための準備をしよう

1 ブラウザでChatGPTのサイトにアクセスする

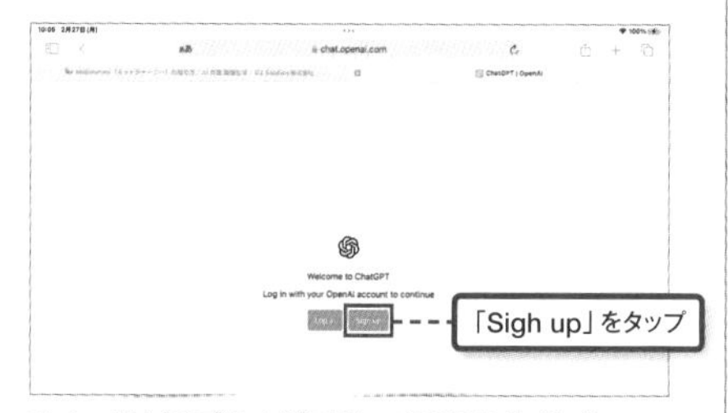

Safariなどのブラウザでプ ChatGPTのサイト（https://chat.openai.com/）にアクセスする。初めて利用する場合は「Sigh up」をタップしよう。

2 メールアドレスを登録する

ChatGPTを利用するにはメールアドレスを登録するかGoogleアカウントやMicrosoftアカウントを登録する必要がある。登録後、メールアドレスに確認メールが送られるので、確認メール内のリンクをタップする。

3 ChatGPTのメイン画面

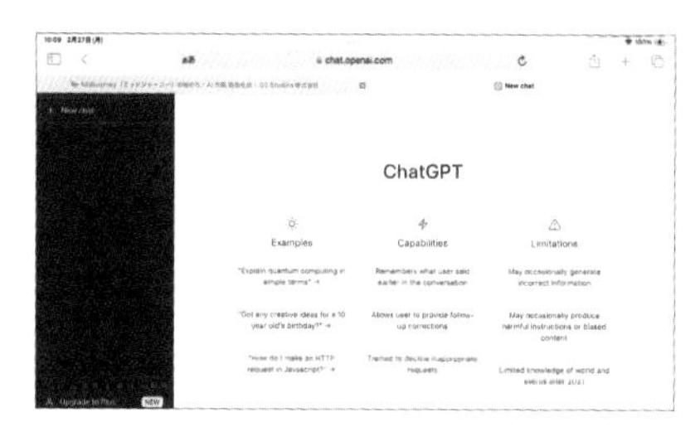

サインインが完了するとこのようなChatGPTのメイン画面が表示される。

ChatGPTで文章を作成したり校正しよう

ChatGPTの使い方は無限にある。ここでは例として、ライターやブロガー、編集者など文章を書く職業にとって便利な使い方を解説しよう。

ChatGPTで文章を作成するには、いくつかのキーワードを組み合わせる必要がある。まず、「何を伝えたいのか」のキーワードを挙げよう。次に「だれに伝えたいのか」をキーワードにしておこう。伝えることは同じでも、だれに伝えたいのかによって、ChatGPTが作成する文章の内容や表現方法が変わってくるためだ。この本では、iPadユーザーに仕事を効率化するためのテクニックを解説するので「iPadユーザー（誰）」に「仕事を効率化する（何）」というキーワードを挙げておく。GoogleのAnd検索のように、具体的なキーワードを複数組み合わせてChatGPTに入力すればよい。

また「どのように伝えるか」も必要だ。具体的には、字数を設定したり文体を指定すれば、指定にそってChatGPTが文章を作成してくれる。作成された文章をリライトしてほしい場合は、入力フォームに続けてリライトしてほしいことを具体的に伝えよう。文章をリライトしてくれる。

ここでは例として「iPadユーザーにiPadで仕事を効率化するテクニックを600字で丁寧に解説して」と入力した。

1 読者層や対象（誰）を設定する

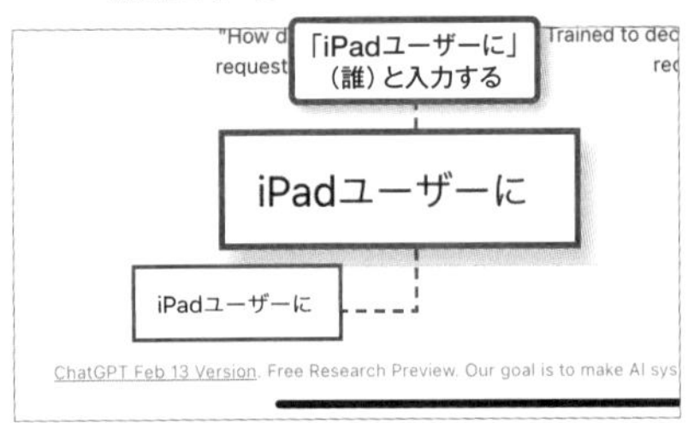

ChatGPTを使って文章を作成する場合、まずは読者層や対象（誰）を設定する。iPadユーザーに向けた文章を作成したい場合であれば、「iPadユーザーに」と入力しよう。

2 「伝えたいこと」（何）を設定する

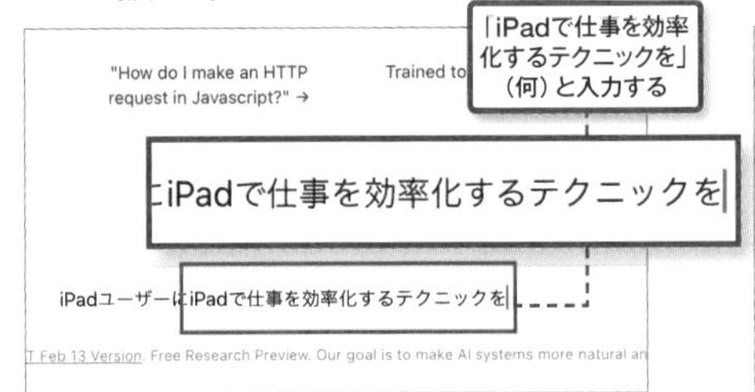

続いて読者に「伝えたいこと」（何）を入力する。ここではiPadで仕事を効率化する方法を伝えたいので「iPadで仕事を効率化するテクニックを」と入力する。

3 「どのように伝えるか」を設定する

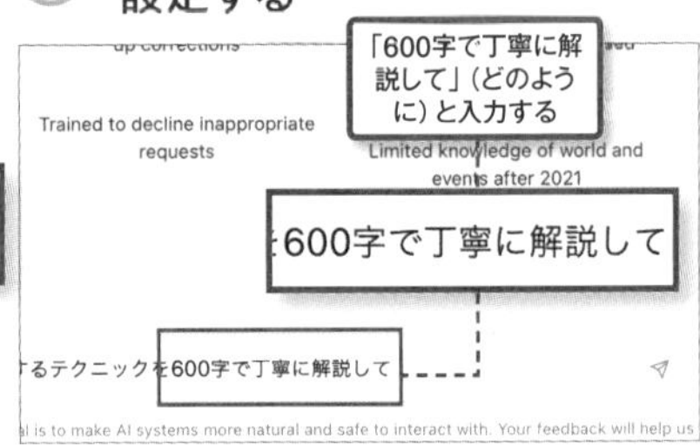

最後に「どのように伝えるか」を設定する。600字で丁寧に解説する文章を作成したいので「600字で丁寧に解説して」と入力する。

4 ChatGPTが入力した内容に基づいて自動で作成してくれる

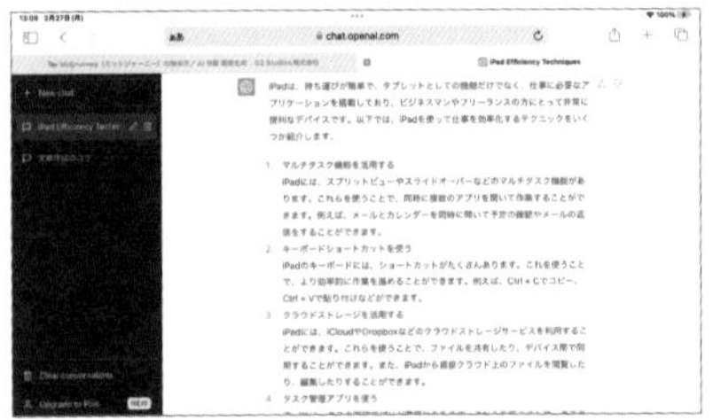

するとChatGPTが自動で入力したテキスト内容に従って文章を作成してくれる。作成されたテキストはコピーすることができる。

5 作成した文章をリライトさせることもできる

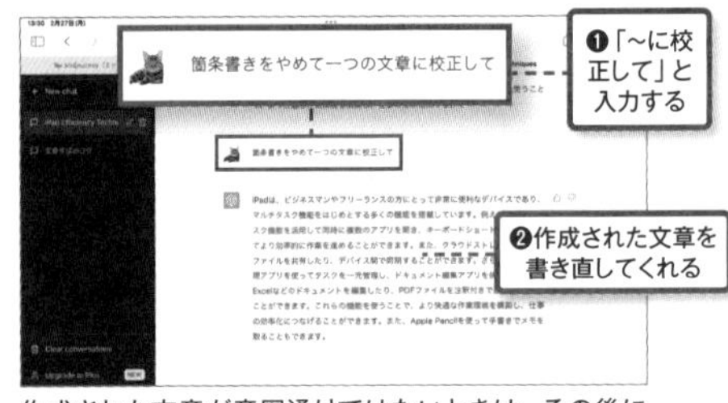

作成された文章が意図通りではないときは、その後にリライトしてほしいことを入力しよう。すると文章を書き直してくれる。

6 作成した内容は画面左側に保存される

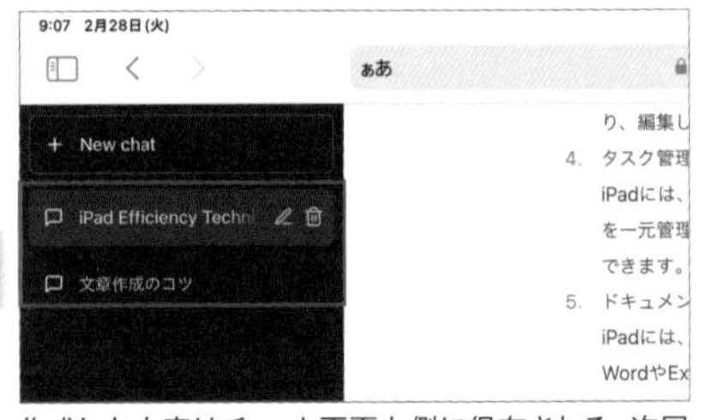

作成した内容はチャット画面左側に保存される。次回ログイン時にチャットを続けたり、新しいチャットを作成することもできる。

既存の文章をChatGPTに入力して校正、要約、リードを作成してもらおう

ChatGPTは、短いキーワードを元に文章を自動生成するだけでなく、既存の文章を入力するとその内容を分析し、校正や重要と思われる箇所を抜き出して箇条書きにしたり、さらにリードを作成することができる。文章を書くことには得意な人でも、校正やリード作成が苦手な場合は、ChatGPTに作成した文章を入力すると助けになるだろう。

1 入力した文章を校正する

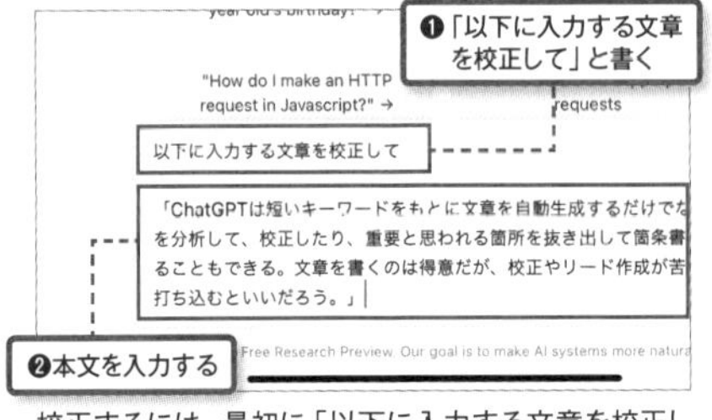

校正するには、最初に「以下に入力する文章を校正して」と書き、改行後「」内に校正してほしい文章を入力しよう。

2 校正した文章を作成してくれる

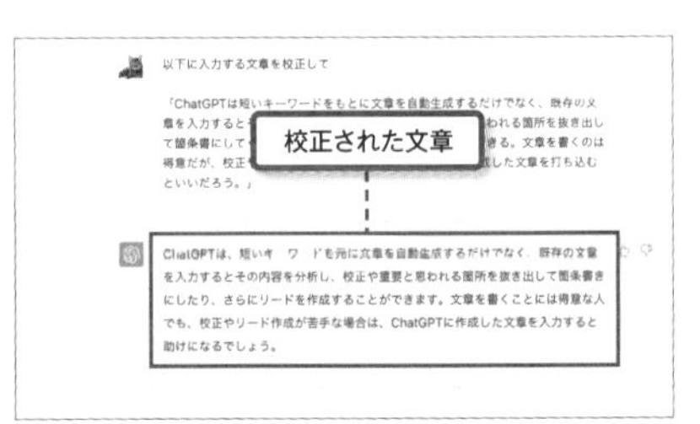

すると「」内に入力した文章を分析して、誤字脱字や文法、言い回し、句読点の場所などを修正してくれる。

便利過ぎる! ChatGPTコマンド集

検索サービスではなくコンテンツ作成サービスとして使おう

ChatGPTは、Googleに代表される情報検索ツールよりも、文章を書くことが仕事のライターや編集者、趣味でブログを書く人にとって、とても便利なコンテンツ生成ツールであることは間違いない。このツールには、文章作成の際に役立つコマンドが用意されており、これらのコマンドを上手に使うことで、文章作成のスピードアップや、より分かりやすい文章を作ることができる。是非、ChatGPTの便利なコマンドを活用して、スムーズな文章作成を実現してほしい（※この文章もChatGPTで作成している）。

「iPad仕事術」という本の台割（目次のようなもの）をChatGPTに依頼すると台割を作成してくれる。

カテゴリ	制作内容	ChatGPTへの入力例
文章作成	文章を作成する	キーワードから文章を作成して・キーワード1・キーワード2・キーワード3
文章作成	勢いのある文章を作成する	キーワードから勢いのある文章を作成して・キーワード1・キーワード2・キーワード3
文章作成	メルマガを作成する	キーワードからメルマガを作成して・キーワード1・キーワード2・キーワード3
文章作成	プレスリリースを作成する	キーワードからプレスリリースを作成して・キーワード1・キーワード2・キーワード3
文章作成	文章を要約する	以下の入力文を要約して「入力文」
文章作成	文章を指定した字数におさめる	以下の入力文を○○字にして「入力文」
編集	文章から見出しを作成する	以下の入力文から見出しを作成して「入力文」
編集	短文を長文にふくらませる	以下の入力文を長文にアレンジして「入力文」
編集	リードを作成する	以下の入力文からリードを作成して「入力文」
編集	文章から要点をまとめる	以下の入力文から要点を○個にまとめて「入力文」
編集	文章を翻訳する	以下の入力文を○語に翻訳して「入力文」
編集	文章から目次を作成する	以下の入力文から目次を作成して「入力文」
編集	キャッチコピーを作成する	以下の入力文からキャッチコピーを作成して
校正	入力した文章を校正する	以下の入力文を校正して「入力文」
校正	わかりやすく丁寧に書き直す	ChatGPT文章生成後に「わかりやすく丁寧に書き直して」と入力する
テンプレート	お礼のメール	お礼のメールのテンプレートを作成して
テンプレート	断る文章	相手に断る文章のテンプレートを作成して
テンプレート	謝る文章	相手に謝る文章のテンプレートを作成して
テンプレート	締め切りが間に合わないときの謝る文章	締切が間に合わなかったときの言い訳の例文を作成して
提案	記事のネタ出しをする	○○に関する人気のありそうな記事を提案して
提案	本の台割を作る	○○というタイトルの本の目次を提案して
提案	セミナーのネタを作る	○○のセミナーのネタを提案して

ここがポイント

ChatGPTの入力フォームで改行するときはShiftキーをEnterキーを押そう。Enterキーだけ押すと送信してしまうので注意しよう。

3 長い文章を指定した字数に要約する

本文を入力する

❶「以下に入力する文章を○字で要約して」と書く

以下に入力する文章を200字で要約して

「仕事の効率を最適化するために、人工知能（AI）サー
これまでの機械と異なる点は、「学習」することで、使
うに進化する機能がある。様々な分野でAIが導入されて
分野で急速に発展している。
iPadでもAIは以前から利用されている。最も著名なiPa
タントツールだ。単に「ヘイ、SiriOOして」と話しかけ

1000文字以上の文章を200字に要約することもできる。最初に「以下に入力する文章を○字で要約して」と書き、改行後「」内に要約したい文章を入力しよう。

4 指定した字数に要約してくれる

人工知能（AI）は、仕事の効率を最適化するためにますます欠かせない存在になっている。AIは、「学習」することで、使い続けるほど自動的に進化する機能があり、音声認識、画像認識、文章作成などの分野で急速に発展している。iPadでもAIは以前から利用されており、Siriが最も著名なAI機能となっている。また、AIツールにはチャットボット、翻訳サービス、文字起こしサービス、AI画像作成ツールなどがあり、生産性と効率性の向上に役立っている。記事では、iPadでAIを活用することで単純な仕事の効率を上げ、より重要な仕事に時間をシフトできるようになる方法が紹介されている。

要約された文章

すると指定した字数にきちんと入力した内容を要約してくれる。リードを作成してほしい場合は「要約」ではなく「リード」に変更すればリード風にしてくれる。

5 文章から見出しを作成

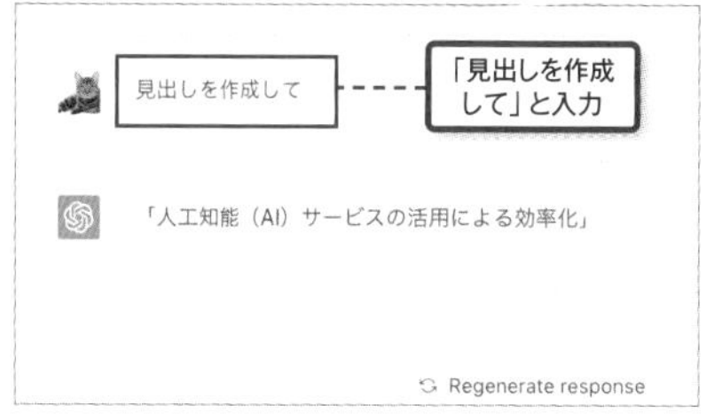

作成した文章から見出しを作りたい場合は、文章作成後に「見出しを作成して」と入力するとすぐに見出しを作成してくれる。

海外の顧客とコミュニケーションする
使用する原文を貼りつけるだけで簡単に翻訳できる

不自然のないきちんとしたメールを作成したい
DeepL翻訳ならネイティブに近い自然な文章を作成できる

PDFファイルを翻訳したい
PDFやWordなどのファイルをアップロードしてまるごと翻訳できる

Google翻訳よりも高精度な「DeepL翻訳」を使おう

驚異的な翻訳精度と自然な文章が作れる翻訳サービス

海外との顧客とメールでやり取りする際、多くの人は翻訳に頭を悩ませる。そこで入力した文章を自動的に翻訳してくれる翻訳サービスを使おう。自動翻訳サービスといえばGoogleが提供しているGoogle翻訳が最も有名だが、最近注目を集めているのが「DeepL翻訳」だ。

DeepL翻訳は人工知能システムを開発しているドイツのDeepL社が提供する機械翻訳サービス。2017年にインターネット上に無料で公開され、2020年に日本語版がリリースされた。その驚異的な翻訳精度とより自然な文章は多くのユーザーから高い評価を得ている。

Google翻訳では違和感のある文章でもDeepL翻訳ならまるでネイティブが使っている文章のように美しい文章を作成することが可能だ。実際にDeepL社がほかの翻訳サービスと比較するテストを行ったところ、どの翻訳においてもDeepL翻訳による翻訳が最も良いという結果が出ている。

DeepLは現在、日本語、英語、ドイツ語、フランス語、ロシア語、中国語（簡体字）など31言語に対応しており、相互に翻訳できる。翻訳された文章はコピー＆ペーストできるのでビジネスメールやSNSなどでメッセージ作成に転用できる。Split ViewやSlide Overなどを併用すると効率よくコピー＆ペーストできるだろう。無料版は一度に翻訳できる文字数は5000文字までだが、何度でも使えるので実質無制限だ。

作者／DeepL GmbH
価格／無料
URL／https://www.deepl.com/translator

DeepL

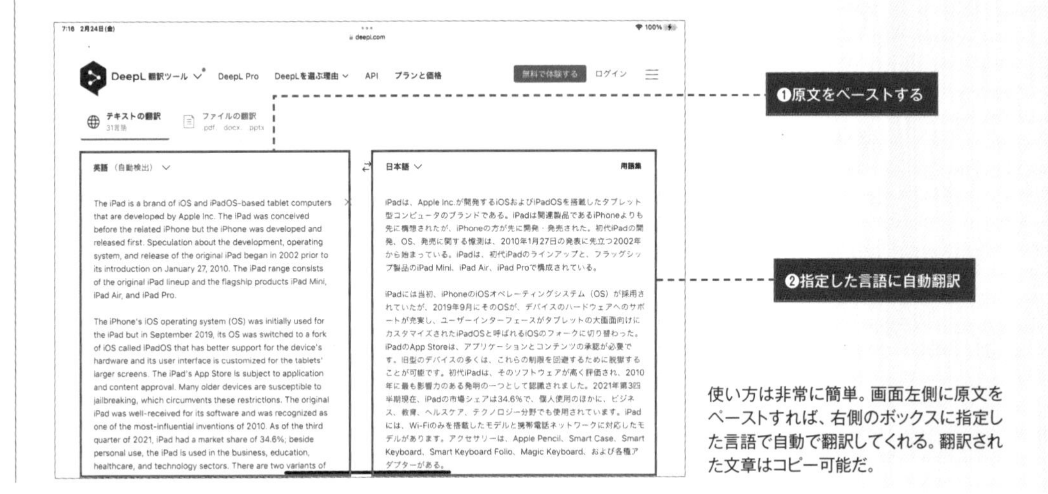

使い方は非常に簡単。画面左側に原文をペーストすれば、右側のボックスに指定した言語で自動で翻訳してくれる。翻訳された文章はコピー可能だ。

DeepL翻訳を使いこなそう

1 無料版は5000文字以内の文字制限がある

DeepL翻訳には有料版と無料版がある。無料版では入力できるテキストの長さは一度に5000文字以内となる点に注意しよう。有料版には文字数の制限はない。

2 翻訳した文書をほかのユーザーと共有する

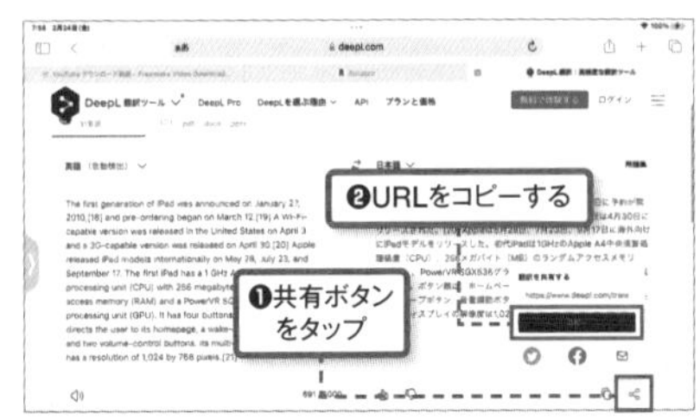

翻訳された文章は共有ボタンをクリックすると作成されるURLからほかのユーザーと共有することができる。TwitterやFacebook、メールで共有するのに便利だ。

3 翻訳する言語を変更する

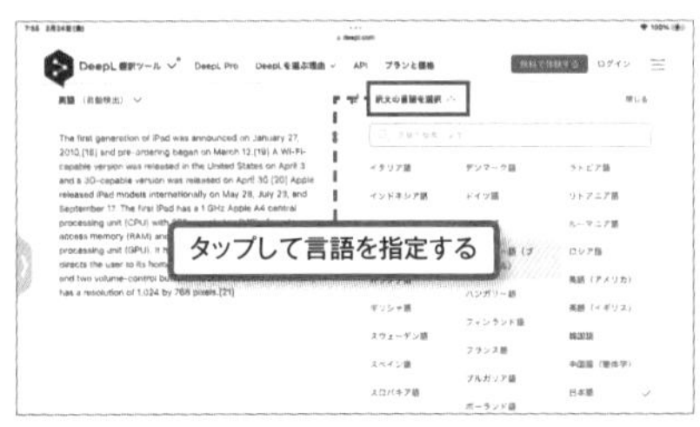

標準では日本語で入力した文章は英語で翻訳するようになっているが、ほかの言語に変更したい場合は入力ボックス上の言語メニューから言語を指定しよう。

iPadアプリ版DeepL翻訳をダウンロードしよう

DeepL翻訳はiPad版アプリも用意されている。インストールしてSlide Overなどで起動しておくことで、ブラウザでアクセスする必要がなく、効率よくDeepLを使いこなせるようになる。

iPad版では29言語でテキスト翻訳できるほか、マイクを使用すれば入力した音声をテキスト化して翻訳できるほか、翻訳した文章を読み上げてくれる。海外旅行などで便利な機能だ。さらに、画像からテキストを読み取るOCR機能を備えており、カメラでかざした画像内のテキストを抽出して、瞬時に翻訳もしてくれる。

作者／DeepL GmbH
価格／無料
URL／https://www.deepl.com/translator

DeepL

Slide OverでDeepLを起動しておく。ほかのアプリで翻訳したいテキストをコピーして、DeepLにペーストしよう。自動で言語を検出して指定した言語に翻訳してくれる。

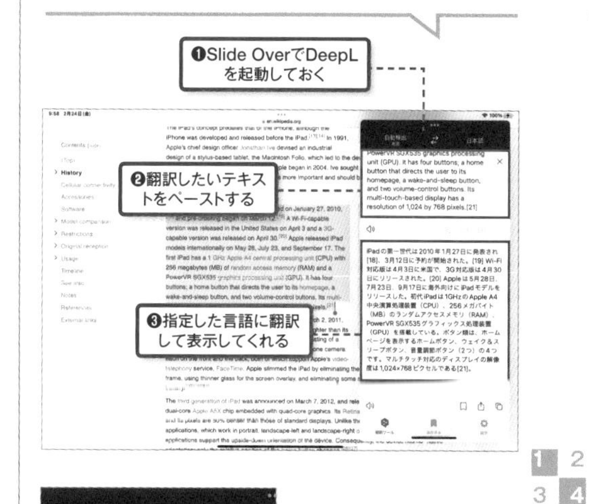

テキストボックス左下にあるボタンをタップするとテキストを音声で読み上げてくれる。また、共有メニューから翻訳したテキストをコピーしたりPDF形式にして保存できる。

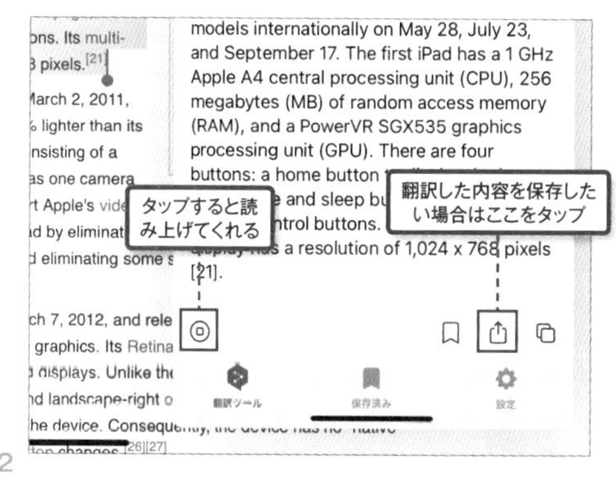

1 2
3 4

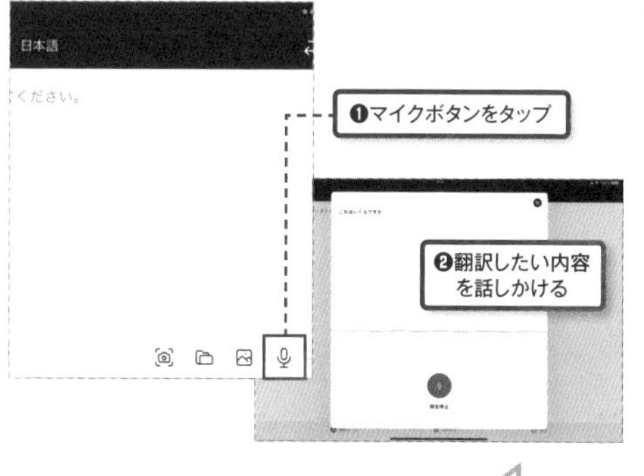

音声入力で翻訳したい場合は、テキスト入力欄右下のマイクボタンをタップ。録音画面が起動したら翻訳したい内容を話しかけよう。録音を終了すると翻訳して表示してくれる。

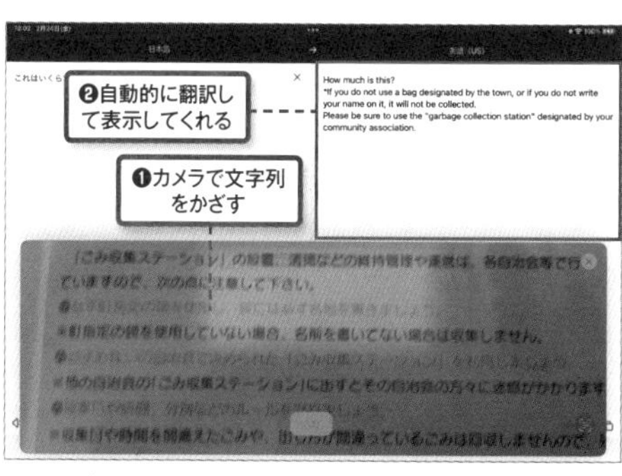

入力欄にあるカメラボタンをタップするとカメラが起動する。翻訳したい文字をカメラにかざすと自動的に読み取り、翻訳表示してくれる。

ここがポイント

共有メニューからDeepLを使うこともできる

DeepLは起動しなくても各アプリの共有メニューから呼び出して使うこともできる。メールやメッセージアプリを使っている場合は、翻訳したい部分を範囲選択してメニューから「共有」を選択して、DeepLを選択しよう。DeepLが起動して選択した部分を翻訳表示してくれる。初めて使うときは共有メニューDeepLの名称が表示されないことがあるが、その場合は、メニューの「その他」を開こう。DeepLの名称が見つかる。

4 文書ファイルをアップロードして翻訳する

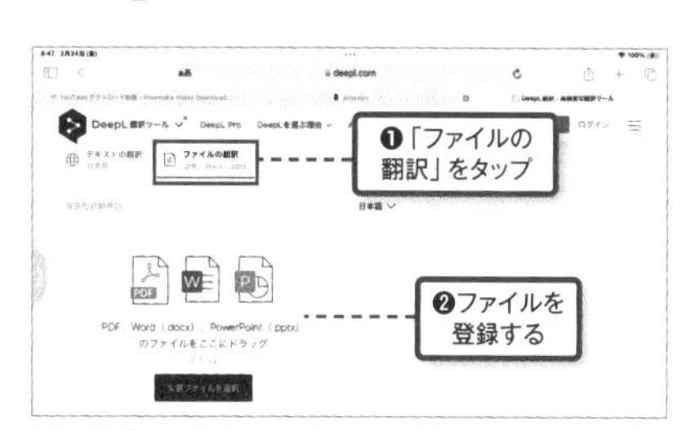

PDFやWordやPowerPointなどのオフィスファイルを丸ごと翻訳することもできる。「ファイルの翻訳」タブを開き、ファイルをドラッグ&ドロップする。

5 ファイルをダウンロードする

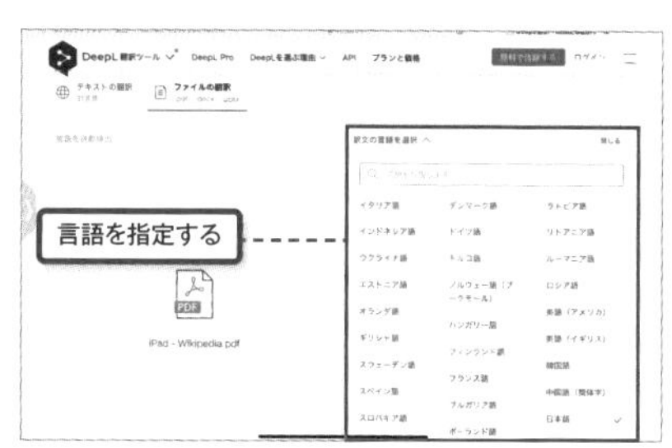

ファイルを登録すると言語選択画面が表示される。翻訳先の言語を指定すれば翻訳が開始される。

6 Slide Overとの併用がおすすめ

iPadのマルチタスク機能Slide Overとの併用がおすすめ。翻訳したい文書やファイルを開いてドラッグ&ドロップでDeepLに登録して翻訳できる。

こんな用途に便利！

録音した会議などの議事録の作成
手動でキーボードを打つ必要がなく効率よく文字起こしができる

文字起こしの時間を削減する
手動で文字起こしするよりも圧倒的な速さで文字起こしができる

海外動画の翻訳
テキスト翻訳が使えない海外動画を英語で文字起こしをして翻訳する

テープ起こしをAIにおまかせ! 高精度な文字起こしツール

クリアな音声で録音して AIを使って自動でテキスト化 無料でも使える

会議の議事録作成やインタビュー・取材の記録をするときに必須になるのが録音した音源をテキストに変換するテープ起こし作業。単純作業ながら、膨大な時間をとられてしまう非常に面倒な仕事だ。このテープ起こしを劇的に楽にしてくれるのが「Notta」だ。

Nottaは、AIによる音声自動テキスト化アプリ。録音機能を有効にすると周囲の音声をリアルタイムでテキストに書き起こしてくれる。数ある文字起こしアプリの中でも、非常に精度が高く、書き起こし直後は奇妙な文章であっても文脈に応じて自動で修正してくれるのが特徴だ。Googleドキュメントや iPadの音声入力アプリと異なり、勝手に録音が途切れてしまうこともない。

無料版と有料のプレミアム版が存在するが、無料版でも毎月120分までは無料で利用できる(ただし、3分間のリアルタイム書き起こししか利用できないので、あくまでお試しとなる)。書き起こし時は、録音ファイルも一緒に作成される。うまく書き起こしできていない場所は、自分で聞いて編集することができる。あとで聞き直しが行える点もメリットだ。

作者／Langogo Technology Co., Ltd.
価格／無料

Notta

Nottaを利用する際のおすすめ環境

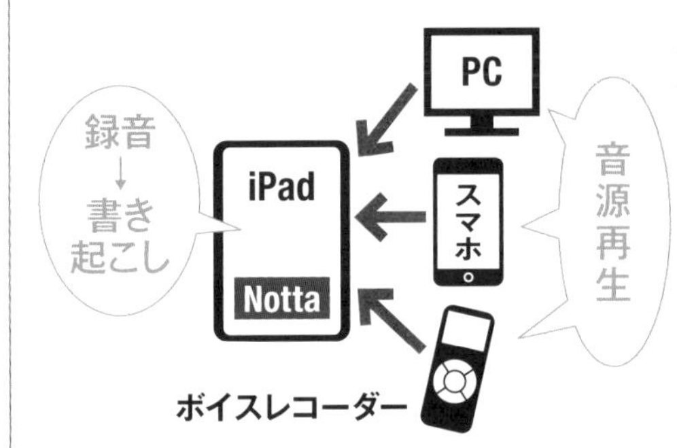

iPad上で再生している音声をバックグラウンド再生して書き起こししようとすると音声が停止してしまうので、音源は、スマホ、PC、ボイスレコーダーなど別に用意して近くに置こう。なお、有料版（1,200円／月額）なら音声ファイルを読み込んで書き起こしできる。

	無料版	プレミアム版
文字起こし時間	120分	1800分
リアルタイム文字表示	3分	無制限
音声・動画ファイルのインポート		○
文字起こしの翻訳		○
テキストのクリップボードコピー	○	○
音声データのエクスポート		○
テキストのエクスポート		○
Web会議アプリの文字起こし		○
音声倍速再生		○
音声速度の変化		○

Nottaで文字起こしさせてみよう

1 起動して録音ボタンをタップする

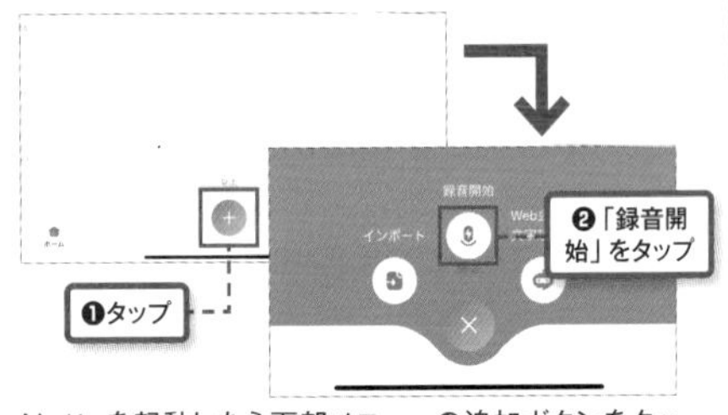

Nottaを起動したら下部メニューの追加ボタンをタップするとメニューが表示される。無料版は外部録音による文字起こししかできないので「録音開始」をタップ。

2 音源が文字起こしされていく

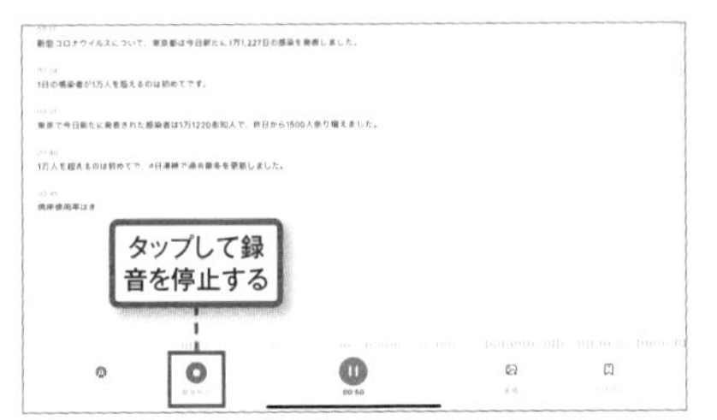

音源を再生すると自動的に文字起こしされていく。クリアな音源なら極めて精度の高いテキスト変換をしてくれるだろう。停止する場合は「録音停止」をタップ。

3 タイトルを付けて保存する

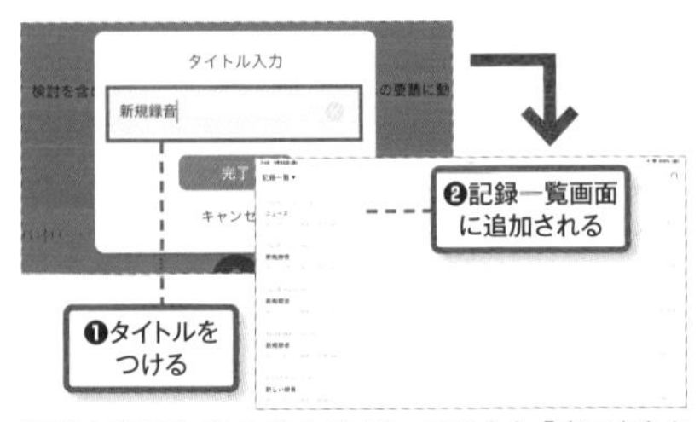

録音内容にタイトルをつけよう。つけたら「完了」をタップ。記録一覧画面に録音したタイトルが追加される。タップすると内容を閲覧できる。

海外の動画を文字起こしして日本語に翻訳する

海外テキストを翻訳する場合は、Google翻訳などの翻訳アプリにテキストをコピー＆ペーストすればよいが、YouTubeやSNSでアップロードされている外国語動画は翻訳アプリで内容を翻訳することができない。そんなときでもNottaは役立つ。

Nottaは日本語だけでなく、英語、中国語など世界104言語に対応している。言語設定を対象の外国語に設定変更しよう。設定変更後、外国語の動画を再生すれば、外国語で文字起こししてくれる。あとは、文字起こしした内容をコピーしてGoogle翻訳などの翻訳アプリに貼り付ければよい。

なお、英語では、アメリカ、イギリスなど複数の国の英語があるので、動画元の国に合わせた英語を指定するようにしよう。

1

文字起こしの言語を変更するには、下部メニューから「アカウント」を開き、「文字起こし言語」をタップする。

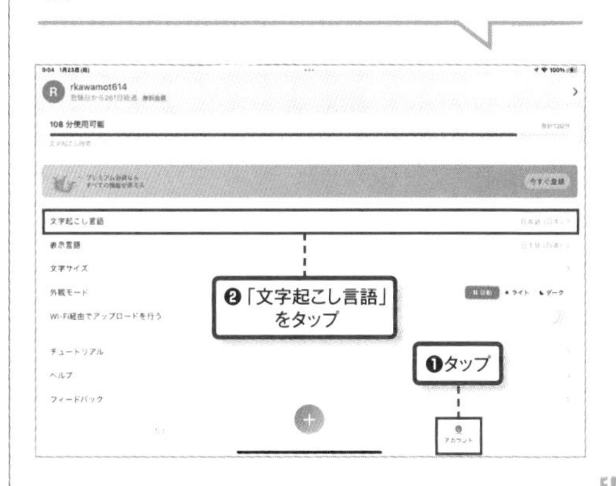

2

言語選択画面が表示される。ここで文字起こしする外国語を選択しよう。英語の場合は「English」を選択する。

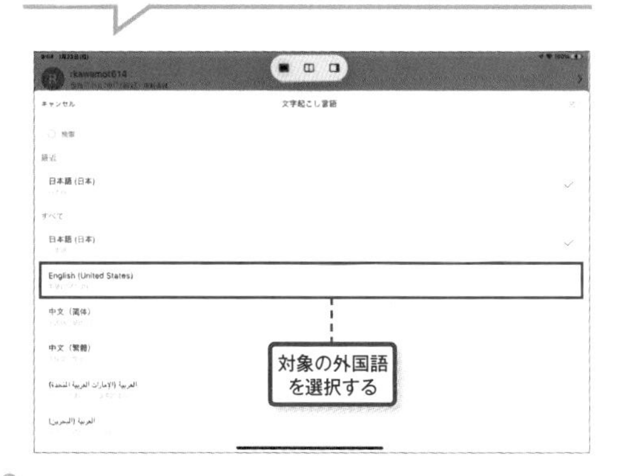

3

設定を変更したら、動画を再生させ文字起こしを行おう。すると外国語で文字起こししてくれる。もちろん、日本語同様変換精度は高い。

4

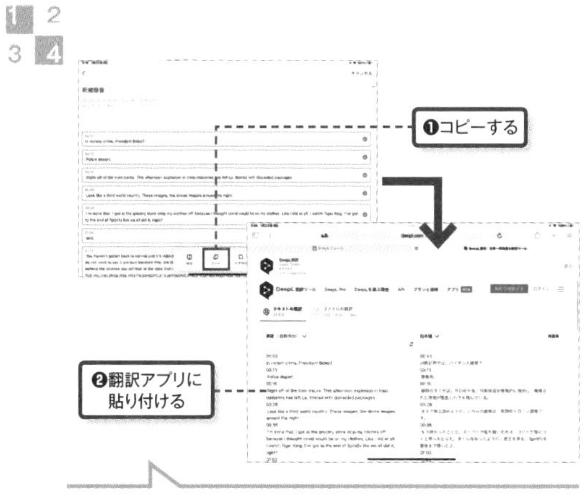

文字起こしした内容を選択してコピーしたら、翻訳アプリやサービスに内容を貼り付けると。海外の動画内容を翻訳できる。

ここがポイント

イヤホンで聞いて口頭で文字起こしする方法も

iPad標準の音声入力を使ってうまくテープ起こしする方法もある。文字起こし対象の音源をイヤホンで聴いて、その内容をiPadに向かって自分で話しかけて入力する方法だ。iPadの「設定」→「一般」→「キーボード」と進み、音声入力を有効にして「音声入力言語」は日本語にしよう。

4 文字起こしした内容をコピーする

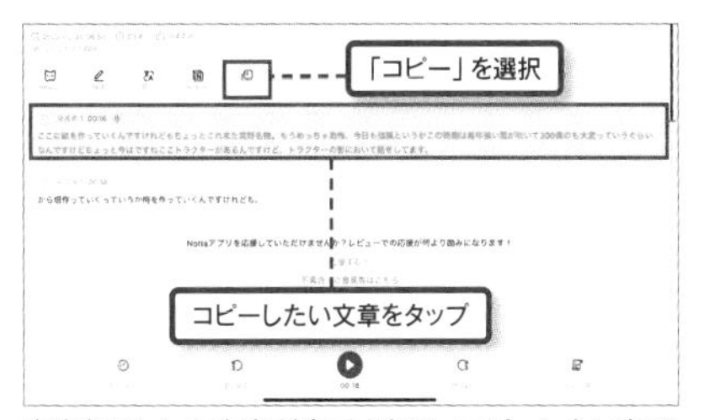

文字起こしした内容が表示される。コピーしたい部分をタップするとメニューが表示されるので「コピー」をタップするとクリップボードにコピーできる。

5 文字起こしした内容を結合する

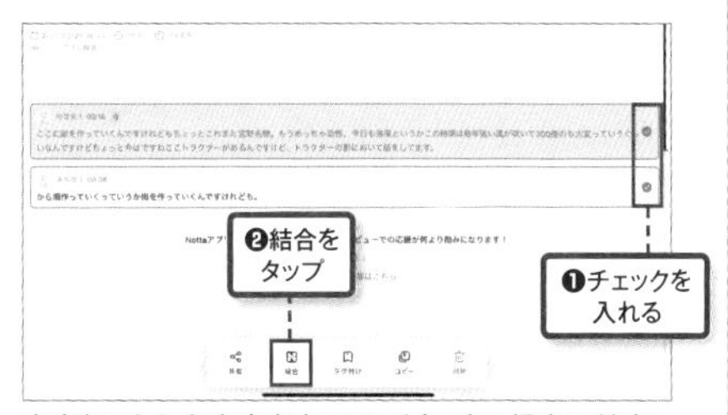

文字起こしした内容をすべてコピーする場合は結合しよう。結合するには、右側にある選択ボタンにチェックを入れ、メニューから「結合」をタップ。

6 結合した内容を編集してコピーする

分割されていた内容が1つに結合される。「コピー」から内容をクリップボードにコピーできる。なお、「編集」で直接文字の校正ができる。

こんな用途に便利！

自分でイラストを作成したい
AIならキーワードを入力するだけで瞬時に思い通りのイラストが作成できる

作成後も細かく修正したい
Midjourneyでは作成した画像を元に細かく修正できる

商用でイラストを利用したい
一定の条件をもとに生成されたAI画像は商業利用も可能

イラストが描けない人でも「Midjourney」を使えば簡単に作成できる

キーワードを入力するだけで瞬時にイラストを作成

絵を描くのが苦手な人の大半は、これまで仕事に必要なイラストをイラストレーターに依頼していただろうが、画像生成AIを使えば絵心がない人でも簡単にイラストを作成できる。現在、世界中で流行している画像生成AI「Midjourney」を使おう。

Midjourneyは、描いてほしいイラストに関するキーワードや文章を入力するだけで自動でイラストを作成してくれるサービス。プロ顔負けの高いクオリティのイラストを作成してくれ、有料版を使っていれば商用利用もできる。フリートライアル版は25枚まで作成でき、それ以上利用する場合は月額10ドル（Basicプランの場合）のサブスクリプションサービスを購入しよう。

なお、Midjourneyはチャットサービス Discord上で利用できる機能の1つなので、利用するにはまず、Discordへの参加が必要となる。Discordに参加できたら、Midjourneyの公式サイトにブラウザでアクセスして、招待メールを受け取り、参加することで利用できるようになる。

その後も特殊なコマンドを入力したり、英語専用だったりと導入まではやや複雑な部分もあるが、一度使えれば、あとはスムーズに利用できるはずだ。iPadから利用しづらい場合は、パソコンのブラウザから利用しよう。

作者／Discord, Inc.
価格／無料
カテゴリ／ソーシャル・ネットワーキング

Discord

Midjourneyを使うプロセス

2 Midjourneyの公式サイトにアクセスして招待を受ける

4 特定のチャットルームで特定のコマンドを入力する

まずはDiscordのアカウントを取得しよう

1 Discordをダウンロードして起動する

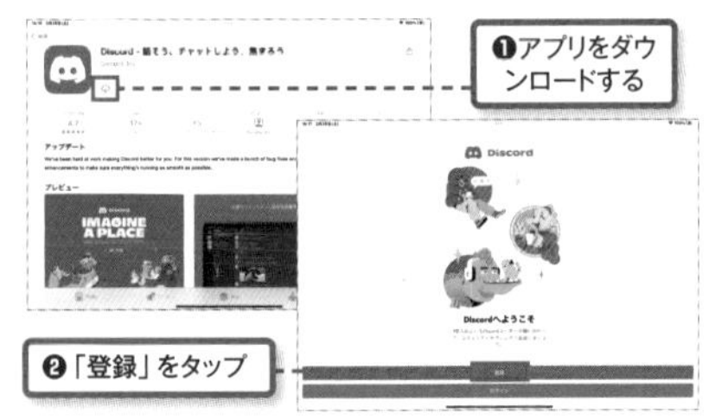

まずはApp StoreからDiscordアプリをダウンロードしよう。インストール後起動するとこのような画面が表示される。アカウントを持っていない人は「登録」をタップ。

2 アカウントを登録する

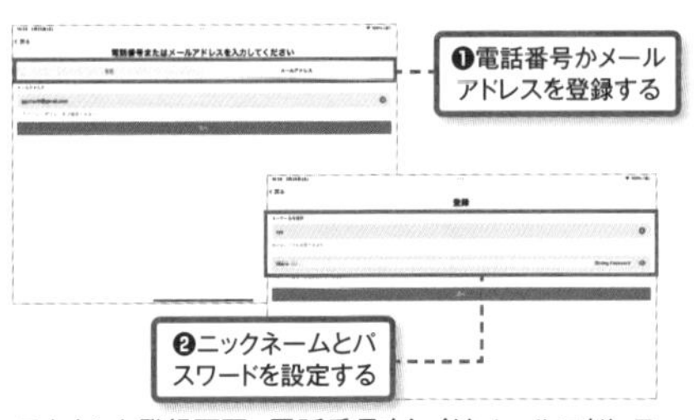

アカウント登録画面。電話番号もしくはメールアドレスを登録しよう。その後、ニックネームとログインパスワードを設定する。

3 アカウントを登録する

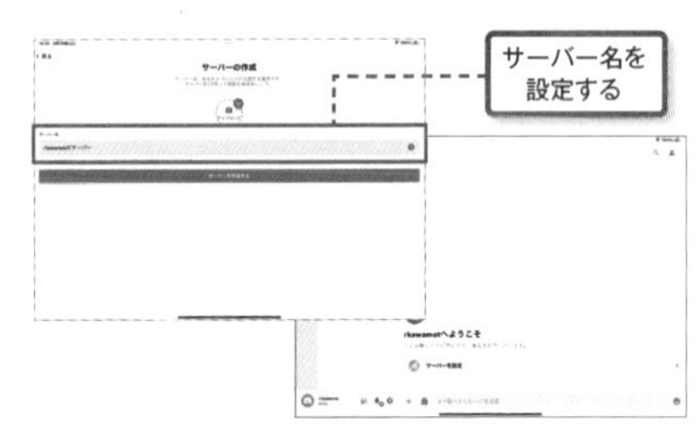

あとは画面に従って進めていく。サーバー作成画面が表示されたら、サーバー名を設定して「サーバーを作成」をタップする。Discordのインターフェース画面になったら作成完了だ。

チャットルームに参加してAI画像を作成する

Midjourneyに参加できたらAI画像を作成しよう。作成するには、どれでもいいのでチャットルーム内にある「NEWCOMER ROOMS（数字）」をクリックし、「newbies-（数字）」をタップする。チャットルームが開き、ほかのユーザーがAI生成した画像が流れていくはずだ。このルームでAI画像を作成する。

チャットールーム画面下部にある入力フォームに「/imagine」と入力すると、真上に『/imagine prompt』が候補として表示されるのでこれをクリックする。『/imagine prompt』と表示されたら、その後ろにAIに作ってほしいイラストと関係のあるキーワードを英語で入力して、送信しよう。しばらく経つとチャットルームに自分が送信したキーワードで作成されたAI画像が表示されるはずだ。

Discordを起動して、左メニューからMidjourneyをタップ。チャットルーム一覧から「NEWCOMER ROOMS（数字）」をクリックし、「newbies-（数字）」をタップする。番号はどれでもよい。

画面下部の入力フォームに「/imagine」と入力する。候補で「/imagine prompt」と表示されるのでこれをクリックする。その後に作って欲しいイラストに関するるキーワードを英語で入力しよう。

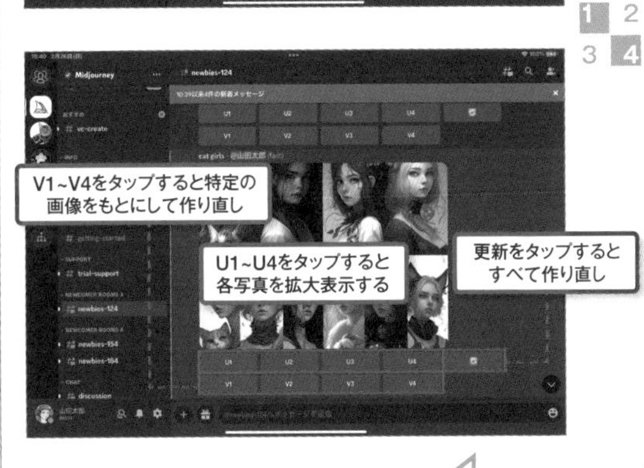

入力したキーワードに関連する画像を作って候補を4点表示してくれる。左上がU1、右上がU2、左下がU3、右下がU4である。各画像をもとに作り直したい場合は「V数字」をタップする。

ここでは、右上の「U2」をタップした。すると選択した画像ファイルのみを高解像度で表示してくれる。あとは写真を長押しして保存しよう。

ここがポイント

作成したAI画像が流れてどこにあるかわからない

チャットルームではほかのユーザーが作成したAI画像も大量に流れていくので、自分が作った画像を見失いがちだ。自分が作成したAI画像を開きたい場合は、通知画面を開き、「メンション」タブを開こう。ここで、自分が作成したり変更を加えたAI画像が一覧表示される。

「メンションタブ」を開く

4 ブラウザでMidjourneyのサイトにアクセスする

ブラウザを起動してMidjourneyの公式サイト（https://www.midjourney.com/home/）にアクセスして、右下の「Join the beta」をタップする。

5 Midjourneyから招待してもらう

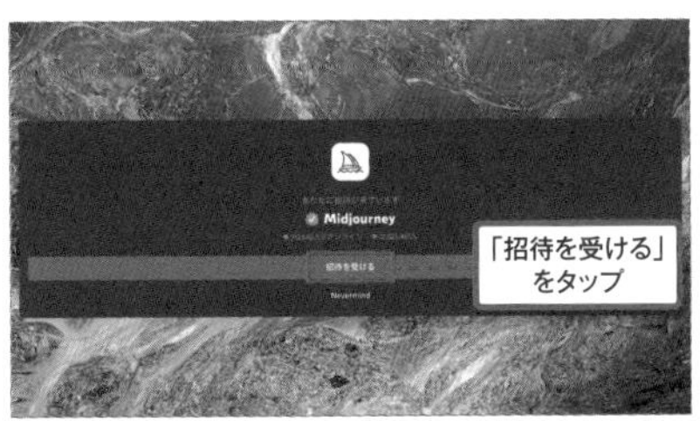

「あなたに招待が来ています」という画面が表示されたら「招待を受ける」をタップする。これでMidjourneyのサーバーにアクセスできるようになる。

6 Discordを起動してMidjourneyサーバーにアクセスする

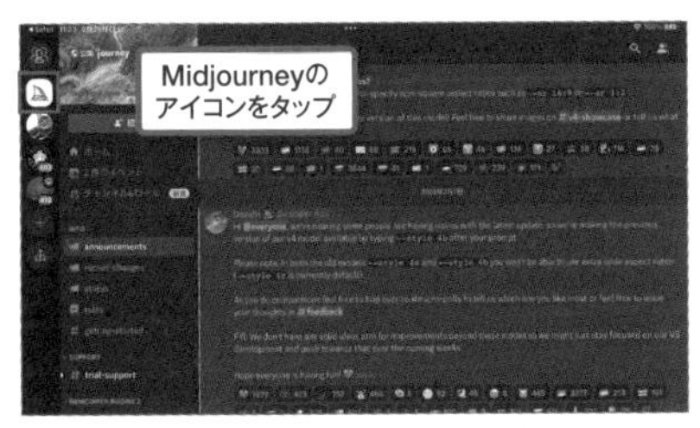

Discordを起動して左のサーバー一覧にMidjourneyのアイコンが追加されていれば問題ない。タップするとMidjourneyのサーバーが一覧表示される。

アプリ・インデックス

APP INDEX　アプリ名から記事を検索しよう。

A

iPad 仕事術!!

iPad Working Style Book!!!!

2023

2023年4月10日発行

執筆
河本亮
小暮ひさのり
小原裕太

カバー・本文デザイン
ゴロー2000歳

本文デザイン・DTP
松澤由佳

撮影
鈴木文彦(snap!)

協力
Apple Japan

編集人:内山利栄
発行人:佐藤孔建

発行・発売所:スタンダーズ株式会社
〒160-0008　東京都新宿区四谷三栄町12-4
竹田ビル3F
営業部(TEL)03-6380-6132
印刷所:中央精版印刷株式会社